#시험대비
#핵심정복

7일 끝
중간고사
기말고사

Chunjae
Makes
Chunjae

개발총괄	김덕유
편집개발	중등 사회팀
제작	황성진, 조규영

발행일	2021년 3월 15일 초판 2021년 3월 15일 1쇄
발행인	(주)천재교육
주소	서울시 금천구 가산로9길 54
신고번호	제2001-000018호
고객센터	1577-0902
교재 내용문의	(02)3282-1780

※ 정답 분실 시에는 천재교육 홈페이지에서 내려받으세요.

7일 끝으로 끝내자!

고등 한국지리

BOOK 1

이 책의 구성과 활용

시험 공부 시작

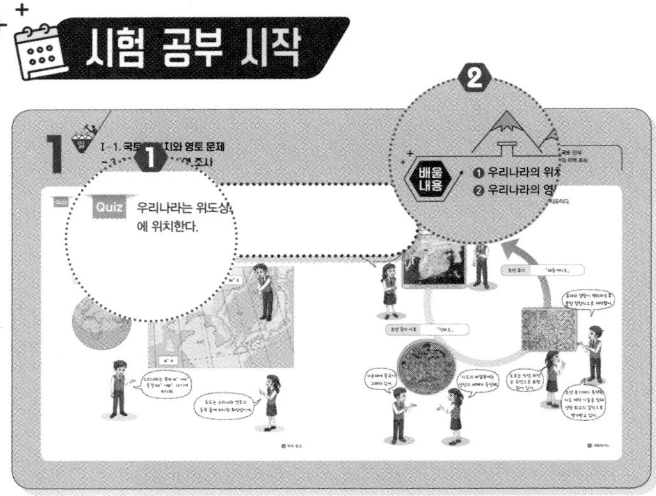

퀴즈로 생각 열기

공부할 내용을 만화로 가볍게 살펴보며 학습을 준비해 보세요.

❶ **생각 열기** | 만화 내용을 가볍게 보고 퀴즈를 풀면서 학습 목표를 떠올려 보세요.

❷ **배울 내용** | 공부할 내용을 살피며 핵심 학습 요소를 확인해 보세요.

본격 공부 중

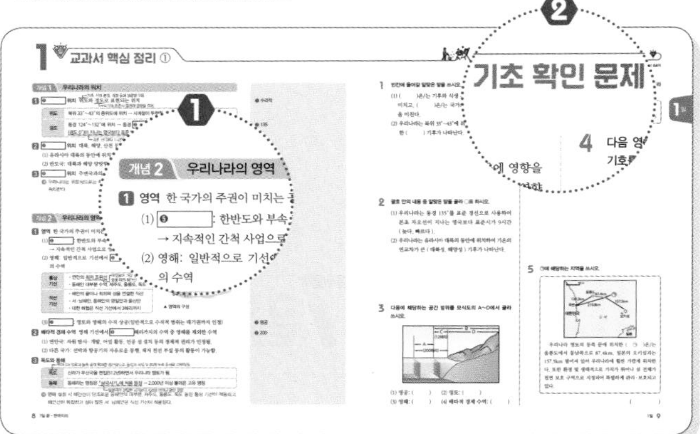

교과서 핵심 정리 + 기초 확인 문제

꼭 알아야 할 교과서 핵심 내용을 익히고 기초 확인 문제를 풀며 제대로 이해했는지 확인해 보세요.

❶ 빈칸 문제를 채우며 교과서 핵심 내용을 다시 한 번 체크해 보세요.

❷ 교과서 핵심과 관련된 기초 확인 문제를 풀며 공부한 내용을 확인해 보세요.

내신 기출 베스트

다양한 유형의 문제를 풀어 보며 공부한 내용을 점검해 보세요.

❶ 대표 예제 문제를 풀며 시험에 잘 나오는 문제를 확인 보세요.

❷ 개념 가이드를 보며 시험에 잘 나오는 용어나 개념을 익히거나 문제 해결의 힌트를 얻어 보세요.

시험 공부 마무리

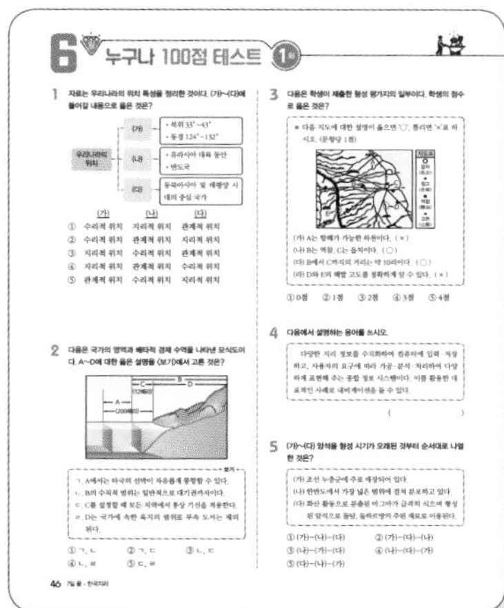

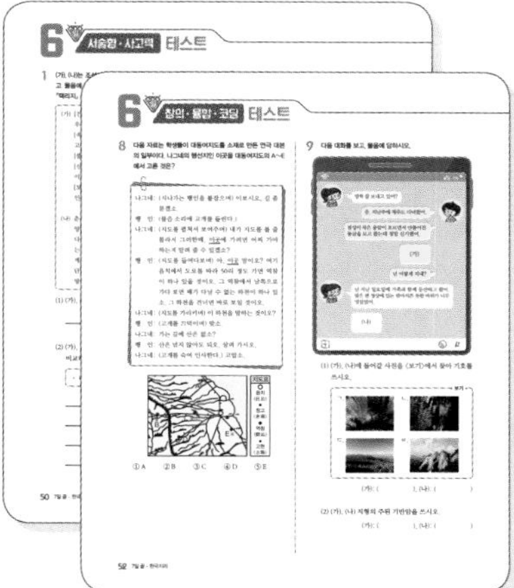

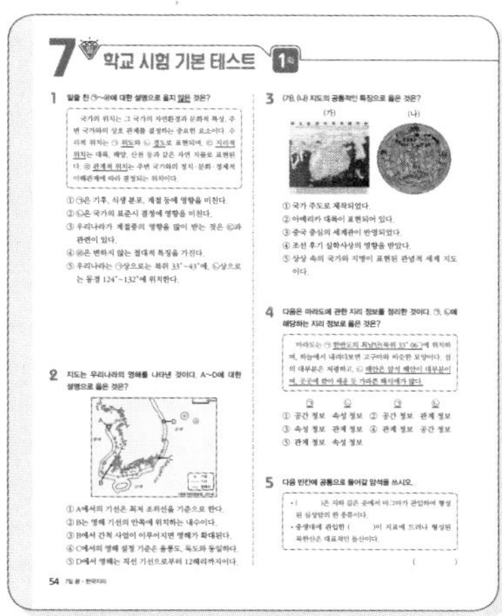

누구나 100점 테스트

앞에서 공부한 내용을 바탕으로 기초 이해력을 점검해 보세요.

서술형·사고력 테스트 / 창의·융합·코딩 테스트

서술형 문제를 집중적으로 풀고, 다양한 자료들을 활용한 문제를 풀며 사고력을 길러 보세요.

학교 시험 기본 테스트

시험 문제에 가까운 예상 문제를 풀며 실전에 대비해 보세요.

튼튼이·짱짱이 공부하기

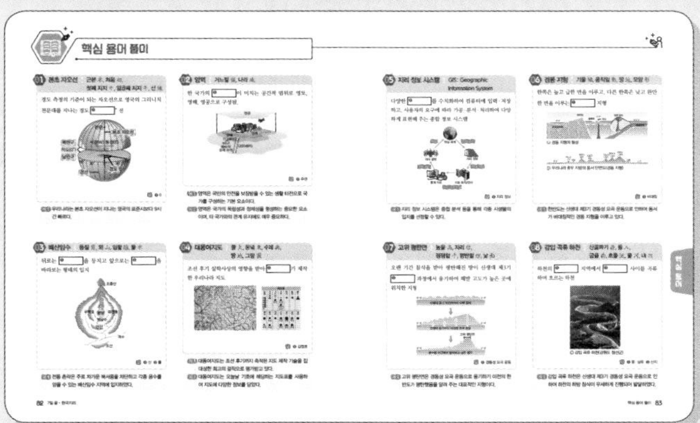

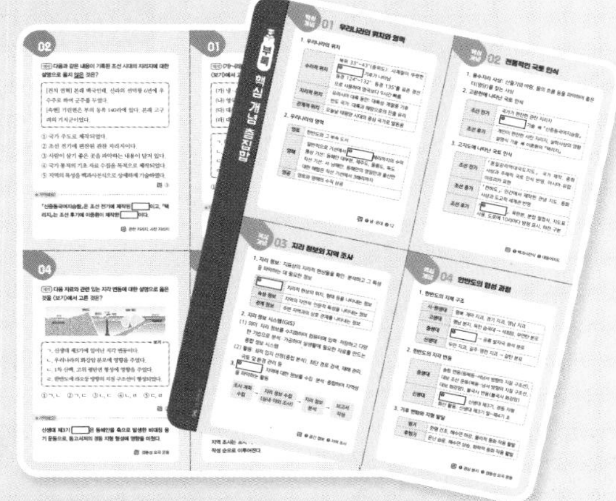

핵심 용어 풀이

과목별 필수 어휘를 담은 핵심 용어 풀이를 보며 어휘력을 길러 보세요.

핵심 개념 총집합 카드

카드를 휴대하며 이동할 때나 시험 직전에 활용해 보세요.

이 책의 차례

우리 학교 시험 범위 확인

☑ 시험 범위에 해당하는 부분에 표시해 보세요.

교과서 단원		교재
Ⅰ. 국토 인식과 지리 정보	1. 국토의 위치와 영토 문제	☐ BOOK ❶ 1일, 6일 1회, 7일
	2. 국토 인식의 변화	☐ BOOK ❶ 1일, 6일 1회, 7일
	3. 지리 정보와 지역 조사	☐ BOOK ❶ 1일, 6일 1회, 7일
Ⅱ. 지형 환경과 인간 생활	1. 한반도의 형성과 산지의 모습	☐ BOOK ❶ 2일, 6일 1회, 7일
	2. 하천 지형과 해안 지형	☐ BOOK ❶ 2, 3일, 6일 1회, 7일
	3. 화산 지형과 카르스트 지형	☐ BOOK ❶ 3일, 6일 1회, 7일
Ⅲ. 기후 환경과 인간 생활	1. 우리나라의 기후 특성	☐ BOOK ❶ 3일, 6일 1회, 7일
	2. 기후와 주민 생활	☐ BOOK ❶ 4일, 6일 2회, 7일
	3. 기후 변화와 자연재해	☐ BOOK ❶ 4일, 6일 2회, 7일
Ⅳ. 거주 공간의 변화와 지역 개발	1. 촌락의 변화와 도시 발달	☐ BOOK ❶ 5일, 6일 2회, 7일
	2. 도시 구조와 대도시권	☐ BOOK ❶ 5일, 6일 2회, 7일
	3. 도시 계획과 재개발	☐ BOOK ❷ 1일, 6일 1회, 7일
	4. 지역 개발과 공간 불평등	☐ BOOK ❷ 1일, 6일 1회, 7일
Ⅴ. 생산과 소비의 공간	1. 자원의 의미와 자원 문제	☐ BOOK ❷ 1일, 6일 1회, 7일
	2. 농업의 변화와 농촌 문제	☐ BOOK ❷ 1일, 6일 1회, 7일
	3. 공업의 발달과 지역 변화	☐ BOOK ❷ 2일, 6일 1회, 7일
	4. 서비스업의 변화와 교통·통신의 발달	☐ BOOK ❷ 2일, 6일 1회, 7일
Ⅵ. 인구 변화와 다문화 공간	1. 인구 분포와 인구 구조의 변화	☐ BOOK ❷ 3일, 6일 1회, 7일
	2. 인구 문제와 공간 변화	☐ BOOK ❷ 3일, 6일 1회, 7일
	3. 외국인 이주와 다문화 공간	☐ BOOK ❷ 3일, 6일 1회, 7일
Ⅶ. 우리나라의 지역 이해	1. 지역의 의미와 지역 구분	☐ BOOK ❷ 4일, 6일 2회, 7일
	2. 북한 지역의 특성과 통일 국토의 미래	☐ BOOK ❷ 4일, 6일 2회, 7일
	3. 인구와 기능이 집중된 수도권	☐ BOOK ❷ 4일, 6일 2회, 7일
	4. 태백산맥으로 나뉘는 강원 지방	☐ BOOK ❷ 4일, 6일 2회, 7일
	5. 빠르게 성장하는 충청 지방	☐ BOOK ❷ 5일, 6일 2회, 7일
	6. 다양한 산업이 함께 발전하는 호남 지방	☐ BOOK ❷ 5일, 6일 2회, 7일
	7. 공업과 함께 발달한 영남 지방	☐ BOOK ❷ 5일, 6일 2회, 7일
	8. 세계적인 관광 중심지 제주특별자치도	☐ BOOK ❷ 5일, 6일 2회, 7일

1 일

I-1. 국토의 위치와 영토 문제 ~ 3. 지리 정보와 지역 조사

Quiz 우리나라는 위도상으로는 (남위, 북위) 33°~43°에 위치하고, 경도상으로는 (동경, 서경) 124°~132°에 위치한다.

답 북위, 동경

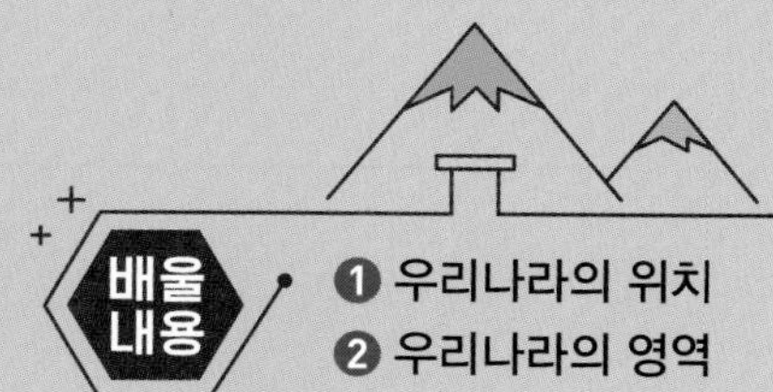

배울 내용

❶ 우리나라의 위치
❷ 우리나라의 영역
❸ 전통적인 국토 인식
❹ 지리 정보와 지역 조사

Quiz 「(대동여지도, 혼일강리역대국도지도)」는 조선 후기에 김정호가 제작한 전국 지도이다.

조선 전기 「혼일강리역대국도지도」

우리나라에 현존하는 세계 지도 중 가장 오래된 지도야.

지도의 중심에 중국이 크게 그려져 있어.

조선 후기 「대동여지도」

휴대와 열람이 편리하도록 분첩 절첩식으로 제작했어.

도로는 직선, 하천은 곡선으로 표현되어 있어.

조선 후기까지 축적된 지도 제작 기술을 집대성한 최고의 걸작으로 평가받고 있지.

조선 중기 이후 「천하도」

가운데에 중국이 그려져 있어.

지도의 바깥쪽에는 상상의 세계가 등장해.

답 대동여지도

1일 교과서 핵심 정리 ①

개념 1 우리나라의 위치

1 ❶ [　　　] **위치** 위도와 경도로 표현되는 위치
- 위도: 기후, 식생 분포, 계절 등에 영향을 미침.
- 경도: 국가의 표준시 결정에 영향을 미침.

위도	북위 33°~43°의 중위도에 위치 → 사계절이 뚜렷한 냉·온대 기후가 나타남.
경도	동경 124°~132°에 위치 → 동경 ❷ [　　　]°를 표준 경선으로 사용하여 본초 자오선(경도 0°)이 지나는 영국보다 표준시가 9시간 빠름.

└ 경도 15°마다 1시간의 시차가 발생하기 때문임.(135°÷15°= 9)

2 ❸ [　　　] **위치** 대륙, 해양, 산천 등과 같은 지형지물로 표현되는 위치

(1) 유라시아 대륙의 동안에 위치: 대륙성 기후와 계절풍 기후가 나타남.

(2) 반도국: 대륙과 해양 양방향으로의 진출 및 교류에 유리함.

└ 계절풍의 영향으로, 여름은 고온 다습하고 겨울은 한랭 건조함.

3 ❹ [　　　] **위치** 주변국과의 정치·문화·경제적 이해관계에 따라 결정되는 상대적 위치

예 우리나라는 위도상으로는 북위 33°~43°의 중위도에 위치하고, 경도상으로는 동경 124°~132°에 위치한다.

❶ 수리적

❷ 135

❸ 지리적

❹ 관계적

개념 2 우리나라의 영역

1 **영역** 한 국가의 주권이 미치는 공간적 범위로 영토, 영해, 영공으로 구성됨.

(1) ❺ [　　　]: 한반도와 부속 도서로 구성(총면적 약 22.3만 km², 남한 면적 약 10만 km²)
→ 지속적인 간척 사업으로 영토 면적이 확대되고 있음.

(2) 영해: 일반적으로 기선에서 ❻ [　　　]해리까지의 수역

통상 기선	• 연안의 최저 조위선 (바닷물이 가장 많이 빠진 썰물 때의 해안선) • 동해안 대부분 수역, 제주도, 울릉도, 독도
직선 기선	• 해안의 끝이나 최외곽 섬을 연결한 직선 • 서·남해안, 동해안의 영일만과 울산만 • 대한 해협은 직선 기선에서 3해리까지

▲ 영역의 구성

(3) ❼ [　　　]: 영토와 영해의 수직 상공(일반적으로 수직적 범위는 대기권까지 인정)

2 **배타적 경제 수역** 영해 기선에서 ❽ [　　　]해리까지의 수역 중 영해를 제외한 수역

(1) 연안국: 자원 탐사·개발, 어업 활동, 인공 섬 설치 등의 경제적 권리가 인정됨.

(2) 다른 국가: 선박과 항공기의 자유로운 통행, 해저 전선 부설 등의 활동이 가능함.

3 **독도와 동해**

독도	신라가 우산국을 편입(512년)하면서 우리나라 영토가 됨.
동해	동해라는 명칭은 『삼국사기』에 처음 등장 → 2,000년 이상 불러온 고유 명칭

- 독도: 우리나라 영토의 동쪽 끝에 위치한 화산섬으로, 동도와 서도 및 89개 부속 도서로 이루어짐.
- 『삼국사기』: 일본국이 성립한 시기보다 700여 년이나 앞선 것임.

예 영해 설정 시 해안선이 단조로운 동해안의 대부분, 제주도, 울릉도, 독도 등은 통상 기선이 적용되고, 해안선이 복잡하고 섬이 많은 서·남해안은 직선 기선이 적용된다.

❺ 영토

❻ 12

❼ 영공

❽ 200

기초 확인 문제

정답과 해설 64쪽

1 빈칸에 들어갈 알맞은 말을 쓰시오.

(1) (   )은/는 기후와 식생 분포, 계절 등에 영향을 미치고, (   )은/는 국가의 표준시 결정에 영향을 미친다.

(2) 우리나라는 북위 33°~43°에 위치하여 사계절이 뚜렷한 (   ) 기후가 나타난다.

2 괄호 안의 내용 중 알맞은 말을 골라 ○표 하시오.

(1) 우리나라는 동경 135°를 표준 경선으로 사용하여 본초 자오선이 지나는 영국보다 표준시가 9시간 (늦다, 빠르다).

(2) 우리나라는 유라시아 대륙의 동안에 위치하여 기온의 연교차가 큰 (대륙성, 해양성) 기후가 나타난다.

3 다음에 해당하는 공간 범위를 모식도의 A~D에서 골라 쓰시오.

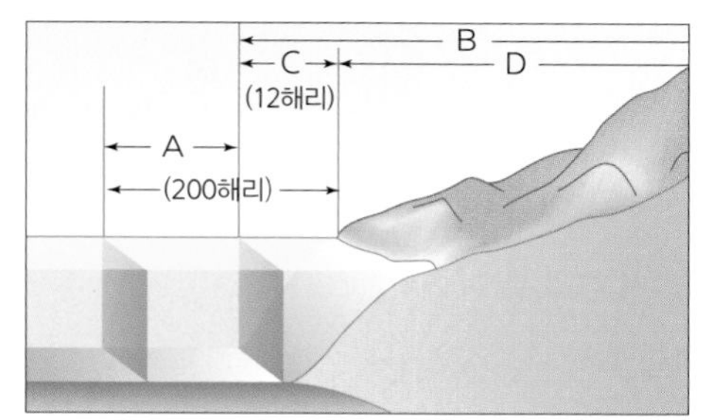

(1) 영공: (   )　(2) 영토: (   )

(3) 영해: (   )　(4) 배타적 경제 수역: (   )

4 다음 영해 설정 기준이 적용되는 지역을 〈보기〉에서 골라 기호를 쓰시오.

〈보기〉

ㄱ. 독도	ㄴ. 울릉도	ㄷ. 제주도
ㄹ. 서·남해안	ㅁ. 대한 해협	ㅂ. 동해안 대부분

(1) 직선 기선으로부터 3해리: (   )

(2) 직선 기선으로부터 12해리: (   )

(3) 통상 기선으로부터 12해리: (   )

5 ㉠에 해당하는 지역을 쓰시오.

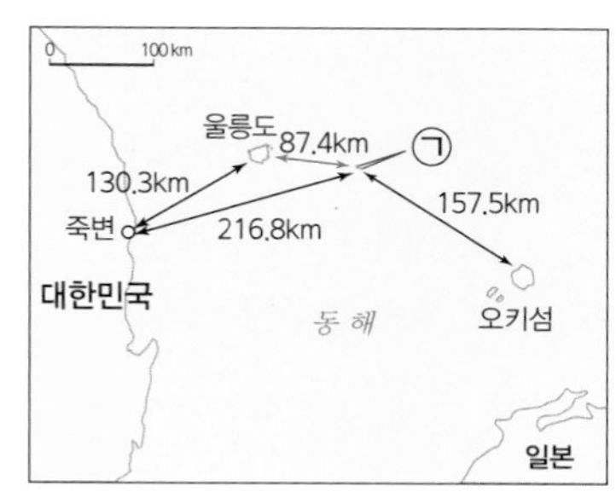

우리나라 영토의 동쪽 끝에 위치한 (㉠)은/는 울릉도에서 동남쪽으로 87.4km, 일본의 오키섬과는 157.5km 떨어져 있어 우리나라에 훨씬 가깝게 위치한다. 또한 환경 및 생태적으로 가치가 뛰어나 섬 전체가 천연 보호 구역으로 지정되어 특별하게 관리·보호되고 있다.

(   )

1일 교과서 핵심 정리 ②

개념 3 전통적인 국토 인식

1 풍수지리 사상 산줄기와 바람, 물의 흐름 등을 파악하여 좋은 터(명당)를 찾는 사상

풍수지리 사상: 지모(地母) 사상과 음양오행설이 결합하여 우리 환경에 맞게 토착화된 사상으로, 집터와 마을의 입지, 국가의 도읍지 선정, 묏자리 선정 등에 영향을 미침.

2 고문헌에 나타난 국토 인식

조선 전기	• 국토의 효율적 통치를 위해 ❶ [　　] 주도로 관찬 지리지 제작 • 백과사전식 기술 예 『세종실록지리지』, 『신증동국여지승람』 등
조선 후기	• 국토를 실용적·객관적으로 파악한 개인(실학자)에 의해 사찬 지리지 제작 • ❷ [　　] 기술 예 신경준의 『도로고』, 이중환의 『택리지』 등

『택리지』: 『택리지』의 「복거총론」에서는 사람이 살만한 땅인 가거지(可居地)를 지리, 생리, 인심, 산수의 네 가지 조건으로 설명함.

3 고지도에 나타난 국토 인식

조선 전기	• 국가 통치를 위한 행정적·군사적 목적의 지도 제작 • 「❸ [　　]」: 현존하는 우리나라의 가장 오래된 세계 지도, 중화사상과 주체적 국토 인식 반영, 아시아·유럽·아프리카 표현
조선 중기	「천하도」: 민간에서 제작한 관념 지도, 중화사상과 천원지방의 세계관 반영
조선 후기	• 지도 제작 기술의 발달과 실학사상의 영향으로 다양한 형태의 지도 제작 • 「❹ [　　]」: 김정호가 제작한 지도, 목판본(대량 인쇄 가능), 분첩 절첩식(휴대·열람 편리), 지도표 사용, 도로에 10리마다 방점 표시, 하천 구분, 산줄기 표현

중화사상: 지도 중앙에 중국이 위치함.
주체적 국토 인식: 조선을 상대적으로 크게 표현함.
하천 구분: 항해가 가능한 하천은 쌍선, 항해가 불가능한 하천은 단선으로 표현함.

예 『신증동국여지승람』은 조선 전기에 국가 주도로 제작된 관찬 지리지이고, 『택리지』는 조선 후기에 이중환이 실학사상의 영향을 받아 제작한 사찬 지리지이다.

개념 4 지리 정보와 지역 조사

1 지리 정보 지표상의 지리적 현상들을 확인·분석하고 그 특성을 파악하는 데 필요한 정보

(1) 유형

공간 정보	지리적 현상의 위치, 형태 등을 나타내는 정보 예 위도, 경도 등
❺ [　　]	지역의 자연적·인문적 특성을 나타내는 정보 예 기후, 인구 등
관계 정보	주변 지역과의 상호 관계를 나타내는 정보 예 통근·통학 비율, 버스 운행 횟수 등

(2) 표현: 도표, 그래프, 지도 등 다양한 방법으로 표현 예 통계 지도

통계 지도: 자료의 성격에 따라 점묘도, 등치선도, 유선도, 단계 구분도, 도형 표현도 등으로 표현할 수 있음.

2 ❻ [　　]

(1) 의미: 지리 정보를 수치화하여 컴퓨터에 입력·저장하고 다양한 기법으로 분석·가공하여 실생활에 필요한 자료를 만드는 종합 정보 시스템

(2) 활용: 최적 입지 선정(중첩 분석), 최단 경로 검색, 재해 관리, 국토 및 환경 관리 등

3 지역 조사 지역에 대한 정보를 수집·분석·종합하여 ❼ [　　]을 파악하는 활동

조사 계획 수립 → 지리 정보 수집(실내·야외 조사) → ❽ [　　] → 보고서 작성

조사 계획 수립: 조사 주제와 목적을 정한 후, 조사 주제에 적합한 지역 선정

예 지역 조사는 조사 계획 수립, 지리 정보 수집, 지리 정보 분석, 보고서 작성 순으로 이루어진다.

❶ 국가
❷ 설명식
❸ 혼일강리역대국도지도
❹ 대동여지도
❺ 속성 정보
❻ 지리 정보 시스템(GIS)
❼ 지역성
❽ 지리 정보 분석

정답과 해설 64쪽

6 괄호 안의 내용 중 알맞은 말을 골라 ○표 하시오.

(1) (중화사상, 풍수지리 사상)은 산줄기의 흐름, 산의 모양, 바람과 물의 흐름을 파악하여 좋은 터, 즉 명당을 찾는 사상이다.

(2) 『(택리지, 신증동국여지승람)』은/는 조선 전기에 국가 주도로 제작된 관찬 지리지이다.

(3) 『(택리지, 신증동국여지승람)』은/는 조선 후기에 실학자인 이중환이 제작한 사찬 지리지이다.

7 다음 지도의 명칭을 〈보기〉에서 골라 기호를 쓰시오.

보기
ㄱ. 천하도 ㄴ. 대동여지도
ㄷ. 혼일강리역대국도지도

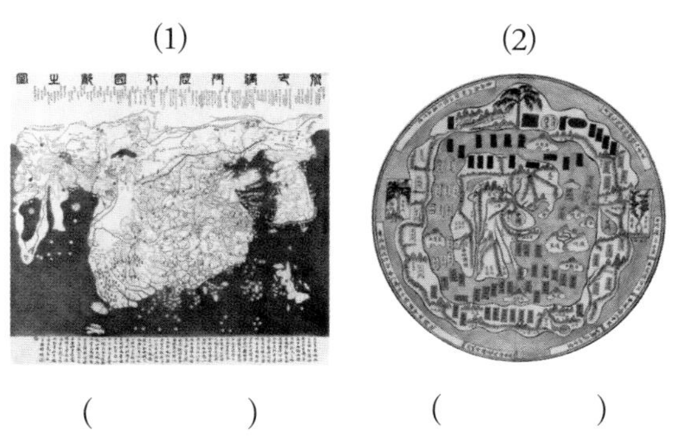

(1) ( ) (2) ( )

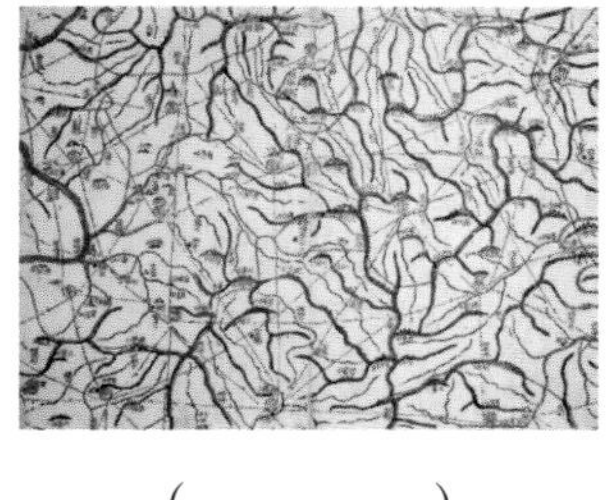

(3) ( )

8 지리 정보의 유형과 사례를 바르게 연결하시오.

(1) 공간 정보 • • ㉠ 기후, 인구
(2) 속성 정보 • • ㉡ 위도, 경도
(3) 관계 정보 • • ㉢ 버스 운행 횟수

9 다음 통계 지도의 명칭을 쓰시오.

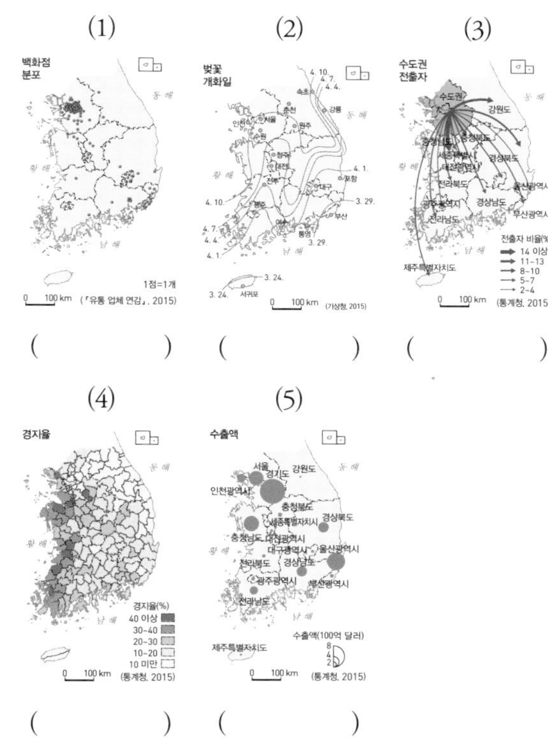

(1) ( ) (2) ( ) (3) ( )
(4) ( ) (5) ( )

10 빈칸에 들어갈 지역 조사 과정을 쓰시오.

조사 주제 및 지역 선정 → ( ) → 야외 조사 → 지리 정보 분석 → 보고서 작성

1일 내신 기출 베스트

대표 예제 1 우리나라의 위치 특성

우리나라의 위치 특성에 대한 옳은 설명만을 〈보기〉에서 있는 대로 고른 것은?

보기
ㄱ. 경도가 0°인 영국보다 표준시가 9시간 빠르다.
ㄴ. 반도국으로 대륙 및 해양으로의 진출에 불리하다.
ㄷ. 북반구 중위도에 위치하여 냉·온대 기후가 나타난다.
ㄹ. 유라시아 대륙 동안에 위치하여 계절풍의 영향을 많이 받는다.

① ㄱ, ㄴ ② ㄱ, ㄷ ③ ㄴ, ㄹ
④ ㄱ, ㄷ, ㄹ ⑤ ㄴ, ㄷ, ㄹ

개념 가이드

우리나라는 ❶ [ ] 33°~43°, ❷ [ ] 124°~132°에 위치하며 표준 경선은 동경 135°를 사용한다.

답 ❶ 북위 ❷ 동경

대표 예제 2 영역의 구성

(가), (나)에 해당하는 공간 범위를 모식도의 A~D에서 고른 것은?

(가) 항공 교통의 발달로 중요성이 커지고 있다.
(나) 연안국의 주권이 인정되는 해양의 범위이다.

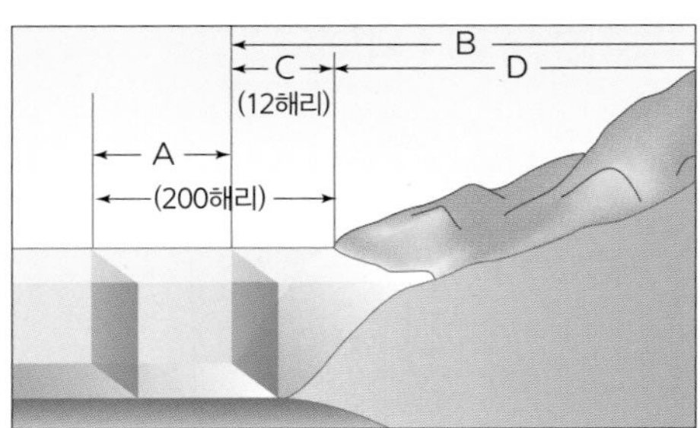

	(가)	(나)		(가)	(나)		(가)	(나)
①	A	C	②	A	D	③	B	C
④	B	D	⑤	C	D			

개념 가이드

❸ [ ]은 한 국가의 주권이 미치는 공간적 범위로 영토, 영해, 영공으로 구성된다.

답 ❸ 영역

대표 예제 3 우리나라의 영해

우리나라의 영해에 대한 설명으로 옳은 것은?

① 독도 주변의 12해리 수역은 우리나라의 영해이다.
② 제주도와 서·남해안의 영해 설정 기준은 동일하다.
③ 동해안의 영일만과 울산만은 통상 기선이 적용된다.
④ 영해의 범위는 일반적으로 기선에서 3해리까지이다.
⑤ 대한 해협 부근에서 영해는 직선 기선에서 200해리까지이다.

개념 가이드

영해 설정 시 해안선이 단조롭거나 섬이 해안에서 멀리 떨어져 있는 곳은 ❹ [ ] 기선을, 해안선이 복잡하거나 섬이 많은 곳은 ❺ [ ] 기선을 적용한다.

답 ❹ 통상 ❺ 직선

대표 예제 4 독도의 특징

다음은 학생이 수업 시간에 학습한 내용을 정리한 것이다. 밑줄 친 ㉠~㉤ 중 옳지 않은 것은?

〈우리 땅 독도〉
1. 위치: ㉠ 우리나라의 최남단
2. 구성: ㉡ 동도와 서도, 89개의 부속 도서
3. 자연환경: ㉢ 해저 화산 폭발로 형성된 화산섬
4. 가치
• 영역적 가치: 군사 요충지, 동해 교통의 요지
• 경제적 가치: ㉣ 어족 자원, 메탄 하이드레이트 풍부
• 생태적 가치: ㉤ 천연 보호 구역으로 지정

① ㉠ ② ㉡ ③ ㉢ ④ ㉣ ⑤ ㉤

개념 가이드

❻ [ ]는 우리나라 영토의 동쪽 끝에 위치한 화산섬으로, 동도와 서도 및 89개의 부속 도서로 이루어져 있다.

답 ❻ 독도

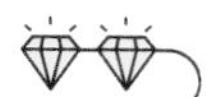

대표 예제 5 『택리지』와 『신증동국여지승람』의 특징

교사의 질문에 바르게 답한 학생을 고른 것은?

(가) 택리지 (나) 신증동국여지승람

갑: (가)는 실학사상의 영향을 받아 제작되었습니다.
을: (나)는 백과사전식으로 기술되었습니다.
병: (가)는 관찬 지리지, (나)는 사찬 지리지입니다.
정: (가)는 (나)보다 제작 시기가 이릅니다.

① 갑, 을 ② 갑, 병 ③ 을, 병
④ 을, 정 ⑤ 병, 정

개념 가이드

조선 전기에는 국가 주도의 ❼ [ ]가 편찬되었고, 조선 후기에는 실학자들을 중심으로 ❽ [ ]가 편찬되었다.

답 ❼ 관찬 지리지 ❽ 사찬 지리지

대표 예제 6 「대동여지도」의 특징

지도는 조선 후기에 제작된 것이다. 이 지도의 특징으로 옳지 않은 것은?

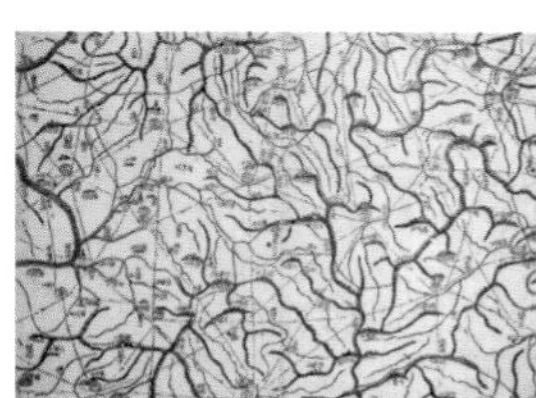

① 목판본으로 제작되었다.
② 분첩 절첩식으로 제작되었다.
③ 우리나라 최초로 축척을 사용하였다.
④ 지도표를 통해 지리 정보를 표현하였다.
⑤ 도로는 직선, 하천은 곡선으로 표현하였다.

개념 가이드

「❾ [ ]」는 실학자인 김정호가 조선 후기까지 축적된 지도 제작 기술을 집대성하여 제작한 전국 지도이다.

답 ❾ 대동여지도

대표 예제 7 지리 정보의 유형

다음은 이어도에 관한 지리 정보를 정리한 것이다. (가), (나)에 해당하는 지리 정보로 옳은 것은?

(가) 북위 32°07′22″, 동경 125°10′56″에 위치함.
(나) 종합 해양 과학 기지가 건설되어 있음.

	(가)	(나)
①	공간 정보	속성 정보
②	공간 정보	관계 정보
③	속성 정보	공간 정보
④	속성 정보	관계 정보
⑤	관계 정보	속성 정보

개념 가이드

❿ [ ]는 지리적 현상의 위치, 형태 등을 나타내는 정보이며, ⓫ [ ]는 지역의 자연적·인문적 특성을 나타내는 정보이다.

답 ❿ 공간 정보 ⓫ 속성 정보

대표 예제 8 지역 조사 과정

지역 조사 과정을 순서대로 옳게 나열한 것은?

(가) 조사 지역을 직접 방문하여 설문 조사를 한다.
(나) 조사 주제와 목적을 정한 후, 조사 주제에 적합한 지역을 선정한다.
(다) 조사 목적에 부합하는 자료를 인터넷, 문헌 등을 통해 수집하고 설문지를 제작한다.
(라) 수집한 자료를 분류·분석한 후 사용 목적에 따라 도표, 그래프, 지도 등으로 표현한다.

① (가)-(나)-(다)-(라) ② (나)-(가)-(다)-(라)
③ (나)-(다)-(가)-(라) ④ (다)-(나)-(가)-(라)
⑤ (라)-(다)-(나)-(가)

개념 가이드

⓬ [ ]는 조사 계획 수립, 지리 정보 수집(실내 조사, 야외 조사), 지리 정보 분석, 보고서 작성 순으로 이루어진다.

답 ⓬ 지역 조사

2 일 Ⅱ-1. 한반도의 형성과 산지의 모습 ~ 2. 하천 지형

Quiz 고생대 초기에는 해성층인 조선 누층군이 형성되었으며, 이 지층에는 주로 (무연탄, 석회암)이 분포한다.

답 석회암

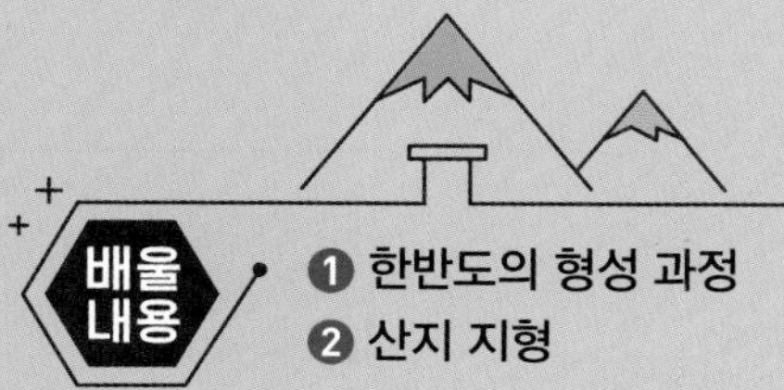

배울 내용

❶ 한반도의 형성 과정
❷ 산지 지형
❸ 하천 지형

Quiz 한반도는 신생대 제3기에 일어난 (대보 조산 운동, 경동성 요곡 운동)의 영향으로 동고서저의 경동 지형을 이루고 있다.

우리나라는 오랫동안 침식을 받아서 비교적 낮은 산지가 많아.

대부분의 큰 하천은 황해와 남해로 흘러들어가. 이들 하천은 유로가 길고 경사가 완만하지.

상대적으로 해발 고도가 높은 산지는 주로 북동부 지역에 분포해.

신생대 제3기 경동성 요곡 운동에 의해 동서가 비대칭적인 경동 지형을 이루고 있어.

황해

동해

답 경동성 요곡 운동

2일 교과서 핵심 정리 ①

개념 1 한반도의 형성 과정

한반도의 암석 분포

변성암	시·원생대에 형성된 편마암이 한반도 암석의 약 40%를 차지함.
화성암	중생대 화강암(한반도 암석의 약 30%)과 신생대 화산암이 분포함.
퇴적암	고생대와 중생대 퇴적암이 대부분임.

1 한반도의 지체 구조

지질 시대	지체 구조	특징
시·원생대	평북·개마 지괴, 경기 지괴, 영남 지괴	• 형성 시기가 가장 오래된 안정 지괴 • 주로 변성암(대부분 ❶) 분포
고생대	평남 분지, 옥천 습곡대	• 고생대 초: 해성층인 ❷ 형성 → 석회암 매장 • 고생대 말~중생대 초: 육성층인 평안 누층군 형성 → ❸ 매장
중생대	경상 분지	육성층인 경상 누층군 형성, ❹ 화석 발견
신생대	두만 지괴, 길주·명천 지괴	동해안 일부 지역에 분포, 갈탄 매장

❶ 편마암
❷ 조선 누층군
❸ 무연탄
❹ 공룡 발자국

2 한반도의 지각 변동

(1) 중생대의 지각 변동

습곡, 단층 등의 지각 운동에 의해 형성된 지각의 갈라진 틈으로, 소규모의 절리에서 대규모의 단층선에 이르기까지 다양함.

송림 변동	• 중생대 초기 북부 지방을 중심으로 발생 • 랴오둥 방향(동북동 – 서남서)의 지질 구조선 형성
대보 조산 운동	• 중생대 중기 중·남부 지방을 중심으로 발생한 매우 격렬했던 지각 변동 • 중국 방향(북동 – 남서)의 지질 구조선 형성, ❺ 형성
불국사 변동	중생대 말기 영남 지방을 중심으로 발생, 소규모로 불국사 화강암 형성

❺ 대보 화강암

(2) 신생대의 지각 변동

경동성 요곡 운동	• 신생대 제3기 동해안을 중심으로 지각이 융기하여 ❻ 형성 • 함경·낭림·태백산맥 등 높은 산지 형성
화산 활동	신생대 제3기 말~제4기 초 화산, 용암 대지 등 화산 지형 형성

백두산, 신계·곡산, 철원·평강, 제주도, 울릉도, 독도 등에 화산 지형이 형성됨.

❻ 경동 지형

빙기에는 해수면이 하강하고, 간빙기(후빙기)에는 해수면이 상승함.

3 기후 변화와 지형 형성 신생대 제4기 기후 변화에 따른 해수면 변동 → 지형 형성에 영향

구분	빙기	간빙기(후빙기)
기후 변화	한랭 건조	온난 습윤
풍화 작용	❼ 활발	화학적 풍화 작용 활발
하천 상류	퇴적 작용 활발	침식 작용 활발
하천 하류	침식 작용 활발	❽ 활발
지형 형성	하안 단구 발달	충적 평야 및 석호 발달

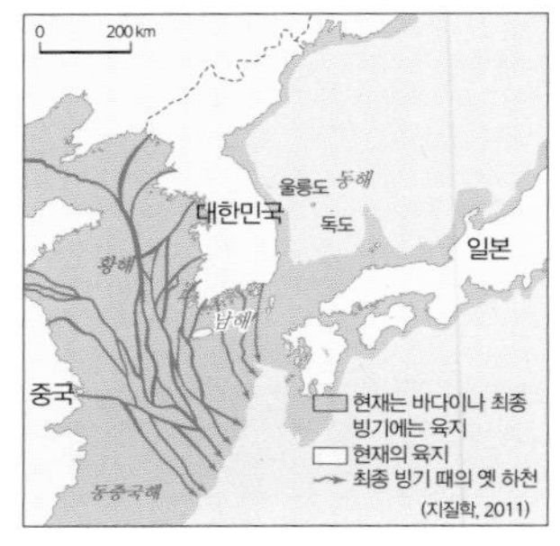

▲ 빙기와 현재의 해안선

❼ 물리적 풍화 작용
❽ 퇴적 작용

예 신생대 제3기 경동성 요곡 운동은 동해안을 축으로 발생한 비대칭 융기 운동으로, 동고서저의 경동 지형 형성에 영향을 미쳤다.

기초 확인 문제

정답과 해설 **65**쪽

1 빈칸에 들어갈 알맞은 말을 쓰시오.

(1) 암석은 형성 원인에 따라 (   ), 화성암, 퇴적암 등으로 구분된다.

(2) 시·원생대에 형성된 (   )은/는 한반도 암석의 약 40%를 차지한다.

(3) 중생대에 마그마의 관입으로 형성된 (   )은/는 한반도 암석의 약 30%를 차지한다.

2 다음에 해당하는 지체 구조를 지도의 A~G에서 골라 쓰시오.

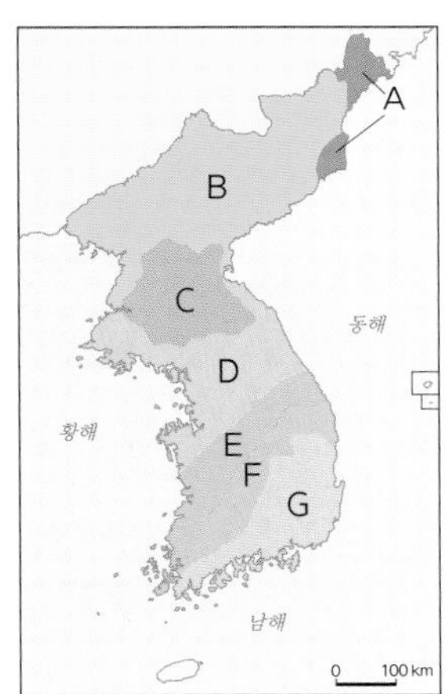

지질 시대	지체 구조	기호
시·원생대	(1) 평북·개마 지괴	
	(2) 경기 지괴	
	(3) 영남 지괴	
고생대	(4) 평남 분지	
	(5) 옥천 습곡대	
중생대	(6) 경상 분지	
신생대	(7) 두만 지괴, 길주·명천 지괴	

3 각 지층의 특징을 바르게 연결하시오.

(1) 경상 누층군 •　　　• ㉠ 고생대 초, 해성층, 석회암 매장

(2) 조선 누층군 •　　　• ㉡ 고생대 말~중생대 초, 육성층, 무연탄 매장

(3) 평안 누층군 •　　　• ㉢ 중생대, 육성층, 공룡 발자국 화석

4 다음 설명에 해당하는 한반도의 지각 변동을 〈보기〉에서 골라 기호를 쓰시오.

보기

ㄱ. 송림 변동　　　ㄴ. 대보 조산 운동

ㄷ. 경동성 요곡 운동

(1) 중생대 초기 북부 지방을 중심으로 발생하여, 랴오둥 방향의 지질 구조선이 형성되었다. (　　)

(2) 중생대 중기 중·남부 지방을 중심으로 발생한 매우 격렬했던 지각 변동이다. (　　)

(3) 신생대 제3기 동해안을 축으로 발생한 비대칭 요곡 운동이다. (　　)

5 괄호 안의 내용 중 알맞은 말을 골라 ○표 하시오.

(1) 빙기에 하천 상류에서는 (침식, 퇴적) 작용이 활발하였으며, 하천 하류에서는 (침식, 퇴적) 작용이 활발하였다.

(2) 후빙기에는 온난 습윤하여 (물리적, 화학적) 풍화 작용이 활발하였다.

2일 교과서 핵심 정리 ②

개념 2 산지 지형

우리나라 산지의 특징

저산성 산지	국토의 약 70%가 산지 → 오랜 침식으로 고도가 낮은 산지가 많음.
동고서저의 경동 지형	신생대 제3기 경동성 요곡 운동의 영향으로 높은 산지는 북동쪽에, 낮은 산지나 평야는 남서쪽에 분포함.

1 산지의 형성

1차 산맥	신생대 제3기 이후 ❶ ___의 영향으로 형성 예 함경·낭림·태백산맥 등
2차 산맥	중생대의 지질 구조선을 따라 차별 침식을 받아 형성 예 차령·노령산맥 등

1차 산맥은 해발 고도가 높고 연속성이 강하며, 2차 산맥은 해발 고도가 낮고 연속성이 약함.

2 고위 평탄면

(1) 형성: 오랜 기간 풍화와 침식을 받아 낮고 평탄해진 땅이 신생대 제3기 경동성 요곡 운동 과정에서 융기한 후에도 평탄한 기복을 유지하고 있는 지형 예 대관령 일대, 진안고원 등

(2) 이용: ❷ ___(여름철 서늘한 기후를 이용), 목축업, 풍력 발전, 관광 산업 등

3 흙산과 돌산

흙산	시·원생대에 형성된 암석이 오랫동안 풍화·침식을 받아 두꺼운 토양으로 덮임.
돌산	중생대에 관입한 ❸ ___이 오랫동안 침식을 받아 지표에 드러남.

흙산: 기반암은 주로 편마암 예 지리산, 덕유산, 오대산 등

돌산: 예 북한산, 설악산, 금강산 등

예 고위 평탄면은 오랜 침식을 받아 평탄해진 곳이 융기한 후에도 남아 있는 지형이다.

개념 3 하천 지형

우리나라 하천의 특성

- 경동 지형, 남서 방향의 지질 구조선 → 대부분의 큰 하천은 황·남해로 흐름.
- 여름철 강수 집중, 좁은 하천 유역 면적 → 유량 변동이 심해 하상계수가 큼.
- 조류의 영향으로 수위가 주기적으로 오르내리는 감조 하천 → 하굿둑 건설

1 하천 중·상류에 발달하는 지형

감입 곡류 하천	• 하천의 중·상류 지역에서 산지 사이를 곡류하며 흐르는 하천 • ❹ ___으로 인한 지반의 융기로 하방 침식이 활발해지면서 형성됨.
❺ ___	• 하천 주변에 나타나는 계단 모양의 지형 (단구면에 둥근 자갈이나 모래가 분포함.) • 과거 하천의 바닥이나 범람원이 융기한 후 하방 침식을 받아 형성됨.
선상지	• 경사가 급변하는 골짜기 입구에 나타나는 부채꼴 모양의 퇴적 지형 • 선정(취락), 선앙(지표수 부족 → 밭, 과수원), 선단(용천 분포 → 논, 취락)
❻ ___	• 주위가 산지로 둘러싸인 평지로, 암석이 차별적인 풍화·침식을 받아 형성됨. • 일찍부터 주거지와 농경지로 이용됨. 예 춘천 분지, 충주 분지

❻: 변성암이나 퇴적암이 화강암을 둘러싸고 있는 지역이나 하천 중·상류의 두 하천이 합류하는 지점에서 잘 발달함.

2 하천 중·하류에 발달하는 지형

자유 곡류 하천	• 하천의 중·하류 지역에서 평야 위를 곡류하며 흐르는 하천 • ❼ ___이 활발하여 유로가 변경됨. → 하중도, 우각호, 구하도 등 발달
범람원	• 하천의 범람으로 운반 물질이 퇴적되어 형성된 지형 • 자연 제방: 모래질 토양, 배수 양호 → 밭, 과수원, 취락 입지 • ❽ ___: 점토질 토양, 배수 불량 → 배수 시설을 갖춘 후 논으로 이용
삼각주	하천 하구에서 유속 감소로 운반 물질이 퇴적되어 형성된 지형

삼각주: 우리나라는 대부분의 큰 하천이 조차가 큰 황·남해로 흘러 퇴적 물질이 쉽게 제거되므로 삼각주 발달이 미약함.

예 감입 곡류 하천은 하천의 중·상류 지역에서 산지 사이를 곡류하며 흐르는 하천이고, 자유 곡류 하천은 하천의 중·하류 지역에서 평야 위를 곡류하며 흐르는 하천이다.

❶ 경동성 요곡 운동
❷ 고랭지 농업
❸ 화강암
❹ 경동성 요곡 운동
❺ 하안 단구
❻ 침식 분지
❼ 측방 침식
❽ 배후 습지

기초 확인 문제

정답과 해설 65쪽

6 괄호 안의 내용 중 알맞은 말을 골라 ○표 하시오.

(1) 1차 산맥은 2차 산맥보다 대체로 해발 고도가 (높고, 낮고), 연속성이 (강하다, 약하다).

(2) 2차 산맥은 중생대의 지질 구조선을 따라 차별적인 풍화와 침식 작용을 받아 형성된 것으로, (태백산맥, 차령산맥)이 이에 해당한다.

7 ㉠에 해당하는 지형을 쓰시오.

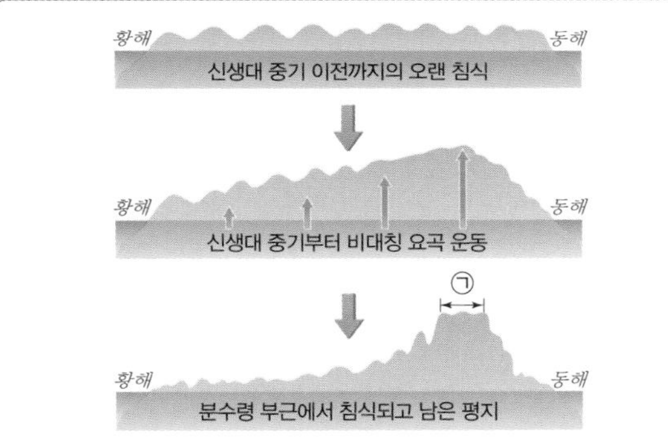

(㉠)은/는 신생대 제3기 경동성 요곡 운동의 영향으로 융기하기 이전의 한반도가 평탄했음을 알려 주는 대표적인 지형이다. 이곳은 해발 고도가 높아 평지에 비해 여름철이 서늘하여 고랭지 농업이 발달하였다.

( )

8 다음 설명이 돌산에 대한 것이면 '돌', 흙산에 대한 것이면 '흙'이라고 쓰시오.

(1) 기반암은 주로 변성암(편마암)이다. ( )

(2) 토양층이 두껍고, 식생 밀도가 높다. ( )

(3) 북한산, 설악산, 금강산 등이 해당된다. ( )

9 (가), (나) 하천과 관련된 내용을 〈보기〉에서 골라 기호를 쓰시오.

(가) (나)

보기

ㄱ. 하천 중·상류 ㄴ. 하천 중·하류
ㄷ. 감입 곡류 하천 ㄹ. 자유 곡류 하천
ㅁ. 측방 침식 우세 ㅂ. 하방 침식 우세

(1) (가) 하천: ( )

(2) (나) 하천: ( )

10 빈칸에 들어갈 알맞은 말을 쓰시오.

(1) ( )은/는 과거 하천의 바닥이나 범람원이 융기한 후 하방 침식을 받아 형성된 계단 모양의 지형이다.

(2) ( )은/는 경사가 급변하는 골짜기 입구에 나타나는 부채꼴 모양의 퇴적 지형이다.

(3) ( )은/는 주위가 산지로 둘러싸인 평지로, 암석이 차별적인 풍화·침식을 받아 형성된다.

(4) ( )은/는 배후 습지보다 고도가 높고 모래질 토양으로 구성되어 있어 배수가 잘되며, 주로 취락이 입지하거나 밭농사가 이루어진다.

(5) ( )은/는 하천 하구에서 유속 감소로 운반 물질이 퇴적되어 형성된 삼각형 모양의 지형이다.

내신 기출 베스트

대표 예제 1 한반도의 지체 구조

다음과 같은 특징이 나타나는 지체 구조를 지도의 A~E에서 고른 것은?

- 거대한 습지 또는 호수에서 퇴적된 두꺼운 육성층
- 일부 지역에 공룡 발자국과 뼈 화석 분포

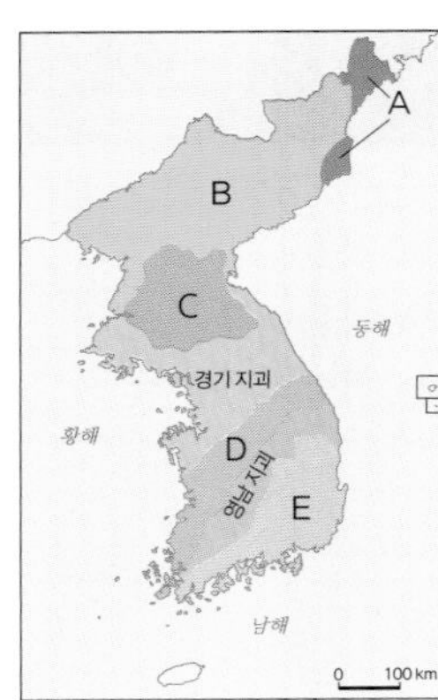

① A
② B
③ C
④ D
⑤ E

개념 가이드

중생대 중기부터 말기에는 거대한 호수였던 ❶ ☐를 중심으로 두꺼운 육성층인 경상 누층군이 형성되었다.

답 ❶ 경상 분지

대표 예제 2 중생대의 지각 변동

(가)~(다)와 관련된 지각 변동으로 옳은 것은?

(가) 소규모로 불국사 화강암 형성
(나) 북동 – 남서 방향의 지질 구조선 형성
(다) 동북동 – 서남서 방향의 지질 구조선 형성

	(가)	(나)	(다)
①	송림 변동	대보 조산 운동	불국사 변동
②	대보 조산 운동	송림 변동	불국사 변동
③	대보 조산 운동	불국사 변동	송림 변동
④	불국사 변동	송림 변동	대보 조산 운동
⑤	불국사 변동	대보 조산 운동	송림 변동

개념 가이드

중생대 초기에는 송림 변동, 중기에는 ❷ ☐, 말기에는 불국사 변동이 일어났다.

답 ❷ 대보 조산 운동

대표 예제 3 신생대의 지각 변동

다음 자료와 관련 있는 지각 변동으로 옳은 것은?

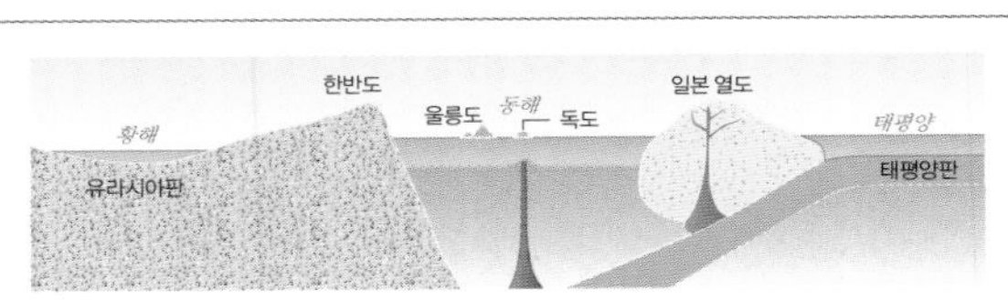

신생대 제3기 이후에 일본이 한반도에서 분리되면서 그 사이에 동해가 형성되었다. 동해 지각이 확장되면서 한반도에는 강한 횡압력이 작용하였고, 그 결과 한반도에 지반 융기가 일어났다. 이로 인하여 오늘날 한반도의 동쪽은 높고 서쪽은 낮은 비대칭적인 지형 골격을 갖게 되었다.

① 송림 변동
② 화산 활동
③ 불국사 변동
④ 대보 조산 운동
⑤ 경동성 요곡 운동

개념 가이드

신생대 제3기에는 ❸ ☐, 신생대 제3기 말에서 제4기 초에는 ❹ ☐이 일어났다.

답 ❸ 경동성 요곡 운동 ❹ 화산 활동

대표 예제 4 빙기와 후빙기의 특징

(가) 시기와 비교한 (나) 시기의 상대적 특징으로 옳지 않은 것은?

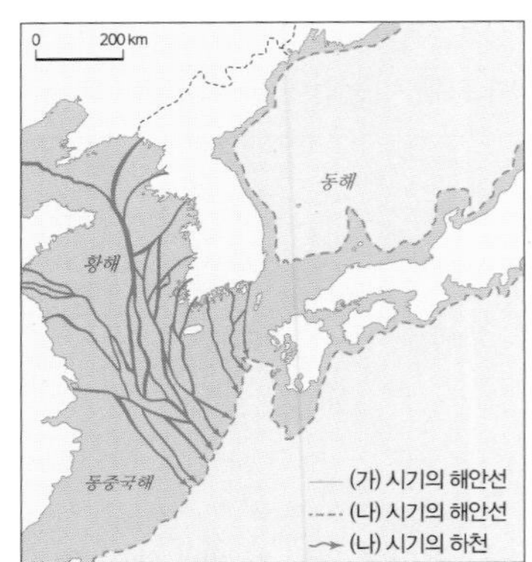

① 한랭 건조하다.
② 해수면이 낮다.
③ 화학적 풍화 작용이 활발하다.
④ 하천 상류에서는 퇴적 작용이 활발하다.
⑤ 하천 하류에서는 침식 작용이 활발하다.

개념 가이드

최종 빙기가 끝나면서 해수면이 ❺ ☐하였고, 약 6,000여 년 전에 현재의 해수면 높이에 도달하였다.

답 ❺ 상승

대표 예제 5 고위 평탄면의 특징

표는 고위 평탄면의 특징을 정리한 것이다. ㉠~㉤ 중 옳지 않은 것은?

구분	특징	
형성 원인	암석의 차별적인 풍화와 침식	… ㉠
분포 지역	대관령 일대, 진안고원 등	… ㉡
지표 경관	기복이 작고 경사가 완만함.	… ㉢
기후 특성	동위도의 저지대보다 여름철 기온이 낮고 습도가 높음.	… ㉣
토지 이용	고랭지 농업, 목축업 등	… ㉤

① ㉠ ② ㉡ ③ ㉢ ④ ㉣ ⑤ ㉤

개념 가이드

❻ [ ]은 오랜 침식을 받아 평탄해진 곳이 융기한 후에도 남아 있는 지형이다.

답 ❻ 고위 평탄면

대표 예제 6 돌산과 흙산의 특징

(가), (나) 산지에 대한 설명으로 옳은 것은?

(가)

① (가)는 흙산, (나)는 돌산이다.
② (가)는 (나)보다 토양층의 두께가 얇다.
③ (가)는 (나)보다 정상부의 식생 밀도가 높다.
④ (나)는 (가)보다 주요 기반암의 형성 시기가 늦다.
⑤ (가)와 (나)의 주요 기반암은 모두 퇴적암에 속한다.

개념 가이드

❼ [ ]의 기반암은 주로 변성암(편마암)이며, ❽ [ ]의 기반암은 주로 화강암이다.

답 ❼ 흙산 ❽ 돌산

대표 예제 7 침식 분지의 특징

자료에 표시된 (가) 지형의 명칭으로 옳은 것은?

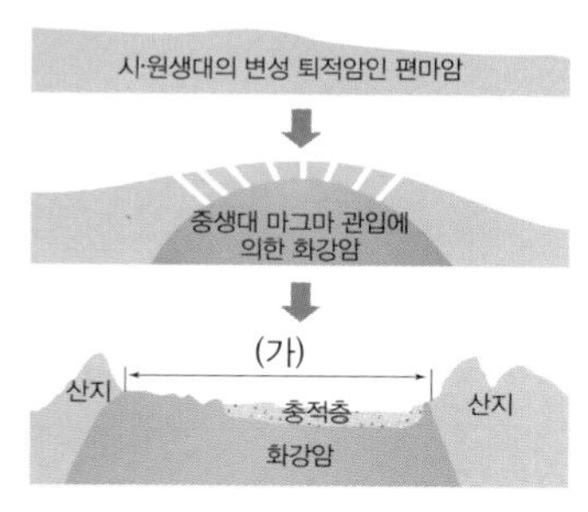

① 삼각주 ② 선상지 ③ 침식 분지
④ 하안 단구 ⑤ 고위 평탄면

개념 가이드

❾ [ ]는 주위가 산지로 둘러싸인 평지로, 암석이 차별적인 풍화·침식을 받아 형성된다.

답 ❾ 침식 분지

대표 예제 8 자연 제방과 배후 습지의 특징

(가) 지형과 비교한 (나) 지형의 상대적 특징을 그림의 A~E에서 고른 것은?

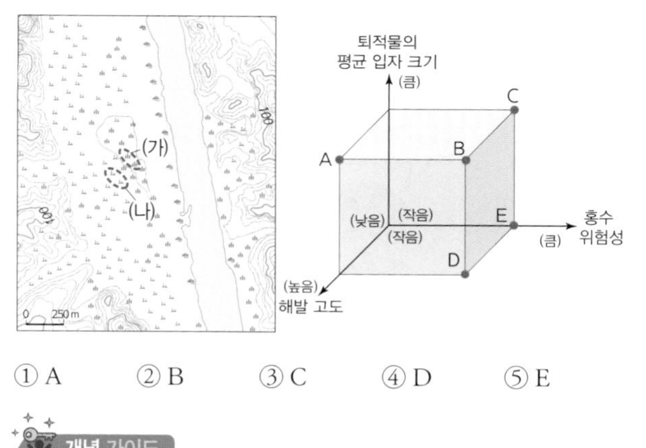

① A ② B ③ C ④ D ⑤ E

개념 가이드

범람원은 하천 범람에 의해 운반된 물질이 퇴적되어 형성된 지형으로, ❿ [ ]과 ⓫ [ ]로 이루어져 있다.

답 ❿ 자연 제방 ⓫ 배후 습지

3일 Ⅱ-2. 해안 지형 ~Ⅲ-1. 우리나라의 기후 특성

Quiz 우리나라의 (화산 지형, 카르스트 지형)은 백두산, 제주도, 울릉도, 독도, 철원·평강 일대에 분포한다.

답 화산 지형

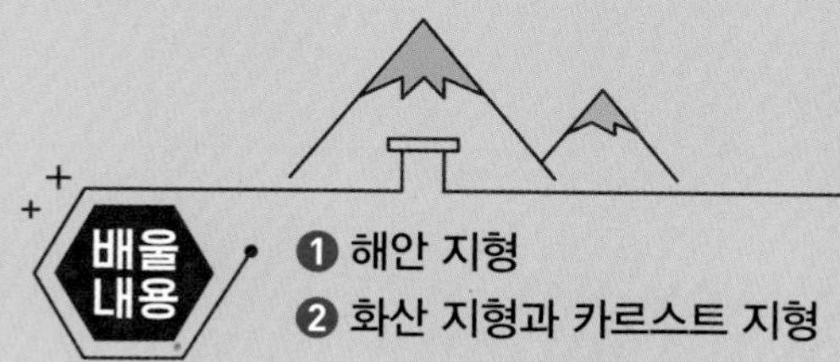

배울 내용

❶ 해안 지형
❷ 화산 지형과 카르스트 지형
❸ 우리나라의 기후 특성

Quiz 우리나라는 북반구 중위도에 위치하여 (열대, 냉·온대) 기후가 나타나고, 유라시아 대륙의 동쪽에 위치하여 계절풍·대륙성 기후가 나타난다.

고위도
편서풍
중위도
저위도
햇빛
햇빛
햇빛
한대
냉대
온대
열대

우리나라는 중위도에 위치하여 사계절이 뚜렷한 냉·온대 기후가 나타나.

유라시아 대륙의 동쪽에 위치하여 대륙의 영향을 많이 받고,

육지와 바다의 비열 차 때문에 계절에 따라 풍향이 크게 달라져.

북서 계절풍
겨울에는 한랭 건조한 북서 계절풍이 불고,

여름에는 고온 다습한 남동·남서 계절풍이 불어.
남서 계절풍
남동 계절풍

답 냉·온대

교과서 핵심 정리 ①

개념 1 해안 지형

곶과 만에서의 지형 형성 작용

곶	파랑 에너지 집중 → 침식 작용 활발, 암석 해안 발달
만	파랑 에너지 분산 → 퇴적 작용 활발, 모래·갯벌 해안 발달

1 동해안과 서·남해안 비교

(1) 동해안: 산맥과 해안선의 방향이 대체로 ❶ ___ 하여 해안선이 단조로움. (동해안 – 지반 융기의 영향을 많이 받음.)

(2) 서·남해안: 산맥과 해안선의 방향이 대체로 교차하여 섬이 많고 해안선이 복잡함. (서·남해안 – 후빙기 해수면 상승으로 낮은 부분이 침수됨. / 해안선이 복잡함 – 리아스 해안)

❶ 평행

2 주요 해안 지형

침식 지형	해식애	해안의 산지나 구릉이 파랑의 침식 작용을 받아 형성된 해안 절벽
	파식대	파랑의 침식 작용으로 해식애가 후퇴하면서 앞쪽에 남은 평탄한 지형
	시 스택	해식애가 후퇴하면서 단단한 부분만 남아 형성된 기둥 모양의 지형
	❷ ___	과거의 파식대가 지반의 융기나 해수면 변동에 의해 현재의 해수면보다 높은 곳에 위치하게 된 계단 모양의 지형
퇴적 지형	사빈	파랑이나 연안류에 의해 모래가 퇴적된 지형
	해안 사구	사빈의 모래가 바람에 날려 사빈의 배후에 퇴적되어 형성된 모래 언덕
	❸ ___	후빙기 해수면 상승으로 형성된 만의 입구를 사주가 막아 형성된 호수
	갯벌	❹ ___ 에 의해 모래나 점토가 퇴적되어 형성된 지형

사주 – 연안류를 따라 사빈의 모래가 이동하여 바다 쪽으로 길게 퇴적된 지형

예 동해안은 해안선이 단조롭고, 서·남해안은 섬이 많고 해안선이 복잡하다.

❷ 해안 단구

❸ 석호

❹ 조류

개념 2 화산 지형과 카르스트 지형

1 화산 지형 대부분 신생대 제3기 말~제4기 초의 화산 활동으로 형성

백두산	산 정상부를 제외하고는 전체적으로 경사가 완만함, 칼데라호(천지) 분포 (칼데라호 – 화구의 함몰로 형성된 칼데라에 물이 고인 호수)
제주도	• 한라산: 현무암질 용암의 분출로 형성된 순상 화산으로 정상부 일부는 종상 화산을 이룸, 화구호(백록담) 분포 (화구호 – 화구에 물이 고인 호수) • ❺ ___ (오름), 용암 동굴, 주상 절리 등이 발달함.
울릉도	• 점성이 큰 조면암질 용암의 분출로 형성된 급경사의 종상 화산 • ❻ ___ (나리 분지) 안에 중앙 화구구(알봉)가 발달한 이중 화산체
독도	동해의 해저에서 용암이 분출하여 형성된 화산섬
철원·평강	점성이 작은 현무암질 용암의 열하 분출로 ❼ ___ 형성 → 수리 시설을 갖춘 후 논농사가 이루어짐.

❺ 기생 화산

❻ 칼데라 분지

❼ 용암 대지

2 카르스트 지형 석회암의 주성분인 탄산칼슘이 빗물이나 지하수의 용식 작용을 받아 형성

(카르스트 지형 – 평안남도, 강원도 남부, 충청북도 북동부, 경상북도 북부 일대에 분포하는 고생대 조선 누층군의 석회암 지대에 발달함.)

돌리네	석회암이 용식 작용을 받아 형성된 와지 → 배수가 잘되어 밭으로 이용
❽ ___	석회암이 지하수의 용식 작용을 받아 형성된 동굴 → 동굴 내부에 종유석, 석순, 석주 등이 발달함.
석회암 풍화토	석회암이 용식된 후 남은 철분 등이 산화되어 형성된 붉은색의 토양

❽ 석회 동굴

예 우리나라의 화산 지형은 백두산, 제주도, 울릉도, 독도, 철원·평강 일대에 분포한다.

기초 확인 문제

정답과 해설 67쪽

1 괄호 안의 내용 중 알맞은 말을 골라 ○표 하시오.

(1) (동해안, 서·남해안)은 바다를 향해 뻗은 산맥이 후빙기 해수면 상승으로 침수되어 섬이 많고 해안선이 복잡하다.

(2) 파랑의 힘이 집중되는 곳에서는 (침식, 퇴적) 작용이 활발하고, 파랑의 힘이 분산되는 만에서는 (침식, 퇴적) 작용이 활발하다.

2 빈칸에 들어갈 알맞은 말을 쓰시오.

(1) (　　　)은/는 조류의 퇴적 작용으로 형성된 지형으로, 서·남해안에 주로 발달해 있다.

(2) (　　　)은/는 후빙기 해수면 상승으로 형성된 만의 입구를 사주가 막아 형성된 호수로, 동해안에 주로 발달해 있다.

3 다음 설명에 해당하는 지형을 〈보기〉에서 골라 기호를 쓰시오.

보기	
ㄱ. 기생 화산	ㄴ. 용암 대지
ㄷ. 용암 동굴	ㄹ. 주상 절리

(1) 용암과 화산 쇄설물이 분출하여 형성된 작은 화산이다. (　　)

(2) 용암이 냉각되는 과정에서 형성된 다각형 기둥 형태의 절리이다. (　　)

(3) 현무암질 용암이 지각의 갈라진 틈을 따라 분출하여 형성된 지형이다. (　　)

(4) 용암이 흐를 때 표층부와 하층부의 냉각 속도 차이에 의해 형성된 동굴이다. (　　)

4 다음 화산 지형이 분포하는 지역을 지도의 A~E에서 골라 쓰시오.

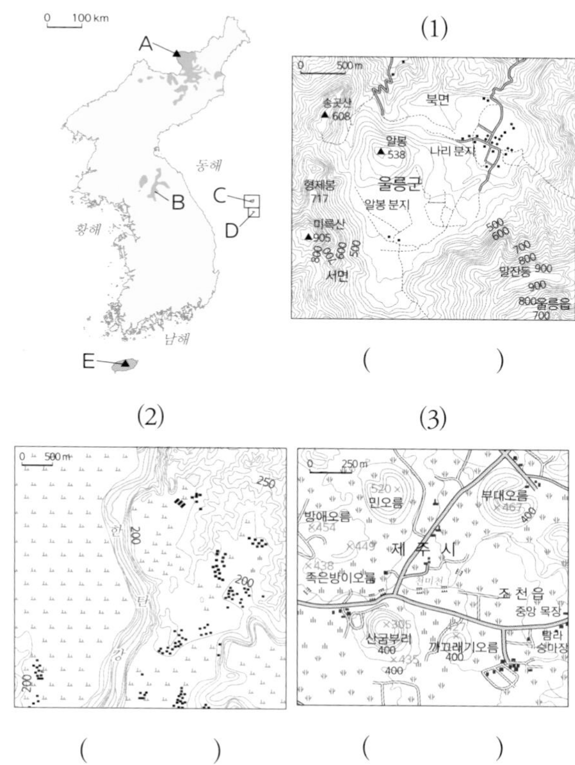

5 ㉠에 해당하는 지형을 쓰시오.

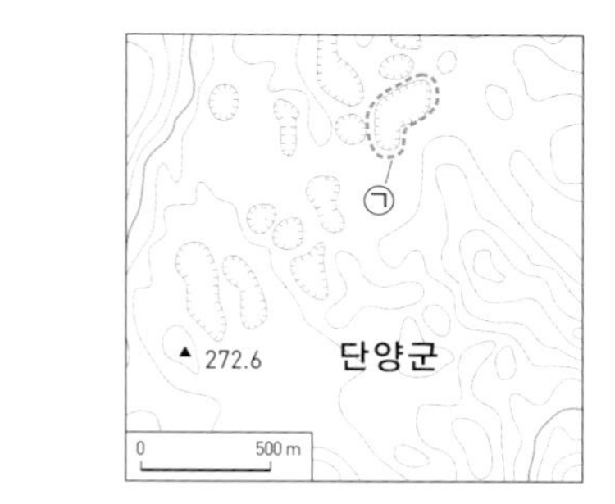

(㉠)은/는 석회암이 빗물에 용식되어 형성된 깔때기 모양의 우묵한 지형으로, 배수가 잘되기 때문에 주로 밭으로 이용되고 있다.

(　　　)

3일 교과서 핵심 정리 ②

개념 3 우리나라의 기후 특성

1 기후 요소와 기후 요인

(기후: 오랜 기간에 걸쳐 나타나는 대기의 종합적이고 평균적인 상태)

(1) 기후 요소: 기후를 구성하는 대기의 여러 가지 특성 예 기온, 강수, 바람, 습도 등

(2) 기후 요인: ❶ ______ 에 영향을 주는 요인 예 위도, 수륙 분포, 지형, 해발 고도 등

(해발 고도가 높아질수록 기온이 낮아짐.)

2 우리나라의 기후 특성

냉·온대 기후	북반구 ❷ ______ 에 위치 → 사계절의 변화가 뚜렷하게 나타남.
계절풍 기후	유라시아 대륙의 동쪽에 위치 → 계절에 따라 풍향이 크게 달라짐.
대륙성 기후	유라시아 대륙의 동쪽에 위치 → 대륙 서안보다 기온의 연교차가 큼.

3 우리나라의 기온 특성

(1) 기온의 지역 차: 남북으로 긴 국토 → 기온의 남북 차 > 기온의 동서 차

남북 차	위도의 영향으로 남에서 북으로 갈수록 기온이 낮아짐.
동서 차	비슷한 위도의 겨울 기온: 동해안 > 서해안 > 내륙

(동해안 > 서해안: 태백·함경산맥이 북서 계절풍을 막아 주고, 동해의 수심이 황해보다 깊기 때문임.)

(2) 기온의 연교차: 북부 > 남부, 내륙 > 해안, 서해안 > 동해안

(3) 기온의 일교차: 봄과 가을의 맑은 날에 크고, 장마철에 작음.

4 우리나라의 강수 특성

(1) 강수 분포의 계절 차: 고온 다습한 북태평양 기단과 장마, 태풍 등의 영향으로 연 강수량의 절반 이상이 ❸ ______ 에 집중됨.

(2) 강수 분포의 지역 차: 지형과 풍향 등의 영향으로 지역적 차이가 큼.

다우지	습윤한 ❹ ______ 의 바람받이 지역 → 지형성 강수 발생 예 제주도, 남해안 일대, 대관령, 한강 중·상류, 청천강 중·상류
소우지	• 높은 산지로 둘러싸인 ❺ ______ 지역 예 개마고원, 낙동강 중·상류 • 상승 기류 발달이 어려운 저평한 지역 예 대동강 하류
다설지	• 북서 계절풍의 영향을 받는 지역 예 ❻ ______ , 소백산맥 서사면 • 북동 기류의 영향을 받는 지역 예 강원도 영동 산간 지역

5 우리나라의 바람 특성

계절풍	여름	북태평양 고기압의 영향으로 고온 다습한 남동·남서 계절풍 발생
	겨울	시베리아 고기압의 영향으로 한랭 건조한 ❼ ______ 발생
❽ ______		늦봄~초여름 사이 오호츠크해 고기압의 세력이 확장될 때 태백산맥을 넘어 불어 오는 고온 건조한 북동풍 → 영서·경기 지방에 가뭄 피해 발생

(고온 건조한 북동풍: 습윤하고 서늘한 바람이 푄 현상의 영향으로 태백산맥을 넘으면서 고온 건조해짐.)

예 우리나라는 남에서 북, 해안에서 내륙으로 갈수록 연평균 기온이 대체로 낮아진다.

❶ 기후 요소
❷ 중위도
❸ 여름철
❹ 남서 기류
❺ 바람그늘
❻ 울릉도
❼ 북서 계절풍
❽ 높새바람

기초 확인 문제

정답과 해설 67쪽

6 **빈칸에 들어갈 알맞은 말을 쓰시오.**

(1) 기후 요소를 변하게 하는 위도, 수륙 분포, 지형, 해발 고도 등을 (　　　)(이)라고 한다.

(2) 우리나라는 유라시아 대륙의 동쪽에 위치하여 계절에 따라 풍향이 바뀌는 (　　　)의 영향을 받아 여름에는 고온 다습하고, 겨울에는 한랭 건조하다.

7 **지도는 1월과 8월의 평균 기온을 나타낸 것이다. 괄호 안의 내용 중 알맞은 말을 골라 ○표 하시오.**

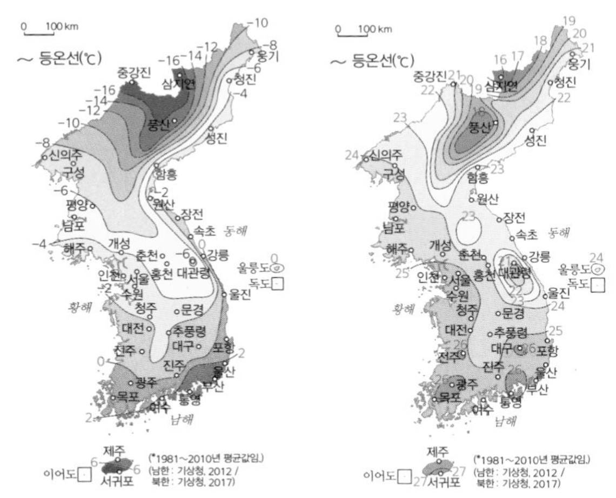

▲ 1월 평균 기온　　▲ 8월 평균 기온

(1) 1월은 8월에 비해 남북 간의 기온 차이가 매우 (크다, 작다).

(2) 비슷한 위도의 동해안은 서해안보다 1월 평균 기온이 (높다, 낮다). 이는 태백산백과 함경산맥이 차가운 북서 계절풍을 막아 주고, 동해의 수심이 황해보다 (깊기, 얕기) 때문이다.

8 **다우지와 소우지를 〈보기〉에서 골라 기호를 쓰시오.**

보기	
ㄱ. 대관령	ㄴ. 개마고원
ㄷ. 남해안 일대	ㄹ. 대동강 하류
ㅁ. 한강 중·상류	ㅂ. 낙동강 중·상류

(1) 다우지: (　　　　)

(2) 소우지: (　　　　)

9 **각 계절에 부는 바람의 특징을 바르게 연결하시오.**

(1) 여름 •　　• ㉠ 시베리아 고기압의 영향, 북서 계절풍

(2) 겨울 •　　• ㉡ 북태평양 고기압의 영향, 남동·남서 계절풍

10 **다음에서 설명하는 현상을 쓰시오.**

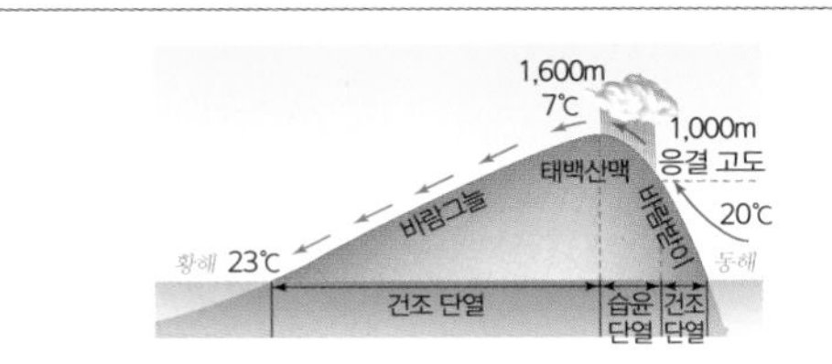

습윤한 공기가 산지를 타고 넘어갈 때 바람받이 사면에 강수를 발생시키고, 바람그늘 사면에서는 고온 건조한 공기로 변하는 현상을 말한다.

(　　　　)

3일 내신 기출 베스트

대표 예제 1 곶과 만의 특징

곶과 만에 대한 옳은 설명을 〈보기〉에서 고른 것은?

보기
ㄱ. 곶은 만보다 퇴적 작용이 활발하다.
ㄴ. 곶은 만보다 파랑 에너지가 집중된다.
ㄷ. 곶에서는 사빈, 만에서는 파식대를 볼 수 있다.
ㄹ. 곶에는 암석 해안, 만에는 모래 해안이 주로 발달한다.

① ㄱ, ㄴ ② ㄱ, ㄷ ③ ㄴ, ㄷ
④ ㄴ, ㄹ ⑤ ㄷ, ㄹ

개념 가이드

바다 쪽으로 돌출된 육지를 ❶ [ ], 바다가 육지 쪽으로 들어간 형태의 지형을 ❷ [ ]이라고 한다.

답 ❶ 곶 ❷ 만

대표 예제 2 다양한 해안 지형

지도에 표시된 A~E 지형의 명칭이 바르게 연결된 것은?

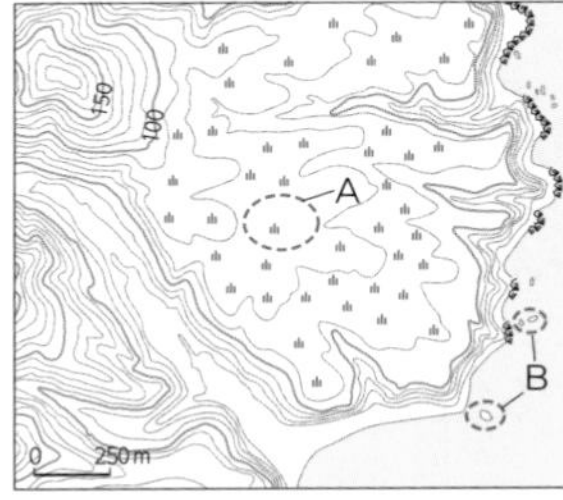

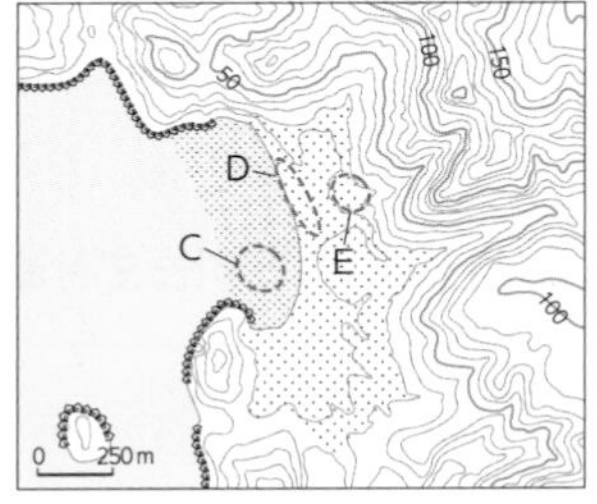

① A – 파식대 ② B – 시 스택
③ C – 사빈 ④ D – 갯벌
⑤ E – 해안 단구

개념 가이드

시 스택, 해안 단구 등은 해안 ❸ [ ] 지형이고, 사빈, 해안 사구, 갯벌 등은 해안 ❹ [ ] 지형이다.

답 ❸ 침식 ❹ 퇴적

대표 예제 3 주요 화산 지형의 분포

(가), (나) 지형이 분포하는 지역을 지도의 A~E에서 고른 것은?

(가) 화구호, 기생 화산
(나) 칼데라 분지, 중앙 화구구

	(가)	(나)
①	A	B
②	A	E
③	C	A
④	E	C
⑤	E	D

개념 가이드

화산 지형은 백두산, ❺ [ ], ❻ [ ], 독도, 철원·평강 일대에 분포한다.

답 ❺ 제주도 ❻ 울릉도

대표 예제 4 카르스트 지형의 특징

다음은 한국지리 수업의 한 장면이다. 교사의 질문에 바르게 답한 학생을 고른 것은?

교사: 카르스트 지형의 특징으로는 무엇이 있을까요?

① 갑, 을 ② 갑, 병 ③ 을, 병
④ 을, 정 ⑤ 병, 정

개념 가이드

카르스트 지형은 ❼ [ ]의 주성분인 탄산칼슘이 빗물이나 지하수의 ❽ [ ]을 받아 형성된 지형이다.

답 ❼ 석회암 ❽ 용식 작용

대표 예제 5 중위도 대륙 동안과 서안의 기후 차이

런던과 비교한 서울의 상대적인 기후 특성으로 옳지 않은 것은?

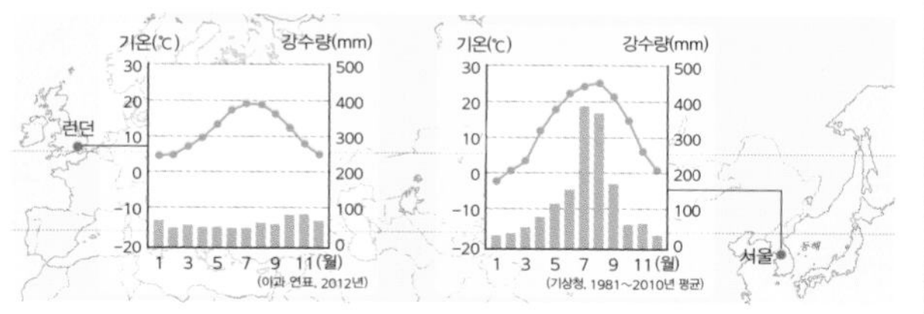

① 8월 평균 기온이 높다.
② 기온의 연교차가 크다.
③ 여름 강수 집중률이 높다.
④ 계절풍의 영향을 많이 받는다.
⑤ 계절별 기온 차이가 작은 편이다.

우리나라는 유라시아 대륙 동안에 위치하여 비슷한 위도의 대륙 서안보다 기온의 연교차가 ❾ ______.

답 ❾ 크다

대표 예제 6 우리나라의 기온 특성

자료의 ㉠, ㉡에 들어갈 내용으로 옳은 것은?

• (㉠)의 영향으로 남쪽에서 북쪽으로 갈수록 기온이 낮아진다.
• 우리나라는 국토의 형태가 남북으로 길어서 기온의 남북 차가 동서 차보다 (㉡).

	㉠	㉡		㉠	㉡
①	위도	작다	②	위도	크다
③	지형	작다	④	해류	작다
⑤	해류	크다			

개념 가이드

우리나라는 남쪽에서 북쪽, 해안에서 내륙으로 갈수록 연평균 기온이 대체로 ❿ ______.

답 ❿ 낮아진다

대표 예제 7 우리나라의 강수 특성

밑줄 친 지역에 해당하는 곳을 지도의 A~E에서 고른 것은?

〈우리나라의 강수 특성〉
(1) 강수 분포의 지역 차
• 다우지: 습윤한 남서 기류의 바람받이 지역
• 소우지: 바람그늘 지역, <u>해발 고도가 낮고 평평한 지역</u>
⋮

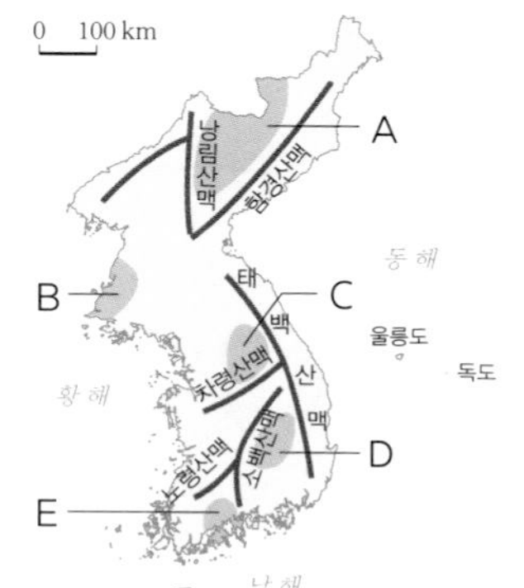

① A
② B
③ C
④ D
⑤ E

개념 가이드

바람그늘 지역인 영남 내륙 지역과 개마고원 일대, 높은 산지가 없는 ⓫ ______ 하류는 상대적으로 강수량이 적은 편이다.

답 ⓫ 대동강

대표 예제 8 우리나라의 바람 특성

우리나라의 바람 특성에 대한 설명으로 옳지 않은 것은?

① 겨울에는 주로 북서풍이 분다.
② 여름에는 주로 남동·남서풍이 분다.
③ 바람의 세기는 여름철이 겨울철보다 대체로 강하다.
④ 유라시아 대륙의 동쪽에 위치하여 계절풍의 영향을 받는다.
⑤ 늦봄에서 초여름 사이에 영서·경기 지방으로 고온 건조한 북동풍이 자주 분다.

개념 가이드

우리나라는 ⓬ ______의 영향을 많이 받아 여름에는 고온 다습하고, 겨울에는 한랭 건조하다.

답 ⓬ 계절풍

4 Ⅲ-2. 기후와 주민 생활 ~3. 기후 변화와 자연재해

Quiz 우리나라는 (북태평양, 시베리아) 기단의 영향을 받는 겨울철은 한랭 건조하고, (북태평양, 시베리아) 기단의 영향을 받는 한여름에는 고온 다습하다.

시베리아 기단(한랭 건조)

시베리아 기단의 영향을 받아서 겨울이 춥고, 삼한 사온 현상이 나타나.

봄에는 꽃샘추위가 발생하기도 해.

늦봄에서 초여름 사이에 영서 지방에 고온 건조한 높새바람이 불어.

오호츠크해 기단(냉량 습윤)

고온 건조한 바람

태백 산맥

영서 지방

비

동해

차가운 오호츠크해 기단과

따뜻한 북태평양 기단이 만나 장마 전선을 형성해.

태풍은 강한 바람과 많은 비를 동반하여 풍수해가 발생하기도 해.

적도 기단(고온 다습)

북태평양 기단(고온 다습)

북태평양 기단의 영향으로 한여름에 무더위와 열대야가 나타나.

답 시베리아, 북태평양

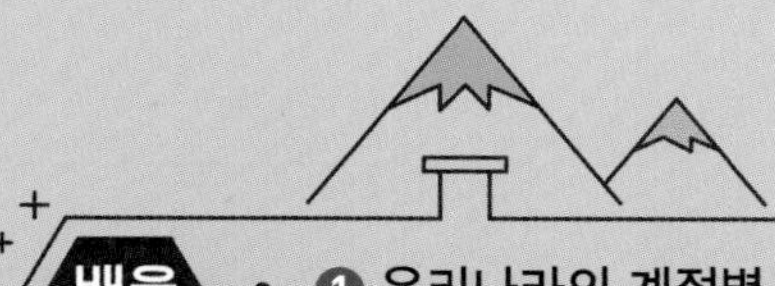

배울 내용

❶ 우리나라의 계절별 기후 특성
❷ 기후와 주민 생활
❸ 자연재해와 기후 변화
❹ 식생과 토양

Quiz (관북 지방, 남부 지방)은 추위에 대비하여 폐쇄적인 가옥 구조가 나타나고, (관북 지방, 남부 지방)은 더위에 대비하여 개방적인 가옥 구조가 나타난다.

답 관북 지방, 남부 지방

4일 교과서 핵심 정리 ①

개념 1 우리나라의 계절별 기후 특성

봄	• 이동성 고기압과 저기압이 교대로 통과하여 날씨 변화가 심함. • ❶ ( ) (시베리아 기단의 일시적 확장), 건조한 날씨, 황사 현상(중국 내륙과 몽골 건조 지역에서 발생한 흙먼지가 편서풍을 타고 날아옴.), 높새바람
여름	• 장마철: 장마 전선을 따라 다습한 남서 기류가 유입될 때 집중 호우 발생 • 한여름: 북태평양 기단 발달(무더위, 열대야), ❷ ( ) 기압 배치, 소나기
가을	이동성 고기압의 영향으로 맑은 날이 많음.
겨울	시베리아 기단 발달(한랭 건조한 날씨), ❸ ( ) 기압 배치, 삼한 사온 현상

장마 전선: 북태평양 기단과 오호츠크해 기단이 만나 형성됨.

삼한 사온 현상: 시베리아 고기압의 주기적인 발달과 쇠퇴로 기온의 하강과 상승이 반복적으로 나타나는 현상

예 겨울에는 서고동저형의 기압 배치가, 한여름에는 남고북저형의 기압 배치가 나타난다.

❶ 꽃샘추위
❷ 남고북저형
❸ 서고동저형

개념 2 기후와 주민 생활

1 기온과 주민 생활

여름	통풍이 잘되는 옷(모시, 삼베), 벼 재배, 염장 식품, 대청마루(중부 및 남부 지방)
겨울	방한복(목화솜), 보리·밀 재배, 김장 문화, 온돌, ❹ ( ) (관북 지방)

중부 및 남부 지방: 개방적 가옥 구조(홑집)

❹: 부엌과 방 사이에 벽이 없는 공간으로, 부엌에서 발생하는 온기를 활용함.

관북 지방: 폐쇄적 가옥 구조(겹집)

❹ 정주간

2 강수와 주민 생활

다우지	❺ ( ) · 피수대(가옥 침수 방지), 저수지·보·다목적 댐(물 자원 관리)
소우지	천일제염업 발달(예 대동강 하류, 전남 해안), 과수 재배 활발(예 영남 내륙)
다설지	❻ ( ) (울릉도 전통 가옥에 설치된 방설벽), 눈을 관광 자원으로 활용

❺ 터돋움집
❻ 우데기

3 바람과 주민 생활

까대기: 바람이나 눈이 들어오는 것을 막기 위해 가옥의 벽이나 담에 볏짚, 비닐 등을 덧붙여 만든 임시 건조물

(1) 전통 가옥: 완만한 경사의 지붕·그물망 지붕·돌담(제주도), 까대기(호남 해안)

(2) 이용과 피해: 풍력 발전(전력 생산), 높새바람(가뭄 피해), 태풍(폭우, 강풍으로 인한 피해)

4 국지 기후와 주민 생활

❼ ( )	• 의미: 도심의 기온이 교외보다 높게 나타나는 현상 • 영향: 평균 기온 상승, 상대 습도 감소, 평균 풍속 감소
기온 역전 현상	• 의미: 지표 부근의 기온이 상공의 기온보다 낮은 현상 • 영향: 분지 내 농작물의 ❽ ( ) 발생, 대기 오염 물질의 정체

❼: 새벽 > 낮, 겨울 > 여름, 맑은 날 > 흐린 날에 뚜렷하게 나타남.

기온 역전 현상: 늦가을~초봄의 맑고 바람이 없는 날 야간에 분지에서 잘 나타남.

❼ 도시 열섬 현상
❽ 냉해

5 기후와 경제생활

(1) 날씨와 경제생활: 농작물 재배 시기·수확량, 계절상품 생산, 편의점 진열 상품 등에 영향

(2) 기후와 경제생활: 농업 활동의 지역 차, 계절별 지역 축제 개최, 관광 산업 등에 영향

예 전통 가옥 구조는 해당 지역의 기후 특색이 반영되어 남부 지방으로 갈수록 개방적인 가옥 구조가, 북부 지방으로 갈수록 폐쇄적인 가옥 구조가 나타난다.

정답과 해설 68쪽

1 자료는 우리나라에 영향을 주는 주요 기단을 나타낸 것이다. A~D에 해당하는 기단의 명칭을 쓰시오.

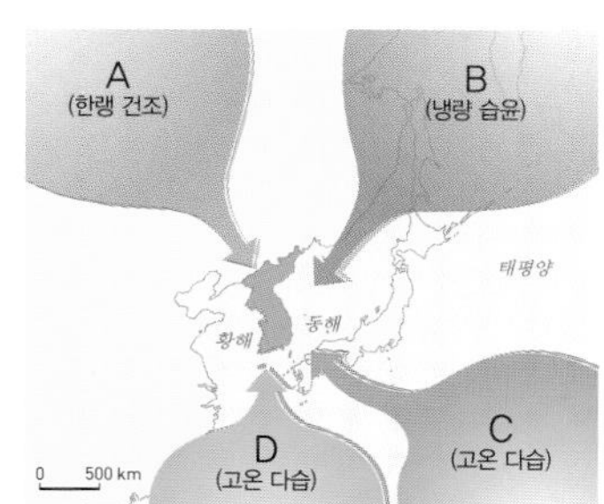

기단	계절	영향
A	겨울	한파, 삼한 사온, 꽃샘추위
B	늦봄~초여름	높새바람, 장마 전선 형성
C	여름	무더위, 열대야, 장마 전선 형성
D	여름	태풍

(1) A: (　　　　　)　　(2) B: (　　　　　)
(3) C: (　　　　　)　　(4) D: (　　　　　)

2 괄호 안의 내용 중 알맞은 말을 골라 ○표 하시오.

(1) 염장 식품은 (여름철, 겨울철) 기온과 관련된 우리나라의 식생활 문화이다.

(2) (온돌, 대청마루)은/는 추위를 극복하기 위한 시설로, 우리나라 대부분 지역에 발달하였다.

3 빈칸에 들어갈 알맞은 말을 쓰시오.

(1) (　　　　)은/는 홍수가 자주 발생하는 지역에서 집을 땅 위에 바로 짓지 않고, 흙이나 돌로 땅을 돋은 후 지은 집이다.

(2) 호남 해안 지역에서는 강풍과 대설에 대비하기 위해 가옥의 벽이나 담에 (　　　　)을/를 설치하였다.

4 다음 전통 가옥 구조가 나타나는 지역을 〈보기〉에서 골라 기호를 쓰시오.

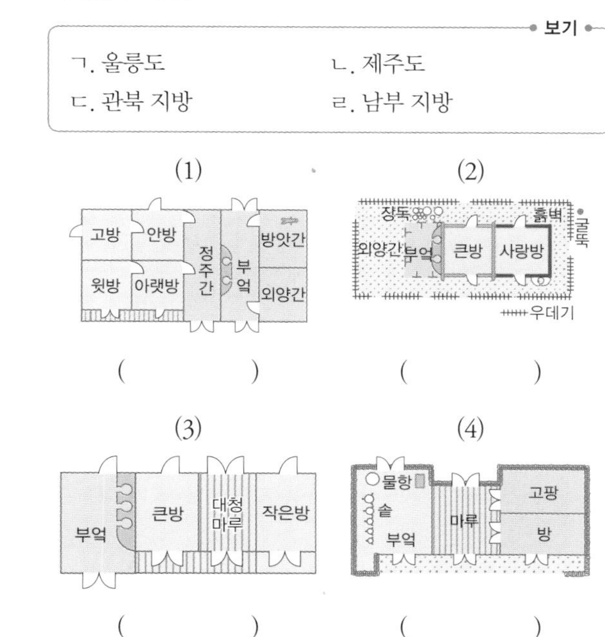

(1) (　　　　　)　　(2) (　　　　　)
(3) (　　　　　)　　(4) (　　　　　)

5 다음 설명과 관련된 현상을 쓰시오.

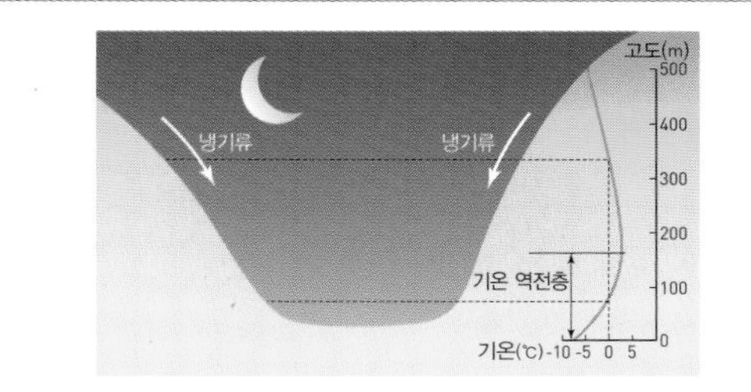

늦가을에서 초봄 사이의 맑은 날 밤에 산지에서 형성된 찬 공기가 사면을 따라 미끄러져 내려와 분지의 내부에는 지표에서 상층으로 올라갈수록 기온이 높아지는 안정층이 형성된다.

(　　　　　)

4일 교과서 핵심 정리 ②

개념 3 자연재해와 기후 변화

자연재해의 유형

기후적 요인	홍수, 태풍, 폭설, 가뭄, 폭염 등
지형적 요인	지진, 화산 활동 등

1 자연재해 인간 활동에 인적·물적 피해를 주는 자연 현상

홍수	장마 전선과 태풍의 영향을 받는 여름철에 자주 발생 → 저지대 침수
❶	주로 여름~초가을에 발생, 강풍과 호우 동반 → 풍수해, 해일 피해
폭설(대설)	짧은 시간에 많은 눈이 내리는 현상 → 시설물 붕괴, 교통 장애
❷	장기간 비가 내리지 않는 현상, 진행 속도가 느리지만 피해 범위가 넓음.
지진	지각판이 충돌하거나 분리되면서 땅이 갈라지고 흔들리는 현상

지진 — 2016년 경주, 2017년 포항을 중심으로 큰 규모의 지진이 연속적으로 발생함.

2 기후 변화 기후의 평균 상태가 점차 변화하는 현상

원인	자연적 원인	태양 활동의 변화, 지구와 태양 간 거리의 주기적인 변화 등
	인위적 원인	화석 연료 사용량 증가, 삼림 파괴 등 → ❸ 현상 심화
현황	우리나라: 지난 100년간 연평균 기온 약 1.7℃ 상승, 연 강수량 대체로 증가	
영향	• 계절 변화: 여름은 길어지고 겨울은 짧아짐 • 식생 변화: 냉대림 분포 면적 축소, 난대림 분포 면적 확대, 고산 식물 분포 면적 축소, 봄꽃 개화 시기 ❹ , 가을철 단풍 시기 늦어짐 • 농·어업 활동 변화: 농작물 재배 북한계선 ❺ , 노지 작물 생육 가능 기간 증가, 한류성 어족 어획량 감소, 난류성 어족 어획량 증가	
대책	• 국제적 노력: 유엔 기후 변화 협약(1992), 교토 의정서(1997), 파리 협정(2015) • 국가적 노력: 배출권 거래제 도입, 자원 절약형 산업 육성 등 • 개인적 노력: 친환경 제품·에너지 효율이 높은 제품 이용, 대중교통 이용 등	

배출권 거래제 — 온실가스 감축을 목적으로 국가나 기업 간에 배출 권리를 사고팔 수 있도록 한 제도

예 우리나라는 지구 온난화의 영향으로 여름은 길어지고 겨울은 짧아지고 있다.

개념 4 식생과 토양

1 식생

냉대림	북부 지방의 개마고원 일대 및 고산 지역, 침엽수림
온대림	우리나라 대부분 지역, 침엽수와 낙엽 활엽수의 혼합림
난대림	제주도와 울릉도 저지대 및 남해안, 상록 활엽수림

(1) 수평적 분포: 위도에 따른 기온 차이가 반영됨. → 남에서 북으로 갈수록 난대림, 온대림, ❻ 순으로 분포

(2) 수직적 분포: ❼ 에 따른 기온 차이가 반영됨. → 제주도에서 뚜렷하게 나타남.

2 토양

성숙토 — 토양의 생성 기간이 길어 단면이 뚜렷하게 발달한 토양

석회암 풍화토 — 석회암 지대에 분포하며, 붉은색을 띰.

성숙토	성대 토양	기후와 식생의 영향 예 회백색토, 갈색 삼림토 등
	❽	기반암(모암)의 영향 예 석회암 풍화토, 현무암 풍화토 등
미성숙토	충적토(하천 운반 물질이 퇴적된 비옥한 토양), 염류토(간척지에 분포)	

현무암 풍화토 — 제주도, 철원 등지에 분포하며, 흑갈색을 띰.

예 성대 토양은 기후와 식생의 영향을, 간대토양은 기반암의 영향을 받아 형성된 토양이다.

❶ 태풍
❷ 가뭄
❸ 지구 온난화
❹ 빨라짐
❺ 북상
❻ 냉대림
❼ 해발 고도
❽ 간대토양

정답과 해설 68쪽

6 다음 설명에 해당하는 자연재해를 〈보기〉에서 골라 기호를 쓰시오.

보기

ㄱ. 가뭄　　ㄴ. 지진　　ㄷ. 태풍
ㄹ. 폭설　　ㅁ. 홍수

(1) 짧은 시간에 많은 눈이 내리는 현상이다. (　　)
(2) 장기간 비가 오지 않아 나타나는 심한 물 부족 현상이다. (　　)
(3) 지각판이 충돌하거나 분리되면서 땅이 갈라지고 흔들리는 현상이다. (　　)
(4) 집중 호우 등으로 인해 하천이 범람하여 그 주변 지역이 침수되는 현상이다. (　　)
(5) 중심 부근의 최대 풍속이 17m/s 이상으로 폭풍우를 동반하는 열대 저기압이다. (　　)

7 ㉠에 해당하는 자연재해를 쓰시오.

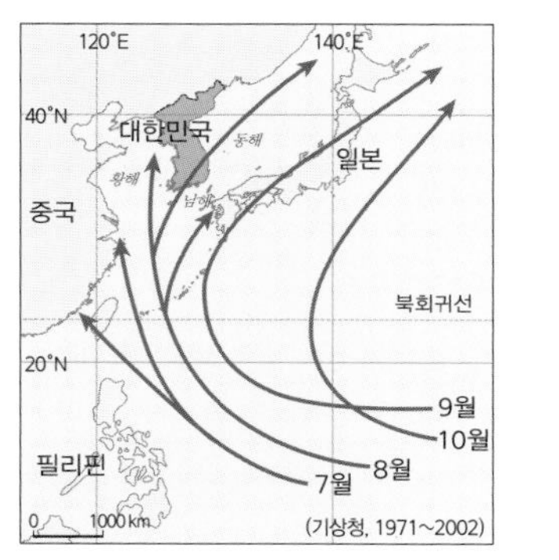

▲ (㉠)의 평균 이동 경로

(㉠)은/는 저위도 열대 해상에서 발생하여 느리게 북상하다가 북위 30° 부근에서 편서풍의 영향으로 북동쪽으로 방향을 바꾸어 빠른 속도로 이동한다. 우리나라에는 주로 7~9월에 영향을 미친다.

(　　　　)

8 괄호 안의 내용 중 알맞은 말을 골라 ◯표 하시오.

〈기후 변화의 영향〉

(1) 여름은 (길어지고, 짧아지고), 겨울은 (길어지고, 짧아지고) 있다.
(2) 냉대림 분포 면적은 (확대, 축소)되고, 난대림 분포 면적은 (확대, 축소)되었다.
(3) 한류성 어족의 어획량은 (증가, 감소)하고, 난류성 어족의 어획량은 (증가, 감소)하였다.

9 빈칸에 들어갈 알맞은 말을 쓰시오.

(1) 식생의 수평적 분포는 (　　　)에 따른 기온 차이를 반영한다.
(2) 냉대림은 (　　　)으로 이루어지며 북부 지방의 개마고원 일대와 일부 고산 지역에 주로 분포한다.
(3) (　　　)은/는 상록 활엽수림으로 이루어지며 제주도와 울릉도의 저지대, 남해안 일대에 주로 분포한다.

10 성숙토의 유형과 특징을 바르게 연결하시오.

(1) 성대 토양 •
(2) 간대토양 •

• ㉠ 기후와 식생의 영향
• ㉡ 기반암(모암)의 영향
• ㉢ 갈색 삼림토
• ㉣ 석회암 풍화토

4일 내신 기출 베스트

대표 예제 1 겨울철 일기도의 특징

다음은 우리나라 어느 계절의 일기도이다. 이 계절의 기후 특성에 대한 설명으로 옳은 것은?

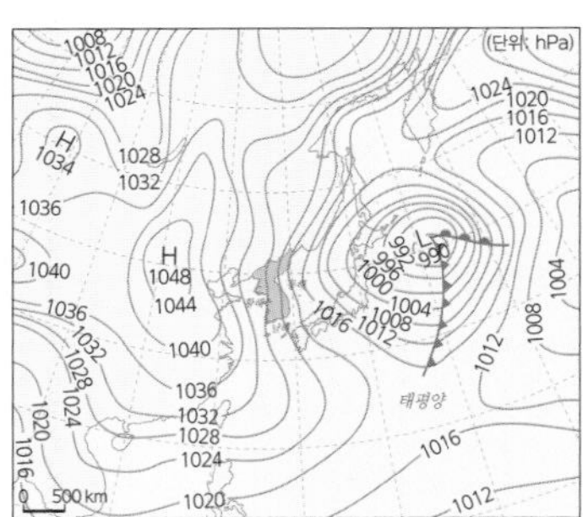

① 열대야가 나타난다.
② 장마 전선이 형성된다.
③ 소나기가 자주 내린다.
④ 삼한 사온 현상이 나타난다.
⑤ 주로 남풍 계열의 바람이 분다.

개념 가이드

겨울에는 ❶ [ ] 의 기압 배치가, 한여름에는 ❷ [ ] 의 기압 배치가 나타난다.

답 ❶ 서고동저형 ❷ 남고북저형

대표 예제 2 울릉도와 관북 지방의 전통 가옥 시설

(가), (나) 전통 가옥 시설에 가장 큰 영향을 준 기후 요소로 옳은 것은?

(가)

▲ 우데기(울릉도)

(나)

▲ 정주간(관북 지방)

	(가)	(나)
①	기온	강수
②	기온	바람
③	강수	기온
④	강수	바람
⑤	바람	강수

개념 가이드

❸ [ ] 는 방설벽이고, ❹ [ ] 은 부엌과 방 사이에 벽 없이 연결된 온돌방이다.

답 ❸ 우데기 ❹ 정주간

대표 예제 3 기온과 주민 생활

계절별 기후 특성에 따른 주민 생활 모습으로 옳은 것만을 〈보기〉에서 있는 대로 고른 것은?

보기

ㄱ. 겨울 – 김장 문화가 발달하였다.
ㄴ. 겨울 – 보리나 밀을 재배하였다.
ㄷ. 여름 – 집에 대청마루를 설치하였다.
ㄹ. 여름 – 목화솜이나 가죽으로 만든 옷을 입었다.

① ㄱ, ㄴ ② ㄱ, ㄹ ③ ㄱ, ㄴ, ㄷ
④ ㄱ, ㄷ, ㄹ ⑤ ㄴ, ㄷ, ㄹ

개념 가이드

우리나라는 식물이 자라기 어려운 ❺ [ ] 환경을 극복하기 위해 김장 문화가 발달하였다.

답 ❺ 겨울철

대표 예제 4 도시 열섬 현상

다음은 한국지리 수업 시간에 작성한 학습 노트이다. (가)에 들어갈 내용으로 옳지 않은 것은?

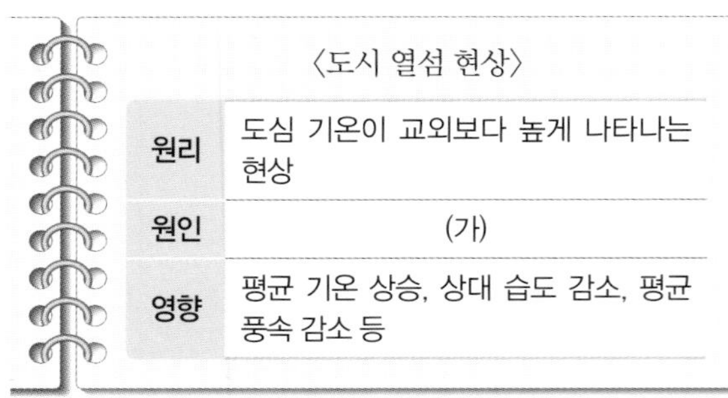

〈도시 열섬 현상〉

원리	도심 기온이 교외보다 높게 나타나는 현상
원인	(가)
영향	평균 기온 상승, 상대 습도 감소, 평균 풍속 감소 등

① 인공 열 방출 ② 녹지 공간 감소
③ 도시 인구 증가 ④ 지표 포장 면적 증가
⑤ 건물 옥상 녹화 사업

개념 가이드

❻ [ ] 은 낮보다는 새벽에, 여름보다는 겨울에, 흐린 날보다는 맑은 날에 뚜렷하게 나타난다.

답 ❻ 도시 열섬 현상

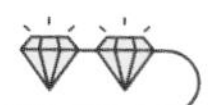

대표 예제 5 자연재해의 특징

그래프는 세 자연재해의 월별 피해액 비중을 나타낸 것이다. (가)에 해당하는 자연재해로 옳은 것은?

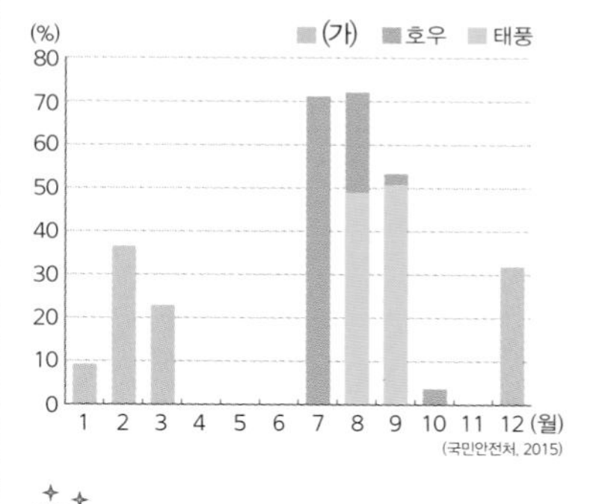

① 가뭄
② 대설
③ 지진
④ 폭염
⑤ 홍수

개념 가이드

❼ [   ]은 짧은 시간 안에 많은 양의 눈이 내리는 것을 말한다.

답 ❼ 대설

대표 예제 6 지구 온난화의 영향

그래프는 서울의 계절 길이 변화를 나타낸 것이다. 이러한 변화로 인해 나타날 수 있는 현상으로 옳은 것은?

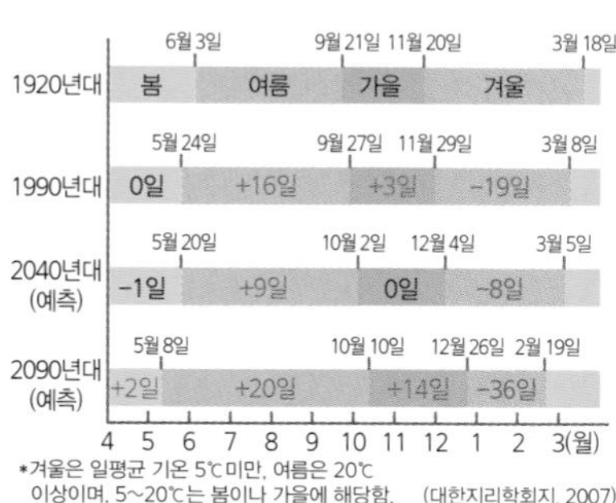

*겨울은 일평균 기온 5℃ 미만, 여름은 20℃ 이상이며, 5~20℃는 봄이나 가을에 해당함. (대한지리학회지, 2007)

① 냉방 전력 사용량이 증가할 것이다.
② 단풍이 드는 시기가 빨라질 것이다.
③ 하천의 결빙 일수가 증가할 것이다.
④ 고산 식물의 분포 범위가 확대될 것이다.
⑤ 농작물의 노지 재배 가능 기간이 줄어들 것이다.

개념 가이드

지구 온난화의 영향으로 ❽ [   ]은 길어지고 ❾ [   ]은 짧아지고 있다.

답 ❽ 여름 ❾ 겨울

대표 예제 7 우리나라의 식생 분포

우리나라의 식생 분포에 대한 옳은 설명을 〈보기〉에서 고른 것은?

보기

ㄱ. 가장 넓은 범위에 분포하는 식생은 냉대림이다.
ㄴ. 난대림은 개마고원 일대와 고산 지역에 분포한다.
ㄷ. 한라산은 백두산보다 식생의 수직적 분포가 다양하다.
ㄹ. 위도에 따른 기온 차이는 식생의 수평적 분포에 영향을 준다.

① ㄱ, ㄴ ② ㄱ, ㄷ ③ ㄴ, ㄷ
④ ㄴ, ㄹ ⑤ ㄷ, ㄹ

개념 가이드

식생의 수평적 분포는 ❿ [   ]에 따른 기온 차이를, 수직적 분포는 ⓫ [   ]에 따른 기온 차이를 반영한다.

답 ❿ 위도 ⓫ 해발 고도

대표 예제 8 우리나라 토양의 특징

교사의 질문에 바르게 답한 학생을 고른 것은?

갑: (가)는 기반암의 특성을 반영하는 토양입니다.
을: 회백색토, 갈색 삼림토는 (나)에 해당합니다.
병: (가), (나) 모두 성숙토에 해당합니다.
정: (가), (나)는 미성숙토에 비해 토양층이 뚜렷하게 나타납니다.

① 갑, 을 ② 갑, 병 ③ 을, 병
④ 을, 정 ⑤ 병, 정

개념 가이드

⓬ [   ]은 기후와 식생의 영향을, ⓭ [   ]은 기반암의 영향을 받아 형성된 토양이다.

답 ⓬ 성대 토양 ⓭ 간대토양

5일 Ⅳ-1. 촌락의 변화와 도시 발달 ~ 2. 도시 구조와 대도시권

Quiz 대도시와의 거리가 먼 촌락은 청장년층 중심으로 인구가 (유입, 유출)되면서 인구의 고령화가 심화되고 있다.

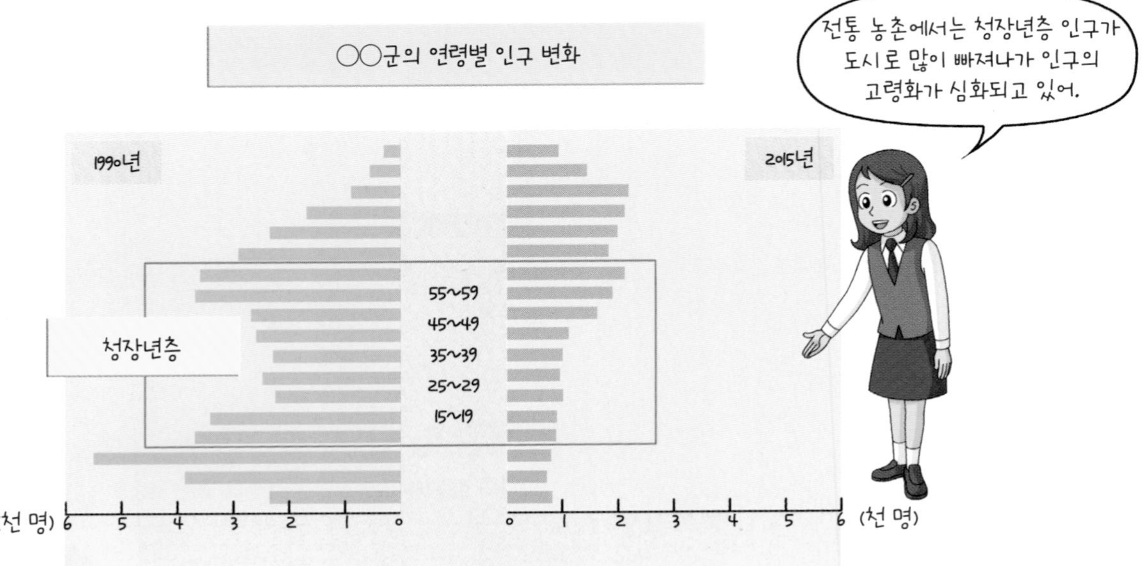

답 유출

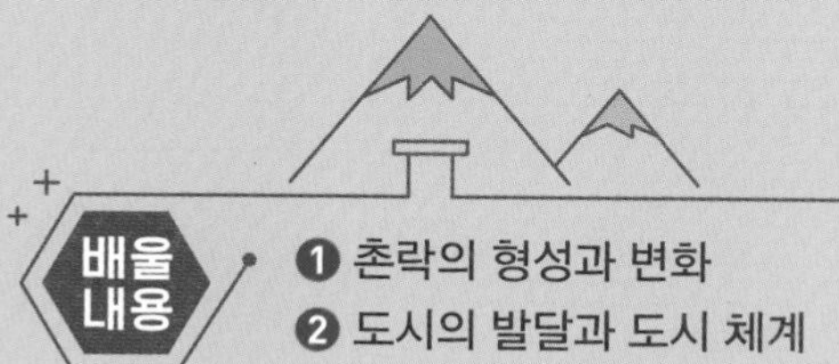

배울 내용

❶ 촌락의 형성과 변화
❷ 도시의 발달과 도시 체계
❸ 도시 내부의 지역 분화
❹ 대도시권의 형성과 확대

Quiz 상업·업무 기능이 도심으로 집중하는 현상을 (이심, 집심) 현상이라고 하고, 주거·공업 기능이 도심에서 주변(외곽) 지역으로 이동하는 현상을 (이심, 집심) 현상이라고 한다.

도시의 규모가 커지고 그 기능이 다양해지면 도시 내부가 기능에 따라 여러 지역으로 분화돼.

지역 분화는 주로 접근성과 지대의 지역 차 때문에 발생해.

상업·업무 기능

우린 높은 지대를 감당하더라도 접근성이 좋고, 유동 인구가 많은 도심으로!

주택, 공장, 학교

우린 지대 지불 능력이 낮으니까 외곽 지역으로!

집심 현상

이심 현상

위성 도시

위성 도시

답 집심, 이심

5일 교과서 핵심 정리 ①

개념 1 촌락의 형성과 변화

전통 촌락의 특징
- 도시보다 인구 밀도가 낮지만, 국토 면적의 대부분을 차지함.
- 주민 대부분이 1차 산업에 종사함. → 도시에 농수산물·축산물 공급
- 자연환경과 전통문화가 잘 보존됨. → 도시민에게 휴식 및 여가 공간 제공

1 전통 촌락의 입지

(1) 자연적 요인: ❶ [　　　] 조건을 갖춘 곳, 용수 획득에 유리한 곳(제주도 해안의 용천대), 홍수를 피할 수 있는 곳(산록 완사면이나 범람원의 자연 제방)

(2) 사회·경제적 요인: 교통이 편리한 곳(역원 취락, 나루터 취락), 지형적으로 ❷ [　　　]에 유리한 곳이나 방어가 필요한 국경 및 해안 지역(병영촌)

2 전통 촌락의 형태 가옥의 ❸ [　　　]에 따라 집촌(集村)과 산촌(散村)으로 구분됨.

기능에 따라 농촌, 어촌, 산지촌으로 구분됨.

집촌	가옥의 밀집도가 높음. → 협동 노동에 유리하고 공동체 의식이 강함.
산촌	가옥의 밀집도가 낮고, 가옥과 경지의 결합도가 높음. → 경지 관리가 효율적임.

3 촌락의 변화

대도시와의 거리가 먼 촌락	청장년층 중심의 인구 유출 → 인구 고령화, 노동력 부족, 폐교 증가, 청장년층 남초 현상 (청장년층 남초 현상 → 국제결혼 증가 → 다문화 가정의 비중 증가)
대도시와의 거리가 가까운 촌락	상업적 농업 확대, 겸업농가 비중 증가, 2·3차 산업 비중 증가, 아파트·공장 등 도시적 경관 증가

예 전통 촌락은 가옥의 밀집도에 따라 집촌과 산촌으로 구분된다.

개념 2 도시의 발달과 도시 체계

도시의 특징
- 인구 밀도가 높고, 집약적 토지 이용이 나타남.
- 주민 대부분이 2·3차 산업에 종사함.
- 촌락에 각종 재화와 서비스를 공급함.

1 도시와 촌락의 상호 보완성 인구 증가와 교통·통신의 발달로 도시와 촌락의 관계가 더욱 긴밀해짐. → 도농 통합시 출범

도농 통합시: 생활권이 같은 도시와 농어촌이 합쳐져 광역 생활권을 갖춘 도시

2 우리나라의 도시 발달 과정

1960년대	경제 개발 정책, 공업화 → ❹ [　　　] → 대도시 급성장
1970년대	도시 인구 > 촌락 인구, 지방 중심 도시와 남동 임해 공업 도시 성장
1980년대 이후	대도시의 과밀화 완화를 위한 인구 분산 정책 → 교외화 현상 → 대도시 주변에 신도시와 ❺ [　　　] 발달 예 서울 주변의 성남·고양, 부산 주변의 김해·양산

❺: 대도시 주변에서 대도시의 일부 기능을 분담하는 도시

3 도시 체계 도시 사이의 기능적 상호 작용으로 형성되는 도시 간 계층 질서

상호 작용 지표: 인구 규모 및 인구 분포, 도시 간의 도로망 및 교통량, 도시 간 재화와 서비스의 이동, 인터넷망을 통한 정보 유통 등

(1) 도시(중심지) 간 계층 구조

구분	중심지 기능	배후지 면적	중심지 수	중심지 간 거리	사례
고차 중심지	❻ [　　　]	넓음	적음	멂	대도시
저차 중심지	❼ [　　　]	좁음	많음	가까움	소도시

(2) 우리나라 도시 체계의 특징: 서울을 중심으로 한 수직적 도시 체계 → 수위 도시인 서울을 중심으로 인구와 기능이 집중되어 ❽ [　　　] 현상이 나타남.

❽: 1위 도시의 인구 규모가 2위 도시 인구의 두 배 이상이 되는 현상

예 우리나라는 서울을 중심으로 인구와 기능이 집중된 수직적 도시 체계를 이루고 있다.

❶ 배산임수
❷ 방어
❸ 밀집도
❹ 이촌 향도 현상
❺ 위성 도시
❻ 많음
❼ 적음
❽ 종주 도시화

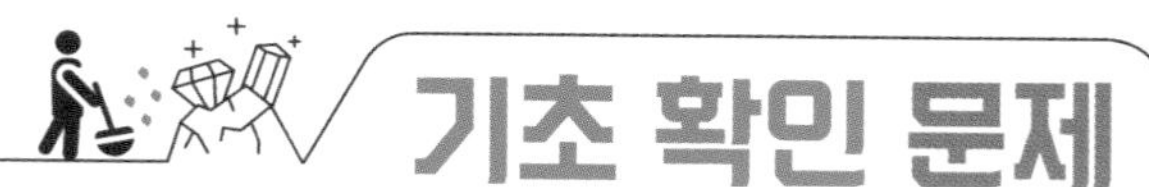

기초 확인 문제

정답과 해설 70쪽

1 전통 촌락의 입지 요인과 사례를 바르게 연결하시오.

(1) 교통 • • ㉠ 병영촌(남한산성, 중강진)

(2) 방어 • • ㉡ 산록 완사면, 범람원의 자연 제방

(3) 용수 획득 • • ㉢ 제주도 해안의 용천대, 선상지 선단의 용천대

(4) 침수 예방 • • ㉣ 역원 취락(조치원), 나루터 취락(마포)

2 괄호 안의 내용 중 알맞은 말을 골라 ○표 하시오.

(1) 농촌은 협동 노동의 필요성이 크기 때문에 가옥이 밀집하여 분포하는 (집촌, 산촌)을 이루는 경우가 많다.

(2) 집촌은 산촌보다 가옥 간 거리가 (멀어, 가까워) 협동 노동에 유리하고 공동체 의식이 (강하다, 약하다).

(3) 산촌은 집촌보다 가옥과 경지의 결합도가 (높아, 낮아) 경지 관리가 효율적이다.

(4) 대도시와의 거리가 먼 촌락에서는 청장년층 인구가 (유입, 유출)되면서 인구의 고령화, 노동력 부족 등의 문제가 나타나고 있다.

(5) 대도시와의 거리가 가까운 촌락에서는 상업적 농업이 (확대, 축소)되고, 2·3차 산업의 비중이 (증가, 감소)하고 있다.

3 다음에 해당하는 도시를 〈보기〉에서 골라 기호를 쓰시오.

보기

ㄱ. 광주, 대전 등
ㄴ. 서울, 부산, 대구 등
ㄷ. 포항, 울산, 창원 등
ㄹ. 성남, 고양, 김해, 양산, 경산 등

(1) 1960년대 빠르게 성장한 대도시: (　　　)

(2) 1970년대 성장한 지방 중심 도시: (　　　)

(3) 1970년대 성장한 남동 임해 공업 도시: (　　　)

(4) 1980년대 이후 대도시 주변에 발달한 신도시와 위성 도시: (　　　)

4 다음에서 설명하는 용어를 쓰시오.

도시 사이의 기능적 상호 작용으로 형성되는 도시 간 계층 질서를 의미한다.

(　　　　　)

5 빈칸에 들어갈 알맞은 말을 쓰시오.

(1) (　　　　)은/는 생활권이 같은 도시와 농어촌이 합쳐져 광역 생활권을 갖춘 도시이다.

(2) 현재 우리나라는 인구 규모 1위 도시인 서울의 인구가 2위 도시인 부산의 인구보다 두 배 이상 많은 (　　　　) 현상이 나타나고 있다.

5일

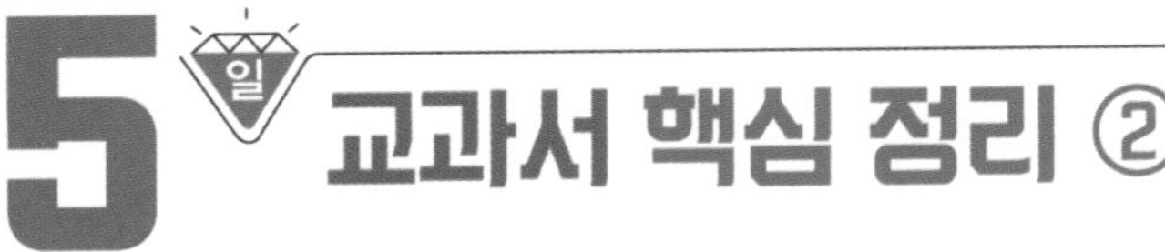

5일 교과서 핵심 정리 ②

개념 3 도시 내부의 지역 분화

도시의 규모가 커지고 그 기능이 다양해지면서 도시 내부가 기능에 따라 여러 지역으로 나뉘는 현상

1 지역 분화의 요인 접근성과 지대의 지역 차

접근성	특정 지역이나 시설에 도달하기 쉬운 정도
지대	토지나 건물을 이용하여 얻을 수 있는 수익 또는 대가 → 접근성이 높을수록 지대가 높음.

2 지역 분화의 과정

집심 현상	지대 지불 능력이 높은 ❶ [ ]은 접근성이 높은 도심에 집중함.
❷ [ ]	지대 지불 능력이 낮은 주택, 학교, 공장 등은 도시 외곽으로 분산됨.

3 도시 내부 구조

도시의 운영과 성장을 위한 중요한 업무를 관리하는 기능 예 대기업 본사, 관공서, 금융 기관 본점 등

도심	• 접근성, 지대, 지가가 높음. → 집약적 토지 이용(고층 건물 밀집) • 중심 업무 지구(CBD): 중추 관리 기능, 고급 상점, 전문 서비스업 집중 • ❸ [ ]: 직장과 거주지의 분화로 상주인구가 감소하는 현상
❹ [ ]	• 도심과 주변 지역을 연결하는 교통의 결절점에 형성됨. • 도심에 집중된 상업·업무 기능을 일부 분담함.
중간 지역	상업·공업·주거 기능 등이 혼재되어 있는 점이 지대
주변 지역	신흥 주거 지역(고급 주택, 대규모 아파트 단지)과 공업 지역 형성
개발 제한 구역	시가지의 무분별한 팽창을 막고, 녹지 공간을 보존하기 위해 설정함.

예 도시 내부는 도심, 부도심, 중간 지역, 주변 지역 등으로 이루어져 있다.

❶ 상업·업무 기능
❷ 이심 현상
❸ 인구 공동화 현상
❹ 부도심

개념 4 대도시권의 형성과 확대

대도시를 중심으로 일상적인 생활이 이루어지는 범위 → 중심 도시로의 통근·통학이 가능한 일일 생활권

1 대도시권의 형성 급속한 산업화·도시화로 인구와 기능이 집중되어 집적 불이익이 발생함. → ❺ [ ] → 대도시와 주변 지역이 기능적으로 연결되어 일일 생활권을 형성함.

(집적 불이익: 지가 상승, 주택 부족, 교통 체증, 환경 오염 등)
(❺: 도시의 인구나 기능, 시설 등이 도시 주변 지역으로 확산되는 현상)

2 대도시권의 공간 구조

❻ [ ]		대도시권의 중심지 역할, 주변 지역에 재화와 서비스 제공
통근 가능권	교외 지역	중심 도시와 인접한 지역, 주거·공업·상업 기능을 수행
	대도시 영향권	도시 경관과 농촌 경관 혼재, 기능적으로 중심 도시와 밀접
	❼ [ ]	대도시로의 최대 통근 가능 지역, 상업적 농업 발달

3 대도시권의 확대 대도시 주변에 ❽ [ ]를 건설하고 교통망을 확충함에 따라 대도시권이 점차 확대되고 있음. → 서울을 중심으로 한 수도권이 가장 큰 대도시권을 이룸.

4 대도시권의 변화 도시적 토지 이용 증가, 집약적 토지 이용 증가, 상업적 농업 발달, 겸업농가 비중 증가, 주민 구성 다양화, 전통적 생활 공동체로서의 성격 약화

예 대도시권은 대도시를 중심으로 일상적인 생활이 이루어지는 범위로, 중심 도시로의 통근·통학이 가능한 일일 생활권이다.

❺ 교외화 현상
❻ 중심 도시
❼ 배후 농촌 지역
❽ 신도시

정답과 해설 70쪽

6 빈칸에 들어갈 알맞은 말을 쓰시오.

(1) (　　　)은/는 특정 지역이나 시설로 도달하기 쉬운 정도를 의미하며 위치, 거리, 교통 편리성, 통행 시간 등의 영향을 받는다.

(2) 도시 내부의 지역 분화 과정에서 지대 지불 능력이 높은 상업·업무 기능이 접근성이 높은 도심으로 집중하는 현상을 (　　　) 현상이라고 한다.

7 다음 설명에 해당하는 지역을 그림의 A~D에서 골라 쓰시오.

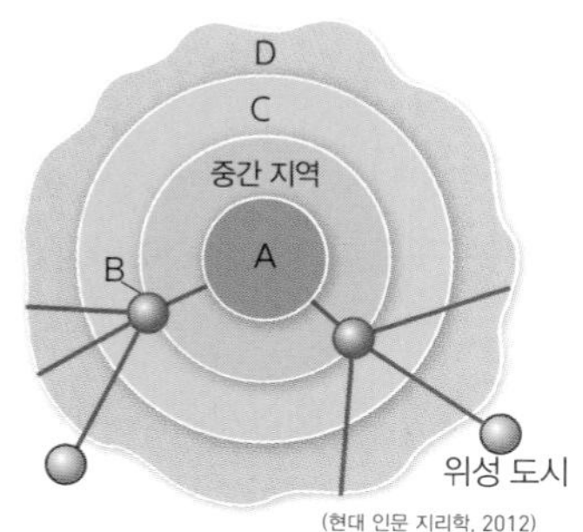

(현대 인문 지리학, 2012)

(1) 시가지의 무분별한 팽창을 막고, 자연 녹지 공간을 보존하기 위해 설정한 공간이다. (　　)

(2) 대규모 아파트 단지, 대형 쇼핑센터, 도심에서 분산된 공장 지역 등이 형성되어 있다. (　　)

(3) 중추 관리 기능, 고급 상점, 전문 서비스업 등이 집중하여 중심 업무 지구(CBD)를 형성한다. (　　)

(4) 도심에 집중된 상업·업무 기능을 일부 분담하여 도심의 과밀화와 교통 혼잡을 완화하는 역할을 한다. (　　)

8 다음에서 설명하는 현상을 쓰시오.

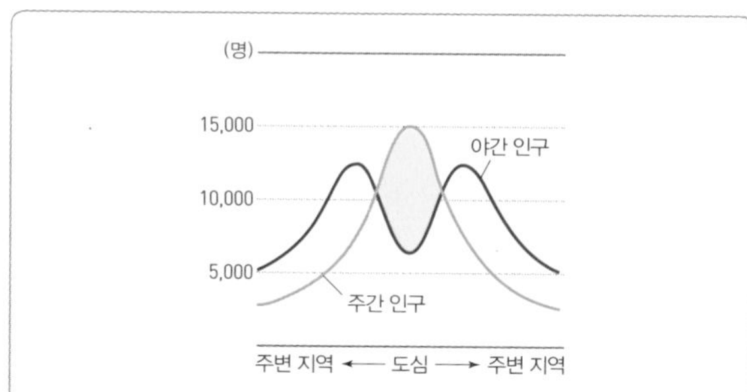

도심은 지대가 높기 때문에 주거 기능보다는 상업·업무 기능이 집중하여 주간 인구가 많지만, 야간에는 사람들이 외곽의 주거 지역으로 귀가하면서 야간 인구(상주인구)가 감소하는 현상이 나타난다.

(　　　　　) 현상

9 대도시권 공간 구조의 특징을 바르게 연결하시오.

(1) 중심 도시 •　　• ㉠ 대도시권의 중심지 역할을 함.

(2) 대도시 영향권 •　　• ㉡ 도시 경관과 농촌 경관이 혼재함.

(3) 배후 농촌 지역 •　　• ㉢ 중심 도시로의 최대 통근 가능 지역임.

10 괄호 안의 내용 중 알맞은 말을 골라 ○표 하시오.

(1) 대도시의 과밀화로 집적 불이익이 발생하면서 대도시의 인구와 기능, 시설 등이 주변 지역으로 확산되는 (교외화, 이촌 향도) 현상이 나타났다.

(2) 대도시의 주택 부족 문제를 해결하기 위해 대도시 주변에 (신도시, 도농 통합시)가 개발되면서 대도시권이 더욱 확대되었다.

내신 기출 베스트

대표 예제 1 집촌과 산촌의 특징

(나) 촌락과 비교한 (가) 촌락의 상대적 특징을 그림의 A~E에서 고른 것은?

> (가) 특정 장소에 가옥이 밀집하여 분포하는 촌락
> (나) 가옥이 흩어져 분포하여 밀집도가 낮은 촌락

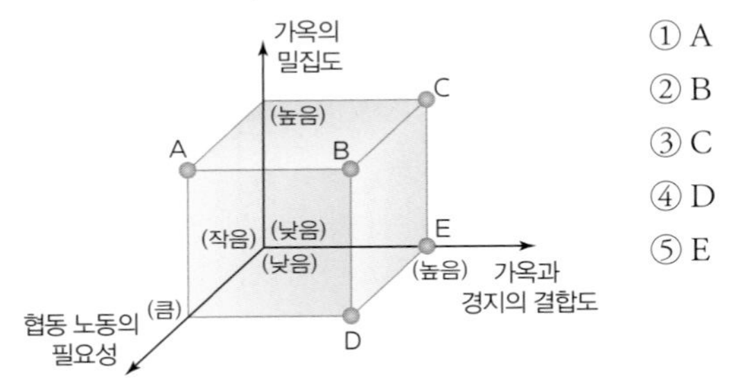

① A
② B
③ C
④ D
⑤ E

개념 가이드

❶ ☐은 특정 장소에 가옥이 밀집하여 분포하는 촌락으로 주로 벼농사 지역에 발달하며, ❷ ☐은 가옥이 흩어져 분포하는 촌락으로 주로 밭농사 지역에 발달한다.

답 ❶ 집촌 ❷ 산촌

대표 예제 2 촌락의 변화

다음 글의 ㉠으로 인해 발생한 촌락의 변화로 옳지 않은 것은?

> 대도시와의 거리가 먼 촌락은 1970년대 이후 급속한 도시화로 ㉠ 청장년층 중심으로 많은 인구가 도시로 유출되면서 인구가 감소함에 따라 큰 변화를 겪고 있다.

① 폐교 증가
② 인구 고령화
③ 노동력 부족
④ 유소년층 인구 증가
⑤ 청장년층의 남초 현상

개념 가이드

촌락의 변화는 산업화, 도시화, 대도시와의 ❸ ☐ 등에 따라 양상이 다르게 나타난다.

답 ❸ 접근성

대표 예제 3 우리나라의 도시 발달 과정

우리나라의 도시 발달 과정에 대한 옳은 설명만을 <보기>에서 있는 대로 고른 것은?

> ㄱ. 1960년대 – 이촌 향도 현상이 활발하였다.
> ㄴ. 1970년대 – 촌락 인구가 도시 인구보다 많아졌다.
> ㄷ. 1970년대 – 수출 위주의 공업화 정책 추진으로 남동 임해 지역에 공업 도시가 발달하였다.
> ㄹ. 1980년대 이후 – 대도시의 인구 분산 정책이 시행되어 대도시 주변에 신도시가 건설되었다.

① ㄱ, ㄴ
② ㄱ, ㄷ
③ ㄴ, ㄹ
④ ㄱ, ㄷ, ㄹ
⑤ ㄴ, ㄷ, ㄹ

개념 가이드

1960년대 경제 개발 정책에 따른 ❹ ☐ 현상으로 서울, 부산 등 대도시의 인구가 급증하였다.

답 ❹ 이촌 향도

대표 예제 4 도시 간 계층 구조

표는 도시 간 계층 구조를 비교한 것이다. ㉠~㉤ 중 옳지 않은 것은?

구분	고차 중심지	저차 중심지	
중심지 기능	많음	적음	… ㉠
배후지 면적	넓음	좁음	… ㉡
중심지 수	많음	적음	… ㉢
중심지 간 거리	멂	가까움	… ㉣
사례	대도시	소도시	… ㉤

① ㉠
② ㉡
③ ㉢
④ ㉣
⑤ ㉤

개념 가이드

중심지에는 계층이 존재하는데 도시의 경우 인구 규모를 중심으로 도시 간의 ❺ ☐를 파악할 수 있다.

답 ❺ 계층 질서

5일

대표 예제 5 도시 내부 구조

(가), (나)에 해당하는 지역을 그림의 A~E에서 고른 것은?

(가) 고층 건물 밀집, 중심 업무 지구(CBD) 형성
(나) 도심과 주변 지역을 연결하는 교통의 결절점

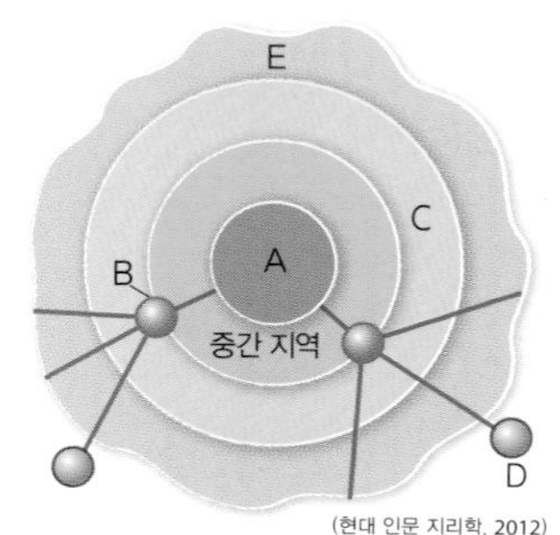

(현대 인문 지리학, 2012)

	(가)	(나)
①	A	B
②	A	D
③	B	A
④	B	E
⑤	C	D

개념 가이드

도시 내부는 ❻ [　　], ❼ [　　], 중간 지역, 주변 지역 등으로 이루어져 있다.

답 ❻ 도심 ❼ 부도심

대표 예제 6 도심의 인구 공동화 현상

그래프는 대도시의 주야간 인구 분포를 나타낸 것이다. (가)에 해당하는 지역으로 옳은 것은?

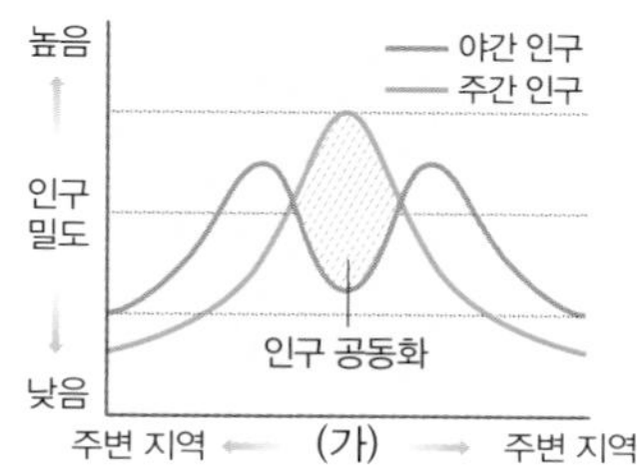

① 도심 ② 부도심 ③ 위성 도시
④ 중간 지역 ⑤ 개발 제한 구역

개념 가이드

❽ [　　] 현상은 직장과 거주지의 분화로 도심의 상주인구가 감소하는 현상이다.

답 ❽ 인구 공동화

대표 예제 7 대도시권의 형성

다음은 학생이 작성한 보고서의 일부이다. ㉠에 들어갈 주제로 가장 적절한 것은?

• 주제: ㉠

대도시로 인구와 기능이 집중하여 집적 불이익 발생	⇨	대도시와 주변 지역 간 교통망 확충으로 교외화 현상 발생	⇨	대도시와 주변 지역이 기능적으로 연결되어 일일 생활권 형성

① 도시 간 계층 구조 ② 촌락의 형성과 변화
③ 대도시권의 형성 과정 ④ 도시 내부의 지역 분화
⑤ 우리나라의 도시 발달 과정

개념 가이드

❾ [　　]은 중심 도시로의 통근·통학이 가능한 일일 생활권을 의미한다.

답 ❾ 대도시권

대표 예제 8 대도시권의 발달과 주민 생활 변화

대도시권 형성에 따른 대도시 주변 지역의 변화에 대한 설명으로 옳은 것은?

① 겸업농가 비율이 낮아졌다.
② 시설 재배 면적이 축소되었다.
③ 2·3차 산업 종사자가 감소하였다.
④ 이주자의 증가로 주민 구성이 다양해졌다.
⑤ 전통적 생활 공동체로서의 성격이 강화되었다.

개념 가이드

배후 농촌 지역은 도시로 통근하는 주민이 늘어나고 2·3차 산업 종사자가 증가하면서 ❿ [　　]농가 비율이 높아진다.

답 ❿ 겸업

누구나 100점 테스트 1회

1 자료는 우리나라의 위치 특성을 정리한 것이다. (가)~(다)에 들어갈 내용으로 옳은 것은?

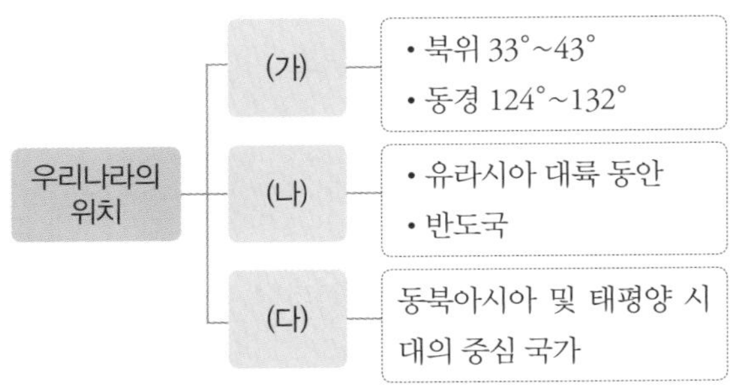

	(가)	(나)	(다)
①	수리적 위치	지리적 위치	관계적 위치
②	수리적 위치	관계적 위치	지리적 위치
③	지리적 위치	수리적 위치	관계적 위치
④	지리적 위치	관계적 위치	수리적 위치
⑤	관계적 위치	수리적 위치	지리적 위치

2 다음은 국가의 영역과 배타적 경제 수역을 나타낸 모식도이다. A~D에 대한 옳은 설명을 〈보기〉에서 고른 것은?

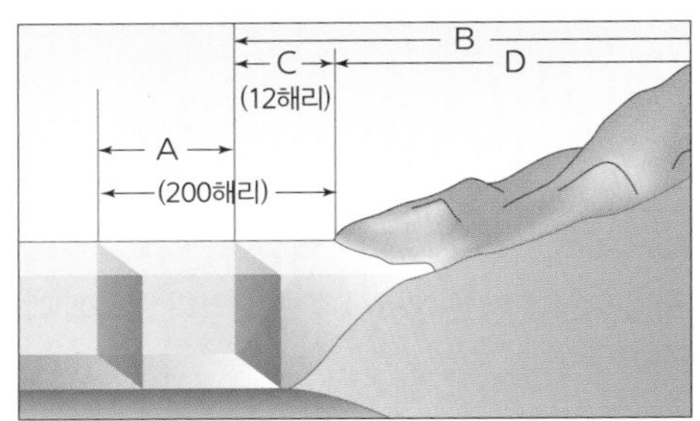

보기

ㄱ. A에서는 타국의 선박이 자유롭게 통항할 수 있다.
ㄴ. B의 수직적 범위는 일반적으로 대기권까지이다.
ㄷ. C를 설정할 때 모든 지역에서 통상 기선을 적용한다.
ㄹ. D는 국가에 속한 육지의 범위로 부속 도서는 제외된다.

① ㄱ, ㄴ　② ㄱ, ㄷ　③ ㄴ, ㄷ
④ ㄴ, ㄹ　⑤ ㄷ, ㄹ

3 다음은 학생이 제출한 형성 평가지의 일부이다. 학생의 점수로 옳은 것은?

※ 다음 지도에 대한 설명이 옳으면 '○', 틀리면 '×'표 하시오. (문항당 1점)

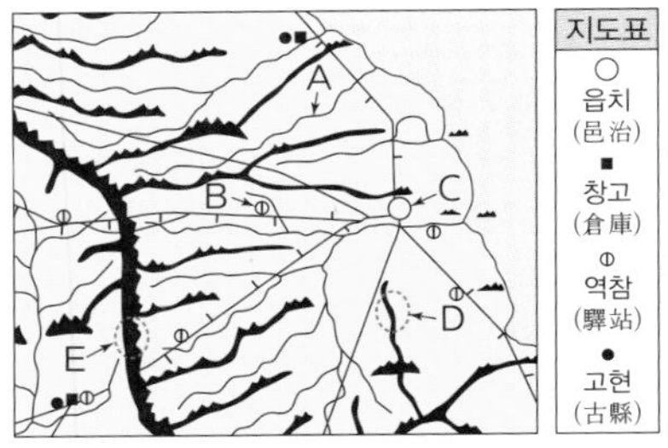

(가) A는 항해가 가능한 하천이다. (×)
(나) B는 역참, C는 읍치이다. (○)
(다) B에서 C까지의 거리는 약 10리이다. (○)
(라) D와 E의 해발 고도를 정확하게 알 수 있다. (×)

① 0점　② 1점　③ 2점　④ 3점　⑤ 4점

4 다음에서 설명하는 용어를 쓰시오.

다양한 지리 정보를 수치화하여 컴퓨터에 입력·저장하고, 사용자의 요구에 따라 가공·분석·처리하여 다양하게 표현해 주는 종합 정보 시스템이다. 이를 활용한 대표적인 사례로 내비게이션을 들 수 있다.

(　　　　　　　　)

5 (가)~(다) 암석을 형성 시기가 오래된 것부터 순서대로 나열한 것은?

(가) 조선 누층군에 주로 매장되어 있다.
(나) 한반도에서 가장 넓은 범위에 걸쳐 분포하고 있다.
(다) 화산 활동으로 분출된 마그마가 급격히 식으며 형성된 암석으로 돌담, 돌하르방의 주된 재료로 이용된다.

① (가)-(나)-(다)　② (가)-(다)-(나)
③ (나)-(가)-(다)　④ (나)-(다)-(가)
⑤ (다)-(나)-(가)

6 다음 글의 ㉠~㉤에 대한 설명으로 옳지 않은 것은?

> 한반도는 ㉠ 고생대까지 큰 지각 변동 없이 안정된 상태를 유지하다가 중생대와 신생대의 지각 변동을 거치는 과정에서 오늘날과 같은 한반도 지체 구조의 골격이 만들어졌다. 중생대의 ㉡ 대보 조산 운동, ㉢ 불국사 변동을 거치면서 화강암이 관입되었고, 신생대 제3기에 ㉣ 경동성 요곡 운동으로 비대칭 지형이 형성되었으며, 신생대 제3기 말~제4기 초에는 ㉤ 화산 활동이 일어났다.

① ㉠ – 침강과 융기의 반복으로 초기에는 조선 누층군이, 말기에는 평안 누층군이 형성되었다.
② ㉡ – 랴오둥 방향(동북동–서남서)의 구조선이 형성되었다.
③ ㉢ – 영남 지방을 중심으로 발생하였다.
④ ㉣ – 동해안을 중심으로 지각이 융기하여 함경산맥, 태백산맥 등이 형성되었다.
⑤ ㉤ – 제주도, 울릉도, 독도 등에 화산 지형이 형성되었다.

7 (가), (나) 지형에 대한 옳은 설명만을 〈보기〉에서 있는 대로 고른 것은?

(가)

(나)

ㄱ. (가)는 선상지, (나)는 삼각주이다.
ㄴ. (가)는 하천 하구에, (나)는 하천 상류에 형성된다.
ㄷ. (가), (나) 모두 우리나라에는 잘 발달하지 않는다.
ㄹ. (가), (나) 모두 하천의 퇴적 작용에 의해 형성된다.

① ㄱ, ㄴ ② ㄱ, ㄹ ③ ㄴ, ㄷ
④ ㄱ, ㄷ, ㄹ ⑤ ㄴ, ㄷ, ㄹ

8 다음은 한국지리 수업의 한 장면이다. 교사의 질문에 바르게 답한 학생을 고른 것은?

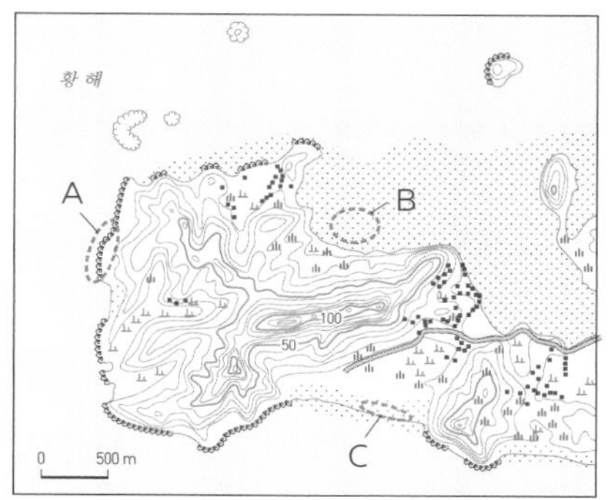

갑: A는 주로 파랑 에너지가 집중되는 곳에 발달합니다.
을: B는 주로 조류의 퇴적 작용으로 형성됩니다.
병: C는 주로 바람의 퇴적 작용으로 형성됩니다.
정: C는 밀물 때 잠기고 썰물 때 드러나는 지형입니다.

① 갑, 을 ② 갑, 병 ③ 을, 병
④ 을, 정 ⑤ 병, 정

9 다음 화산 지형을 모두 볼 수 있는 지역으로 옳은 것은?

> 화구호, 기생 화산, 순상 화산, 용암 동굴, 주상 절리

① 독도 ② 백두산 ③ 울릉도
④ 제주도 ⑤ 철원·평강 일대

10 A~C를 기온의 연교차가 큰 지역부터 순서대로 나열한 것은?

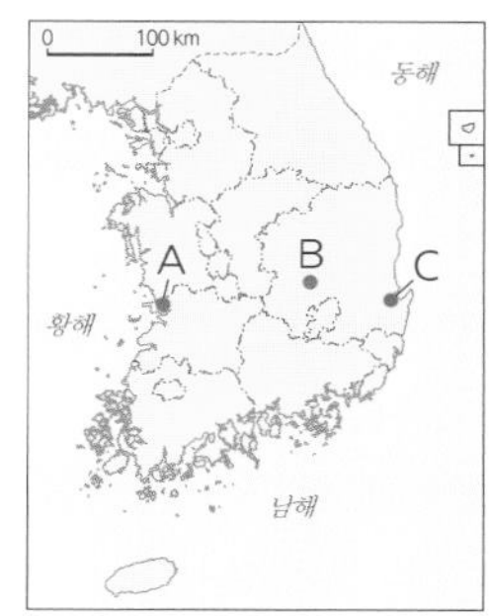

① A – B – C
② A – C – B
③ B – A – C
④ B – C – A
⑤ C – A – B

6일 누구나 100점 테스트 2회

1 자료는 어느 두 시기에 전형적으로 나타나는 일기도이다. (가), (나) 시기의 기후 특성을 〈보기〉에서 고른 것은?

(가) (나)

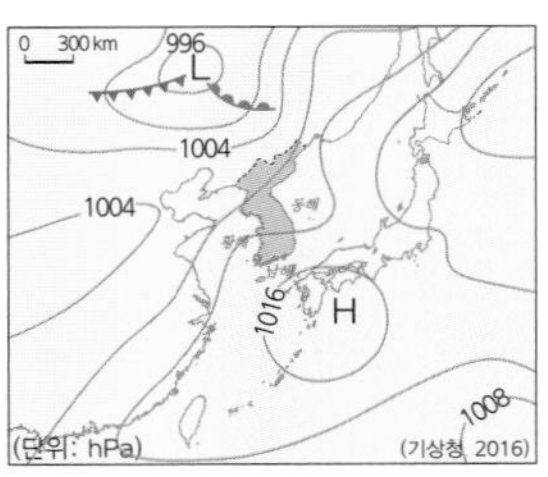

보기

ㄱ. 소나기가 자주 내린다.
ㄴ. 삼한 사온 현상이 나타난다.
ㄷ. 서해안에 많은 눈이 내리기도 한다.
ㄹ. 무더위가 지속되고 열대야가 나타난다.

	(가)	(나)		(가)	(나)
①	ㄱ, ㄴ	ㄷ, ㄹ	②	ㄱ, ㄷ	ㄴ, ㄹ
③	ㄱ, ㄹ	ㄴ, ㄷ	④	ㄴ, ㄷ	ㄱ, ㄹ
⑤	ㄴ, ㄹ	ㄱ, ㄷ			

2 (가), (나) 전통 가옥에 대한 설명으로 옳지 <u>않은</u> 것은?

(가) (나)

▲ 제주도의 전통 가옥

▲ 울릉도의 전통 가옥

① (가)는 강한 바람에 대비하기 위한 구조이다.
② (가)는 지붕의 경사가 완만하고 지붕을 새끼줄로 엮은 것이 특징이다.
③ (나)는 많은 눈에 대비하기 위한 구조이다.
④ (나)에는 방설벽인 우데기가 설치되어 있다.
⑤ (가), (나)에 가장 큰 영향을 준 기후 요소는 기온이다.

3 그래프는 세 자연재해의 월별 피해액 비중을 나타낸 것이다. (가)~(다) 자연재해에 대한 설명으로 옳은 것은? (단, (가)~(다)는 대설, 태풍, 호우 중 하나임.)

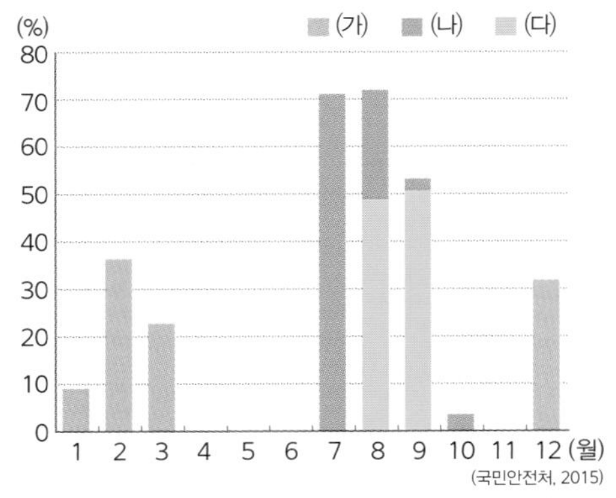

① (가)는 강한 바람과 비를 동반하여 풍수해를 유발한다.
② (나)는 짧은 시간에 많은 눈이 내리는 현상이다.
③ (다)는 주로 장마 전선이 정체할 때 발생한다.
④ (나)는 (다)보다 바람에 의한 피해가 크다.
⑤ (가)~(다)는 모두 기후적 요인에 의해 발생한다.

4 다음 글과 관련된 현상으로 옳은 것은?

농작물의 재배 지역이 점차 북상하고 있으며, 한류성 어종인 명태의 개체 수는 줄고 난류성 어종인 멸치와 오징어의 개체 수는 증가하고 있다. 또한 고산 식물의 분포 범위가 줄어들어 소멸될 위험성이 높아지고 있다.

① 푄 현상 ② 기온 역전 현상
③ 도시 열섬 현상 ④ 삼한 사온 현상
⑤ 지구 온난화 현상

5 ㉠에 해당하는 기후 요인을 쓰시오.

우리나라의 식생 분포 중 수직적 분포는 (㉠)에 따른 기온 차이가 반영되며, 제주도의 한라산에서 가장 뚜렷하게 나타난다.

( )

6 전통 촌락의 입지 요인과 입지 사례가 바르게 연결된 것은?

	입지 요인	입지 사례
①	방어에 유리한 곳	병영촌(남한산성)
②	수운 교통이 편리한 곳	역원 취락(조치원)
③	육상 교통이 편리한 곳	나루터 취락(노량진)
④	용수 확보에 유리한 곳	산록 완사면
⑤	홍수를 피할 수 있는 곳	제주도 해안의 용천대

7 다음 글의 ㉠~㉤에 대한 설명으로 옳지 않은 것은?

> ㉠ 촌락과 ㉡ 도시는 서로 영향을 주고받는 상호 보완적 관계에 있다. 촌락은 도시에 [㉢]을/를 제공하고, 도시는 촌락에 [㉣]을/를 제공한다. 최근에는 촌락과 도시의 상호 작용이 더욱 활발해졌으며, 도시와 촌락의 상호 의존적인 발전을 위해 ㉤ 도농 통합시가 만들어지기도 하였다.

① ㉠은 ㉡보다 주민 간 공동체 의식이 높다.
② ㉡은 ㉠보다 1차 산업 종사자 비중이 높다.
③ ㉢에는 '휴식 및 여가 공간'이 들어갈 수 있다.
④ ㉣에는 '재화와 서비스'가 들어갈 수 있다.
⑤ ㉤은 생활권이 같은 도시와 농어촌이 하나로 합쳐져 광역 생활권을 갖춘 도시를 의미한다.

8 (가)~(다)를 우리나라의 도시 발달 과정에 따라 순서대로 나열한 것은?

> (가) 지방 중심 도시와 남동 임해 공업 도시 발달
> (나) 급속한 도시화로 서울, 부산, 대구 등의 대도시 발달
> (다) 대도시의 과밀화 완화를 위한 인구 분산 정책으로 대도시 주변에 신도시와 위성 도시 발달

① (가)-(나)-(다) ② (가)-(다)-(나)
③ (나)-(가)-(다) ④ (나)-(다)-(가)
⑤ (다)-(나)-(가)

9 그림은 도시 내부 구조를 나타낸 것이다. (가), (나) 지역에 대한 옳은 설명만을 <보기>에서 있는 대로 고른 것은?

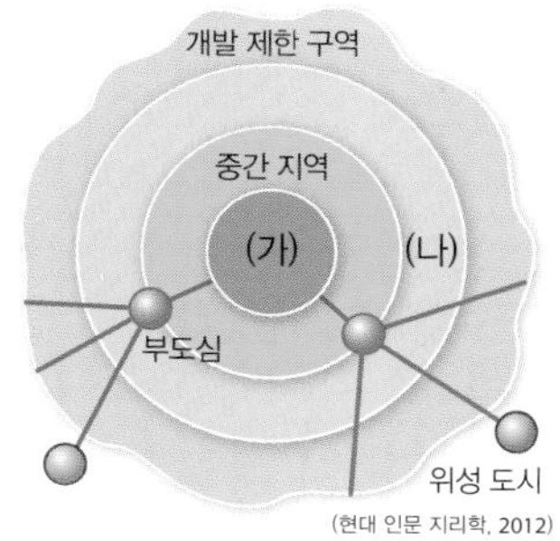

(현대 인문 지리학, 2012)

> **보기**
> ㄱ. (가)에서는 인구 공동화 현상이 나타난다.
> ㄴ. (나)에는 중추 관리 기능이 밀집되어 있다.
> ㄷ. (가)는 (나)보다 접근성이 좋다.
> ㄹ. (나)는 (가)보다 초등학생 수가 많다.

① ㄱ, ㄴ ② ㄱ, ㄷ ③ ㄴ, ㄹ
④ ㄱ, ㄷ, ㄹ ⑤ ㄴ, ㄷ, ㄹ

10 자료는 대도시권의 공간 구조를 나타낸 것이다. A~D에 대한 설명으로 옳지 않은 것은?

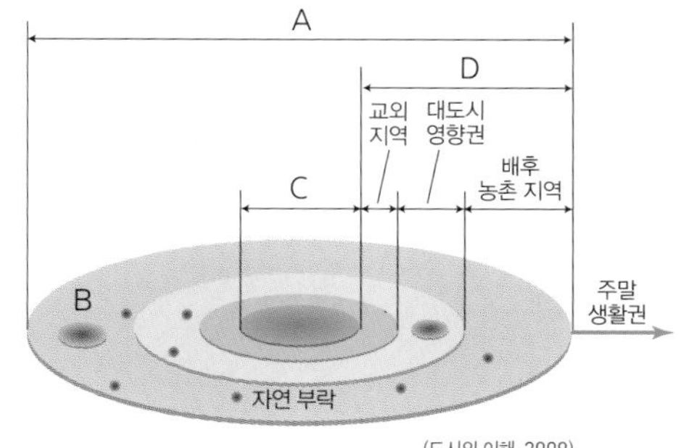

(도시의 이해, 2009)

① A는 중심 도시로의 통근·통학이 가능한 일일 생활권이다.
② B는 중심 도시의 일부 기능을 분담한다.
③ C는 대도시권의 중심지 역할을 한다.
④ C는 도시 내부가 기능에 따라 여러 지역으로 분화된다.
⑤ D는 교통이 발달할수록 그 범위가 축소된다.

6일 서술형·사고력 테스트

1 (가), (나)는 조선 시대에 제작된 지리지의 일부이다. 이를 보고 물음에 답하시오.(단, (가), (나)는 『신증동국여지승람』, 『택리지』 중 하나임.)

> (가) [건치 연혁] 본래 맥국인데, 신라의 선덕왕 6년에 우수주로 하여 군주를 두었다.
> [속현] 기린현은 부의 동쪽 140리에 있다. 본래 고구려의 기지군이었다.
> [풍속] 풍속이 순후하고 아름답다.
> [산천] 봉산은 부의 북쪽 1리에 있는 진산(鎭山)이다.
> [토산] 옻, 잣, 오미자, 영양, 꿀, 지치, 석이버섯, 인삼, 지황, 복령, 누치, 여항어, 쏘가리, 송이.
>
> (나) 춘천은 옛 예맥이 천 년 동안이나 도읍했던 터로 소양강을 임했고, 그 바깥에 우두라는 큰 마을이 있다. 한나라 무제가 팽오를 시켜 우수주와 통하였다는 곳이 바로 이 지역이다. 산속에는 평야가 널따랗게 펼쳐졌고 두 강이 한복판으로 흘러간다. 토질이 단단하고 기후가 고요하며 강과 산이 맑고 훤하며 땅이 기름져서 여러 대를 사는 사대부가 많다.

(1) (가), (나) 지리지의 명칭을 쓰시오.

(2) (가), (나) 지리지의 특징을 아래 세 가지 측면에서 비교하여 서술하시오.

• 편찬 시기 • 편찬 주체 • 서술 방식

2 다음 범람원의 모식도를 보고, 물음에 답하시오.

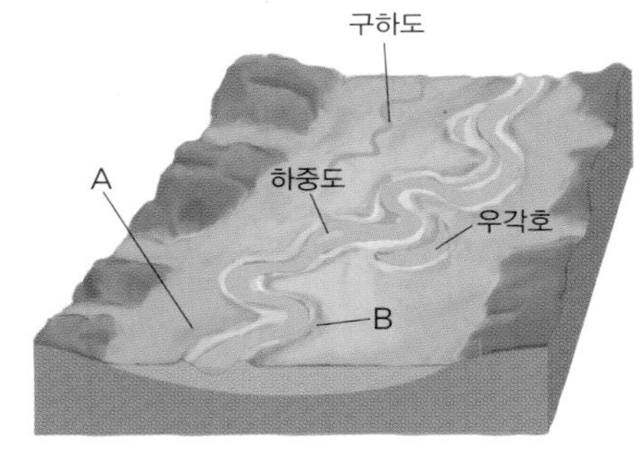

(1) A, B 지형의 명칭을 쓰시오.

(2) A 지형과 비교한 B 지형의 상대적 특징을 제시된 조건을 토대로 서술하시오.

조건
• 해발 고도 • 퇴적 물질 • 배수 상태

3 (가), (나) 해안의 특징을 형태적 측면에서 비교하여 서술하시오.

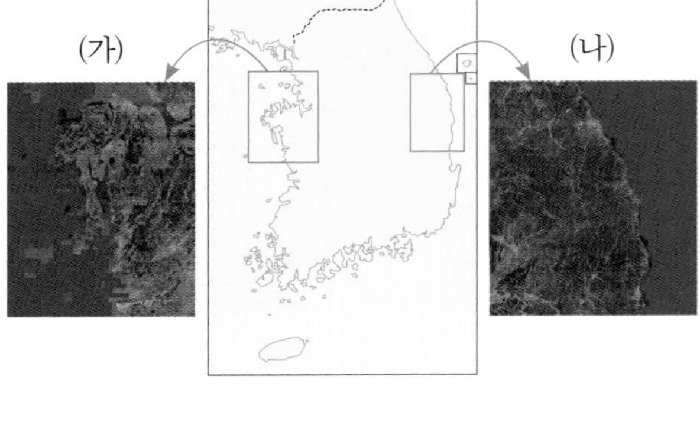

4 지도는 8월의 평균 기온 분포를 나타낸 것이다. A 지역의 여름철 기온 특성을 기후 요인을 포함하여 서술하시오.

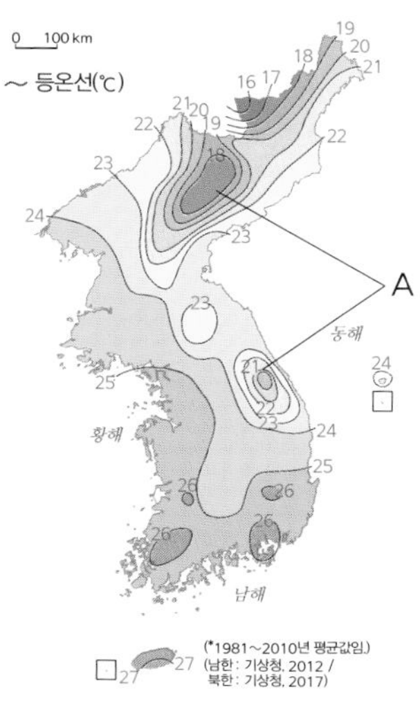

5 (가), (나) 전통 가옥 구조를 보고, 물음에 답하시오.

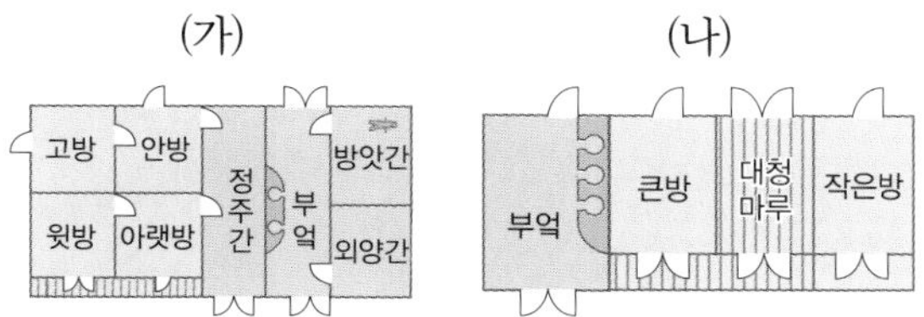

(1) (가), (나) 전통 가옥 구조에 가장 큰 영향을 미친 기후 요소를 쓰시오.

(2) (가), (나) 전통 가옥 구조가 나타나는 지역의 기후 특성과 관련하여 가옥 구조의 특징을 서술하시오.

6 한반도에 다음과 같은 변화가 현실화될 때, 예상되는 현상을 세 가지 서술하시오.

〈기후 변화 전망〉

구분	결빙 일수 (일)	식물 성장 가능 기간(일)
1981~2010년	21.0	245.2
2021~2040년	13.9	253.7
2041~2070년	8.8	257.3

* 식물 성장 가능 기간: 일평균 기온이 5℃ 이상인 날이 6일 이상 지속된 첫 날부터 일평균 기온이 5℃ 미만인 날이 6일 이상 지속된 첫 날까지의 연중 일수

(2017) (기상청)

7 그래프는 대도시의 주야간 인구 분포를 나타낸 것이다. 도심에서 주간 인구가 야간 인구보다 많은 이유를 제시된 용어를 모두 사용하여 서술하시오.

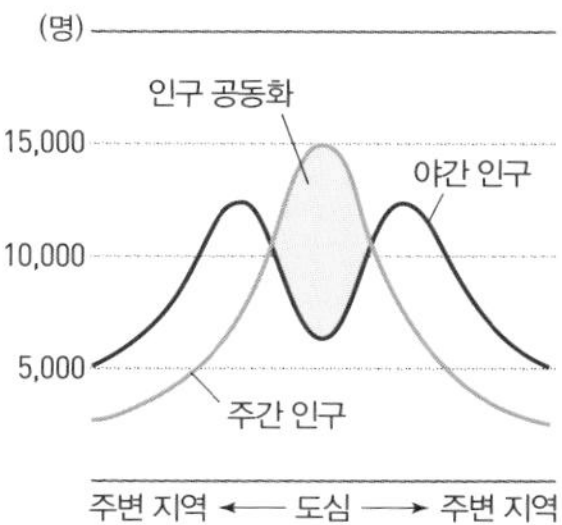

• 상업 · 업무 기능 • 주거 기능
• 주간 인구 • 야간 인구(상주인구)

창의·융합·코딩 테스트

8 다음 자료는 학생들이 대동여지도를 소재로 만든 연극 대본의 일부이다. 나그네의 행선지인 이곳을 대동여지도의 A~E에서 고른 것은?

나그네: (지나가는 행인을 붙잡으며) 이보시오, 길 좀 묻겠소.
행　인: (물음 소리에 고개를 돌린다.)
나그네: (지도를 펼쳐서 보여주며) 내가 지도를 볼 줄 몰라서 그러한데, 이곳에 가려면 어찌 가야 하는지 알려 줄 수 있겠소?
행　인: (지도를 들여다보며) 아, 이곳 말이오? 여기 읍치에서 도로를 따라 50리 정도 가면 역참이 하나 있을 것이오. 그 역참에서 남쪽으로 가다 보면 배가 다닐 수 없는 하천이 하나 있소. 그 하천을 건너면 바로 보일 것이오.
나그네: (지도를 가리키며) 이 하천을 말하는 것이오?
행　인: (고개를 끄덕이며) 맞소.
나그네: 가는 길에 산은 없소?
행　인: 산은 넘지 않아도 되오. 살펴 가시오.
나그네: (고개를 숙여 인사한다.) 고맙소.

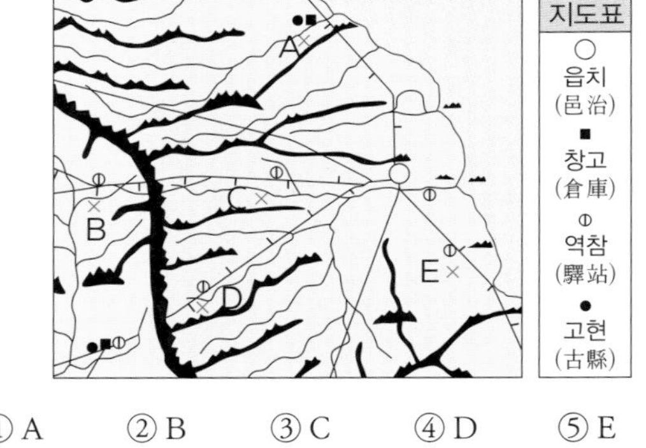

① A　② B　③ C　④ D　⑤ E

9 다음 대화를 보고, 물음에 답하시오.

(1) (가), (나)에 들어갈 사진을 〈보기〉에서 찾아 기호를 쓰시오.

(가): (　　　　　　), (나): (　　　　　　)

(2) (가), (나) 지형의 주된 기반암을 쓰시오.

(가): (　　　　　　), (나): (　　　　　　)

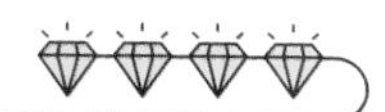
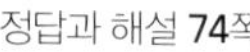

정답과 해설 74쪽

10 다음은 한국지리 퀴즈의 일부이다. 이를 보고 물음에 답하시오.

※ 다음에서 설명하는 용어에 해당하는 글자를 〈글자판〉에서 찾아 하나씩 지운 후 남은 글자를 활용하여 만들 수 있는 용어를 쓰시오. (단, 모든 용어는 '기후 환경과 인간 생활' 단원에서 배운 내용이며, 괄호 안의 숫자는 글자 수임.)

㉠ 교외보다 도심의 기온이 높게 나타나는 현상 (6)
㉡ 무더위와 열대야가 발생하며, 소나기가 자주 내리는 계절 (2)
㉢ 3월 이후 시베리아 기단의 일시적인 세력 확장으로 발생하는 기후 현상 (4)
㉣ 홍수가 자주 발생하는 지역에서 집을 땅 위에 바로 짓지 않고, 흙이나 돌로 땅을 돋운 후 지은 집 (4)
㉤ 부엌과 방 사이에 벽 없이 연결된 온돌방으로, 관북 지방에서 볼 수 있는 독특한 공간 (3)

〈글자판〉

여	꽃	정	북	현
양	평	터	시	상
집	샘	도	주	태
기	열	단	위	움
섬	름	돋	추	간

정답: (   )

(1) 위 퀴즈의 정답을 쓰시오.

(2) (1)에서 쓴 용어의 특징을 두 가지 서술하시오.

11 (가)~(라)를 지역 조사 과정에 맞게 순서대로 나열하시오.

(가)
<지역 조사 보고서>
○조 ○○○ 외 ○명
• 조사 주제 및 조사 지역
⋮

(나)
<설문 조사지 답변 정리>

• 조사 지역: 중구 동성로	• 조사 지역: 수성구 신매동
[질문 1] 10대 ○명, …	[질문 1] 10대 ○명, …
[질문 2] 거주자 ○명, …	[질문 2] 거주자 ○명, …
⋮	⋮

(다)
• 조사 주제: 도심과 주변 지역의 인구 특성
• 조사 지역: 대구의 중구와 수성구

조사 목적	조사 항목	조사 방법
중구와 수성구의 차이점을 파악한다.	조사 지역 지도	인터넷 조사
	주민의 통근·통학 소요 시간	야외 조사(설문 조사)

⋮

(라)
<인터넷 조사를 통해 얻은 조사 지역 지도>

▲ 중구 동성로

▲ 수성구 신매동

<설문 조사지>
[질문 1] 연세가 어떻게 되나요?
[질문 2] 이 지역에 거주하고 있나요?
[질문 3] 직장(학교)까지 가는 데 평균 몇 시간이 걸리나요?
⋮

6일

7일 학교 시험 기본 테스트 1회

1 밑줄 친 ㉠~㉣에 대한 설명으로 옳지 않은 것은?

> 국가의 위치는 그 국가의 자연환경과 문화적 특성, 주변 국가와의 상호 관계를 결정하는 중요한 요소이다. 수리적 위치는 ㉠ 위도와 ㉡ 경도로 표현되며, ㉢ 지리적 위치는 대륙, 해양, 산천 등과 같은 자연 지물로 표현된다. ㉣ 관계적 위치는 주변 국가와의 정치·문화·경제적 이해관계에 따라 결정되는 위치이다.

① ㉠은 기후, 식생 분포, 계절 등에 영향을 미친다.
② ㉡은 국가의 표준시 결정에 영향을 미친다.
③ 우리나라가 계절풍의 영향을 많이 받는 것은 ㉢과 관련이 있다.
④ ㉣은 변하지 않는 절대적 특징을 가진다.
⑤ 우리나라는 ㉠상으로는 북위 33°~43°에, ㉡상으로는 동경 124°~132°에 위치한다.

2 지도는 우리나라의 영해를 나타낸 것이다. A~D에 대한 설명으로 옳은 것은?

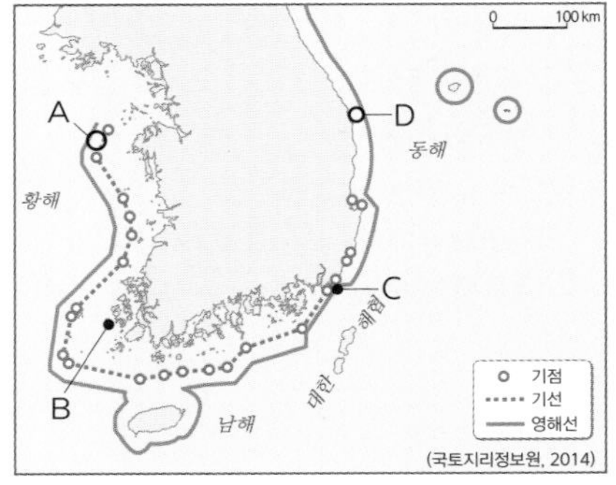

① A에서의 기선은 최저 조위선을 기준으로 한다.
② B는 영해 기선의 안쪽에 위치하는 내수이다.
③ B에서 간척 사업이 이루어지면 영해가 확대된다.
④ C에서의 영해 설정 기준은 울릉도, 독도와 동일하다.
⑤ D에서 영해는 직선 기선으로부터 12해리까지이다.

3 (가), (나) 지도의 공통적인 특징으로 옳은 것은?

(가)

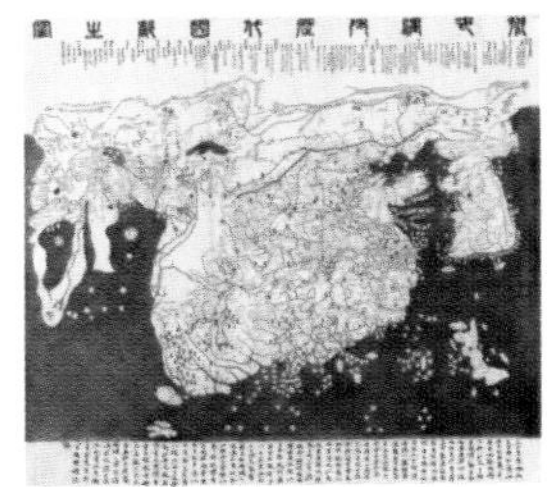

(나)

① 국가 주도로 제작되었다.
② 아메리카 대륙이 표현되어 있다.
③ 중국 중심의 세계관이 반영되었다.
④ 조선 후기 실학사상의 영향을 받았다.
⑤ 상상 속의 국가와 지명이 표현된 관념적 세계 지도이다.

4 다음은 마라도에 관한 지리 정보를 정리한 것이다. ㉠, ㉡에 해당하는 지리 정보로 옳은 것은?

> 마라도는 ㉠ 한반도의 최남단(북위 33° 06′)에 위치하며, 하늘에서 내려다보면 고구마와 비슷한 모양이다. 섬의 대부분은 저평하고, ㉡ 해안은 암석 해안이 대부분이며, 곳곳에 깎아 세운 듯 가파른 해식애가 많다.

	㉠	㉡		㉠	㉡
①	공간 정보	속성 정보	②	공간 정보	관계 정보
③	속성 정보	관계 정보	④	관계 정보	공간 정보
⑤	관계 정보	속성 정보			

5 다음 빈칸에 공통으로 들어갈 암석을 쓰시오.

> • (　　　)은 지하 깊은 곳에서 마그마가 관입하여 형성된 심성암의 한 종류이다.
> • 중생대에 관입한 (　　　)이 지표에 드러나 형성된 북한산은 대표적인 돌산이다.

(　　　　)

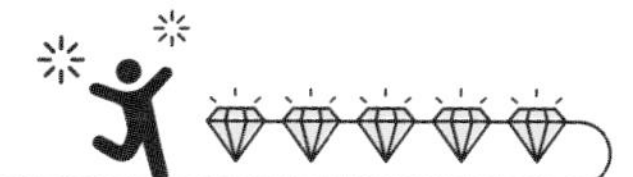

[6~7] 다음 표를 보고 물음에 답하시오.

<table>
<tr><td rowspan="2">지질 시대</td><td rowspan="2">시생대</td><td rowspan="2">원생대</td><td colspan="3">고생대</td><td colspan="3">중생대</td><td colspan="2">신생대</td></tr>
<tr><td>캄브리아기</td><td>…</td><td>석탄기-페름기</td><td>트라이아스기</td><td>쥐라기</td><td>백악기</td><td>제3기</td><td>제4기</td></tr>
<tr><td>지질 계통</td><td colspan="2">변성암 복합체</td><td>(가)</td><td>결층</td><td colspan="2">(나)</td><td>대동 누층군</td><td>경상 누층군</td><td>제3계</td><td>제4계</td></tr>
<tr><td>주요 지각 변동</td><td colspan="2">변성 작용</td><td colspan="3">조륙 운동</td><td>송림 변동</td><td>대보 조산 운동</td><td>불국사 변동</td><td>(다)</td><td>화산 활동</td></tr>
</table>

6 (가), (나)와 관련 있는 지체 구조를 지도의 A~G에서 고른 것은?

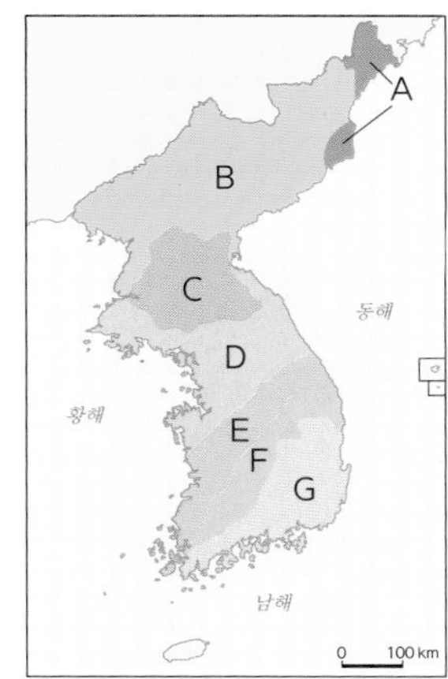

① A
② G
③ C, E
④ D, G
⑤ B, D, F

7 (다)의 영향을 받아 형성된 지형으로 옳지 않은 것은?

① 1차 산맥
② 용암 대지
③ 하안 단구
④ 고위 평탄면
⑤ 감입 곡류 하천

8 지도의 (가) 지형에 대한 설명으로 옳은 것은?

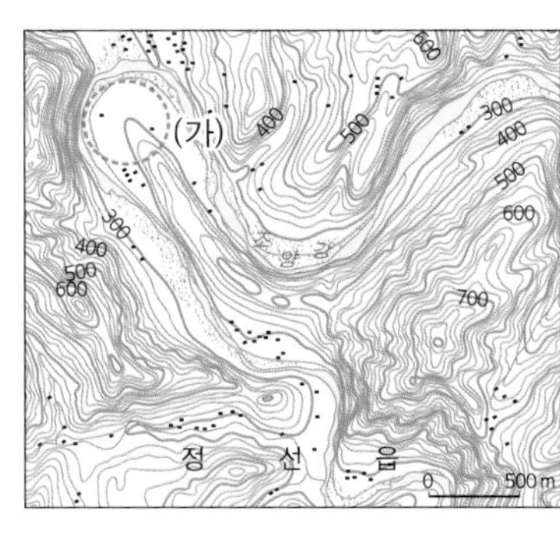

① 주로 논으로 이용된다.
② 고도가 낮아 홍수 위험성이 높다.
③ 주변 하천의 유로 변경이 활발하다.
④ 둥근 모양의 자갈이나 모래가 발견된다.
⑤ 하천의 범람에 의한 퇴적 작용으로 형성되었다.

9 다음은 사이버 학습 장면의 일부이다. 답글이 옳은 학생을 고른 것은?

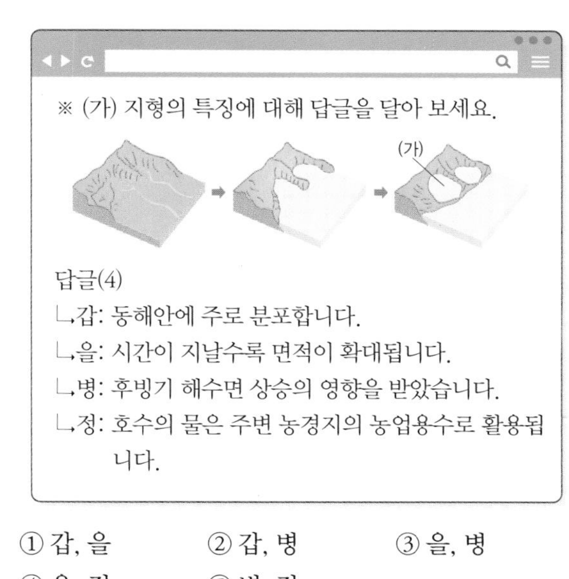

① 갑, 을 ② 갑, 병 ③ 을, 병
④ 을, 정 ⑤ 병, 정

10 (가), (나) 지역에 대한 설명으로 옳지 않은 것은?

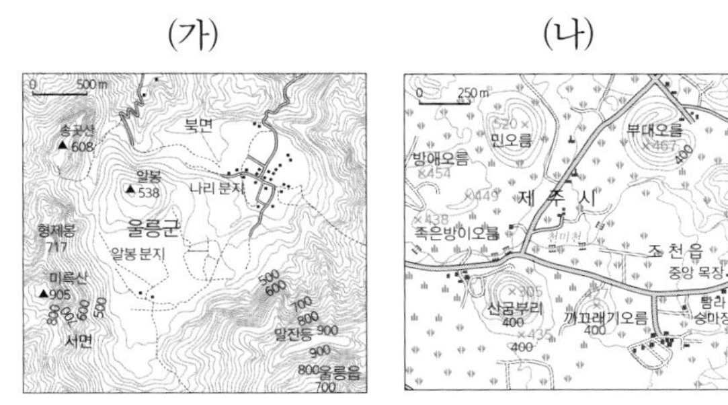

① (가)의 나리 분지는 분화구가 함몰되어 형성되었다.
② (가)에서는 유동성이 큰 용암이 열하 분출하여 형성된 지형을 볼 수 있다.
③ (나)에서는 배수가 잘되어 주로 밭농사가 이루어진다.
④ (나)의 오름은 소규모 용암 분출이나 화산 쇄설물에 의해 형성되었다.
⑤ (가), (나) 모두 신생대 화산 활동에 의해 형성되었다.

7일

11 A~D에 대한 옳은 설명을 〈보기〉에서 고른 것은?

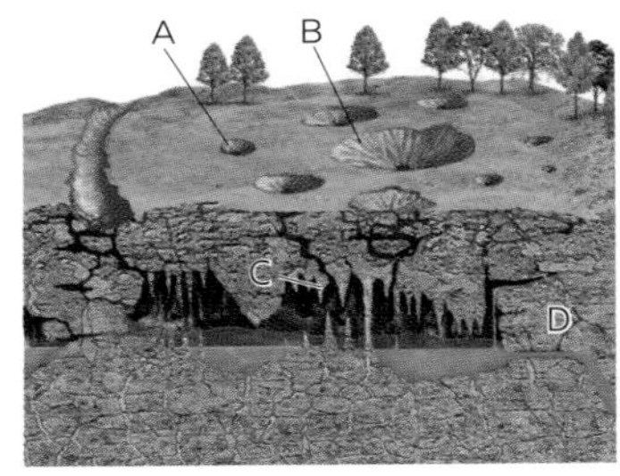

보기

ㄱ. A는 배수가 양호하여 주로 밭으로 이용된다.
ㄴ. B는 화구의 함몰로 형성된 분지이다.
ㄷ. C는 기반암의 차별 침식에 의해 형성된다.
ㄹ. D 암석은 주로 고생대 조선 누층군에 분포한다.

① ㄱ, ㄴ ② ㄱ, ㄹ ③ ㄴ, ㄷ
④ ㄴ, ㄹ ⑤ ㄷ, ㄹ

12 (가), (나)에 해당하는 지역을 〈보기〉에서 고른 것은?

(가) 차가운 북서 계절풍이 상대적으로 따뜻한 황해 상과 동해 상을 건너오는 과정에서 열과 수증기를 공급받아 눈구름이 만들어지고, 이 눈구름이 많은 눈을 내리게 한다.
(나) 늦겨울에는 한반도의 북쪽에 고기압이 발달하고 남쪽으로 저기압이 통과하여 우리나라에 북동 기류가 유입되면서 많은 눈이 내린다.

보기

ㄱ. 울릉도 ㄴ. 소백산맥 서사면
ㄷ. 강원도 영동 산간 지역

	(가)	(나)
①	ㄱ	ㄴ, ㄷ
②	ㄴ	ㄱ, ㄷ
③	ㄱ, ㄴ	ㄷ
④	ㄱ, ㄷ	ㄴ
⑤	ㄴ, ㄷ	ㄱ

13 다음은 한국지리 수업 장면의 일부이다. 교사의 질문에 바르게 답한 학생을 고른 것은?

우리나라에 영향을 미치는 (가)~(라) 기단과 관련 있는 기후 현상에 대해 발표해 볼까요?

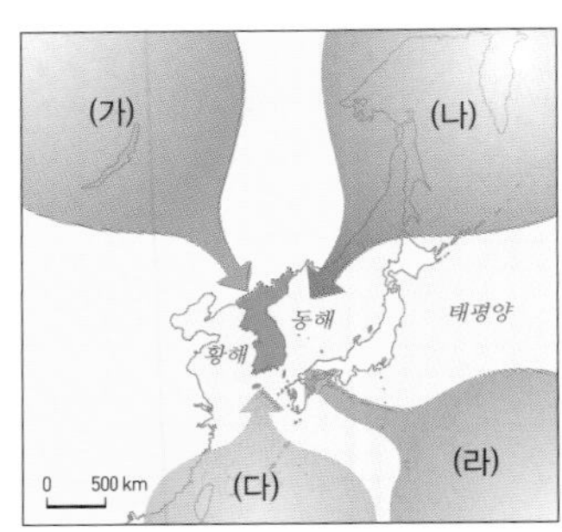

갑: (가)의 영향으로 봄에 꽃샘추위가 나타납니다.
을: (나)의 영향으로 늦봄~초여름 사이 영서 지방에 높새바람이 불어 가뭄 피해가 발생하기도 합니다.
병: (라)의 영향으로 겨울에 삼한 사온 현상이 나타납니다.
정: (나)와 (다)가 만나 장마 전선이 형성됩니다.

① 갑, 을 ② 갑, 병 ③ 을, 병
④ 을, 정 ⑤ 병, 정

14 다음 주민 생활 모습 중 기온과 관련된 것이 아닌 것은?

① 김장 문화가 발달하였다.
② 가옥에 온돌을 설치하였다.
③ 저수지나 보를 축조하였다.
④ 다양한 염장 식품을 만들어 먹었다.
⑤ 모시나 삼베로 옷을 만들어 입었다.

15 다음 내용과 관련 있는 자연재해로 옳은 것은?

〈 재해 대응 행동 요령 〉
• 운전자는 굽잇길, 고갯길, 교량 등에서는 서행 운전한다.
• 보행자는 외출 시 바닥면이 넓은 운동화나 등산화를 착용한다.

① 가뭄 ② 대설 ③ 지진 ④ 태풍 ⑤ 홍수

16 그래프는 우리나라의 연평균 기온 변화를 나타낸 것이다. 이러한 변화로 인해 예상되는 현상으로 옳은 것을 〈보기〉에서 고른 것은?

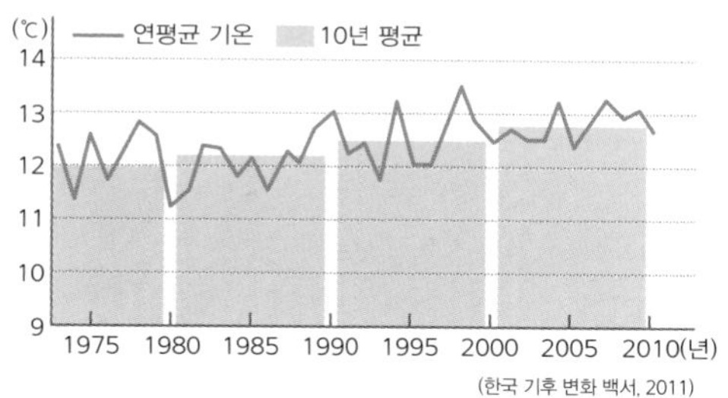

보기

ㄱ. 난방 전력 사용량이 증가할 것이다.
ㄴ. 봄꽃의 개화 시기가 빨라질 것이다.
ㄷ. 첫서리가 내리는 날이 빨라질 것이다.
ㄹ. 해안 저지대의 침수 피해가 증가할 것이다.

① ㄱ, ㄴ ② ㄱ, ㄷ ③ ㄴ, ㄷ
④ ㄴ, ㄹ ⑤ ㄷ, ㄹ

17 다음 글의 ㉠~㉣에 대한 설명으로 옳지 않은 것은?

㉠ 촌락은 [㉡]에 따라 농촌, 어촌, 산지촌 등으로 구분된다. 농촌은 일반적으로 농경지와 배후 산지가 만나는 산록면에 위치하며, 벼농사 지역에서는 ㉢ 집촌의 형태가 주로 나타난다. 어촌은 주로 해안 지역에서 항구를 중심으로 밀집해 있으며, 대부분 주거지 주변에 경지가 있어 반농 반어촌을 이룬다. 산지촌은 경사가 급하고 경지가 좁아서 ㉣ 산촌을 이루는 경우가 많다.

① ㉠에 거주하는 주민은 대부분 1차 산업에 종사한다.
② ㉠은 자연환경과 전통문화가 잘 보존된 지역이다.
③ ㉡에는 '가옥의 밀집도'가 들어갈 수 있다.
④ ㉢은 ㉣보다 협동 노동에 유리하다.
⑤ ㉣은 ㉢보다 가옥과 경지의 결합도가 높다.

18 ㉠에 해당하는 현상을 쓰시오.

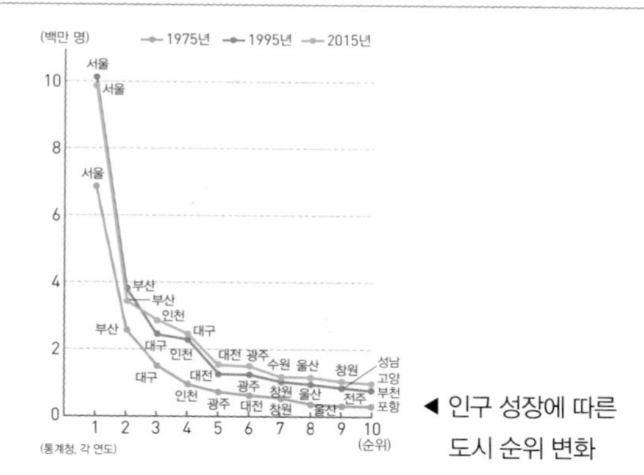

◀ 인구 성장에 따른 도시 순위 변화

세 시기 모두 1위 도시인 서울의 인구가 2위 도시인 부산의 인구보다 두 배 이상 많은 (㉠) 현상이 나타나고 있다.

( ) 현상

19 지도는 서울의 주간 인구 지수를 나타낸 것이다. A 지역보다 B 지역에서 높게 나타나는 항목으로 옳은 것은?

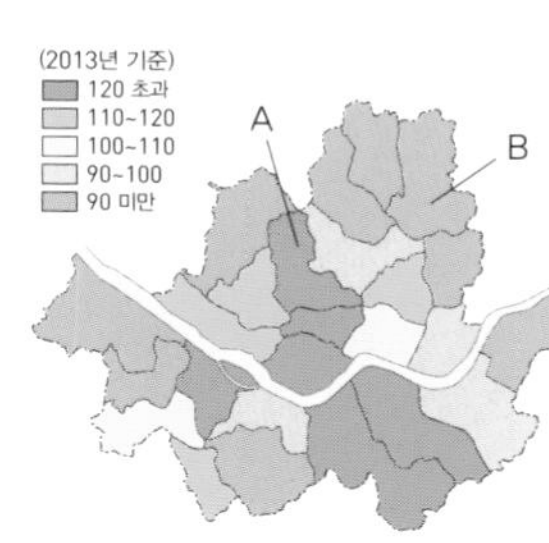

* 주간 인구 지수는 주간 인구를 상주 인구로 나눈 후 100을 곱한 비율임.

① 금융 기관 수
② 대기업 본사 수
③ 토지 이용 집약도
④ 초등학교 학생 수
⑤ 상업 지역의 평균 지가

20 다음 자료를 활용할 수 있는 조사 주제로 가장 적절한 것은?

▲ 지하철 종착역의 변화

① 대도시권의 확대
② 공업 도시의 발달
③ 전통 촌락의 입지
④ 우리나라의 도시 순위
⑤ 도시 내부의 지역 분화

7일 학교 시험 기본 테스트 2회

1 다음은 한국지리 수업의 한 장면이다. 교사의 질문에 바르게 답한 학생을 고른 것은?

교사: 다음 지도를 통해 알 수 있는 우리나라의 위치 특성에 대해 발표해 볼까요?

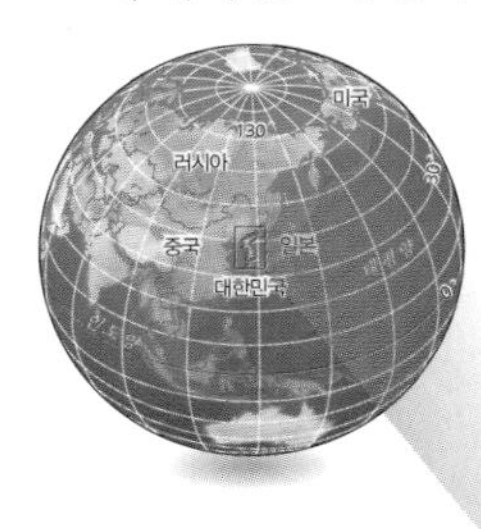

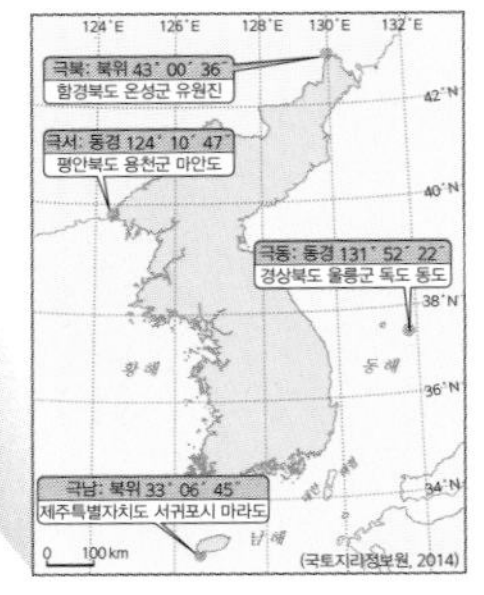

갑: 우리나라의 표준 경선은 독도의 서쪽을 통과합니다.
을: 유라시아 대륙 동안에 위치하여 대륙성 기후가 나타납니다.
병: 대륙의 중앙에 위치하여 해양으로의 진출 및 교류에 불리합니다.
정: 북반구 중위도에 위치하여 사계절이 뚜렷한 냉·온대 기후가 나타납니다.

① 갑, 을 ② 갑, 병 ③ 을, 병
④ 을, 정 ⑤ 병, 정

2 지도의 섬에 대한 설명으로 옳지 않은 것은?

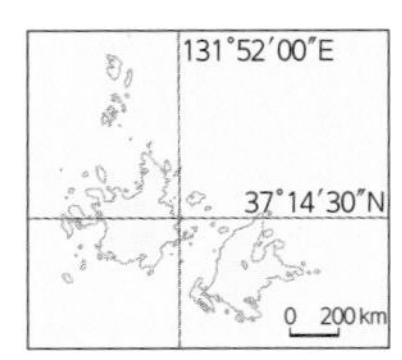

① 울릉도에서 맑은 날 육안으로 볼 수 있다.
② 행정 구역상 경상북도 울릉군에 속해 있다.
③ 주변 해역은 조경 수역으로 좋은 어장을 이룬다.
④ 신라가 우산국을 편입하면서 우리나라 영토가 되었다.
⑤ 주변 12해리까지의 해역은 한일 중간 수역에 포함된다.

3 ㉠에 해당하는 전통적인 국토관을 쓰시오.

(㉠) 사상은 땅은 만물을 길러 내는 어머니와 같다는 지모 사상과 음양오행설이 결합하여 우리 환경에 맞게 토착화된 전통적인 국토관이다. (㉠) 사상에서 말하는 명당은 일반적으로 뒤쪽의 산이 차가운 북서 계절풍을 막아 주고 각종 용수를 얻을 수 있는 배산임수 지역을 말한다.

▲(㉠)사상의 명당도

( ) 사상

4 (가), (나)에 해당하는 통계 지도의 유형으로 옳은 것은?

유형	특징
(가)	사람, 물자 등의 지역 간 이동을 화살표의 방향과 굵기를 통해 표현 예 인구 이동
(나)	등급을 나눌 수 있는 자료를 색상이나 유형으로 나누어 표현 예 경지 이용률

	(가)	(나)
①	유선도	단계 구분도
②	유선도	도형 표현도
③	점묘도	단계 구분도
④	등치선도	단계 구분도
⑤	등치선도	도형 표현도

5 다음 제시된 내용과 관련된 지체 구조로 옳은 것은?

시·원생대, 변성암(편마암) 분포, 지반이 견고한 편

① 경기 지괴 ② 경상 분지
③ 두만 지괴 ④ 평남 분지
⑤ 옥천 습곡대

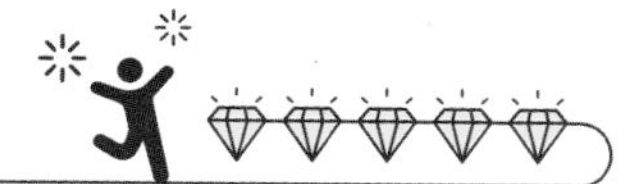

6 그림은 기후 변화에 따른 지형 형성 작용을 나타낸 것이다. (가), (나) 시기의 특징으로 옳지 않은 것은?

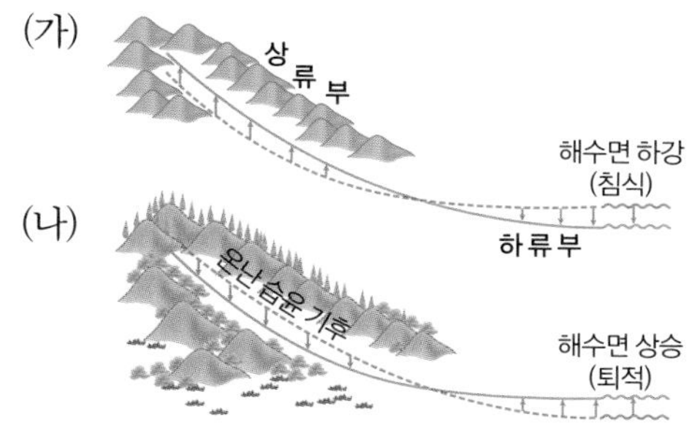

	구분	(가)	(나)
①	기후 변화	한랭 건조	온난 습윤
②	해수면 변동	상승	하강
③	풍화 작용	물리적 풍화 작용 우세	화학적 풍화 작용 우세
④	식생 변화	냉대림 확대	난대림 확대
⑤	지형 형성	하안 단구 발달	충적 평야 발달

7 (나) 산맥과 비교한 (가) 산맥의 상대적 특징을 그림의 A~E에서 고른 것은?

> (가) 경동성 요곡 운동의 영향을 받아 형성됨.
> 예 함경·낭림·태백·소백산맥 등
> (나) 지질 구조선을 따라 발생한 차별적인 풍화와 침식을 받아 형성됨. 예 강남·묘향·멸악·차령산맥 등

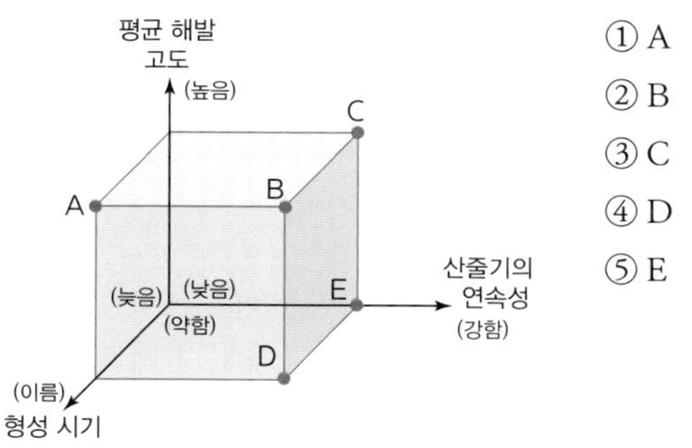

① A ② B ③ C ④ D ⑤ E

8 다음은 학생이 수업 시간에 학습한 내용을 정리한 것이다. 밑줄 친 ㉠~㉤ 중 옳지 않은 것은?

> 〈우리나라의 하천 지형〉
> 1. 우리나라 하천의 특성
> • ㉠ 대부분의 큰 하천은 황·남해로 흐름.
> • ㉡ 계절별 유량 변동이 큼.
> • ㉢ 조차가 큰 동해로 흘러드는 하천의 하구에서 바닷물이 역류하는 감조 구간이 나타남.
> 2. 하천 중·상류에 발달하는 지형: ㉣ 감입 곡류 하천, 하안 단구, 침식 분지, 선상지 등
> 3. 하천 중·하류에 발달하는 지형: ㉤ 자유 곡류 하천, 범람원, 삼각주 등

① ㉠ ② ㉡ ③ ㉢ ④ ㉣ ⑤ ㉤

9 (가) 지형에 대한 설명으로 옳지 않은 것은?

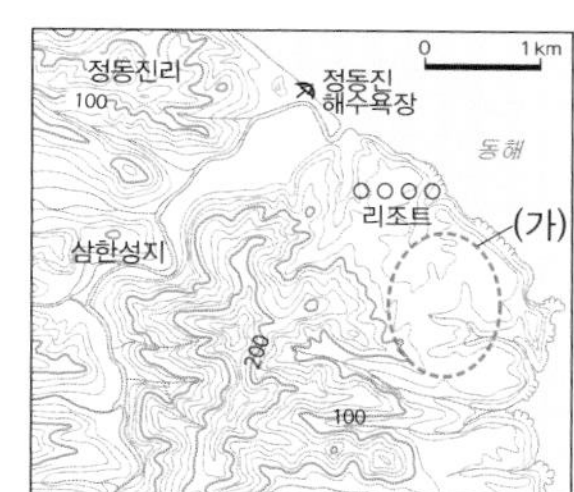

① 지반 융기의 영향을 받았다.
② 서해안보다 동해안에서 주로 볼 수 있다.
③ 퇴적 물질 중 둥근 자갈이 발견되기도 한다.
④ 바닷물에 침수되어 염해가 빈번하게 발생한다.
⑤ 주변 지역보다 평탄하여 농경지, 교통로 등으로 이용된다.

10 지도는 어느 암석의 분포를 나타낸 것이다. 표시된 지역에서 볼 수 있는 지형으로 옳은 것은?

① 갯벌
② 돌리네
③ 화구호
④ 기생 화산
⑤ 칼데라 분지

7일

11 (가), (나) 동굴에 대한 옳은 설명만을 〈보기〉에서 있는 대로 고른 것은?

(가) (나)

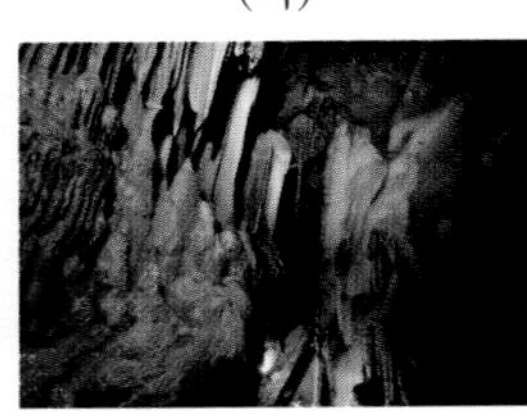

▲ 만장굴 ▲ 고수 동굴

보기

ㄱ. (가)는 용암의 냉각 속도 차이로 인해 형성되었다.
ㄴ. (나)의 내부에는 종유석, 석순, 석주 등이 발달한다.
ㄷ. (가)의 기반암은 석회암, (나)의 기반암은 현무암이다.
ㄹ. (가), (나) 모두 관광 자원으로 활용되고 있다.

① ㄱ, ㄴ ② ㄱ, ㄷ ③ ㄴ, ㄹ
④ ㄱ, ㄴ, ㄹ ⑤ ㄴ, ㄷ, ㄹ

12 다음 글의 ㉠~㉤에 대한 설명으로 옳은 것은?

㉠ 기후는 ㉡ 기후 요소와 ㉢ 기후 요인으로 구성된다. 기후 요소란 기후를 구성하는 대기의 여러 가지 특성들을 의미하며, 이러한 기후 요소의 지역적 차이에 영향을 주는 요인을 기후 요인이라고 한다.

북반구 중위도에 위치한 우리나라는 사계절이 뚜렷한 냉·온대 기후가 나타난다. 또한 유라시아 대륙의 동안에 위치하여 ㉣ 기온의 연교차가 큰 대륙성 기후와 ㉤ 계절풍 기후가 나타난다.

① ㉠은 특정 지역에서 매일 나타나는 기상 현상을 말한다.
② ㉡에는 위도, 수륙 분포, 지형, 해발 고도 등이 있다.
③ ㉢에는 기온, 강수, 바람 등이 있다.
④ 우리나라에서 ㉣은 대체로 북부 지방에서 남부 지방으로 갈수록 커진다.
⑤ 우리나라는 ㉤의 영향으로 겨울에는 한랭 건조하고, 여름에는 고온 다습하다.

13 다음과 같은 기후 특성이 나타나는 계절을 쓰시오.

이동성 고기압과 저기압이 교대로 통과하여 날씨의 변덕이 심하며 때때로 시베리아 기단의 세력이 일시적으로 강해지면서 꽃샘추위가 나타나기도 한다. 가뭄과 산불의 발생 빈도가 다른 계절에 비해 높은 편이며, 중국 또는 몽골 지역으로부터 황사가 날아와 피해를 주기도 한다.

( )

14 다음과 같은 지역 차에 가장 큰 영향을 미친 요인은?

북부 지방의 김치는 싱겁고 고춧가루를 적게 사용하는 반면, 남부 지방의 김치는 짜고 매운 편이다.

▲ 북부 지방의 김치

▲ 남부 지방의 김치

① 일조량 ② 연 강수량
③ 겨울철 기온 ④ 열대야 일수
⑤ 겨울철 강설량

15 표는 기후 변화 문제를 해결하기 위한 대책을 정리한 것이다. ㉠~㉤ 중 옳지 않은 것은?

구분	대책
국제적 노력	㉠ 기후 변화 협약에 가입한다.
국가적 노력	㉡ 배출권 거래제를 도입한다. ㉢ 자원 절약형 산업을 육성한다.
개인적 노력	㉣ 대중교통을 이용한다. ㉤ 에너지 효율이 낮은 제품을 이용한다.

① ㉠ ② ㉡ ③ ㉢ ④ ㉣ ⑤ ㉤

16 지도는 우리나라의 식생 분포를 나타낸 것이다. 이에 대한 설명으로 옳은 것은?

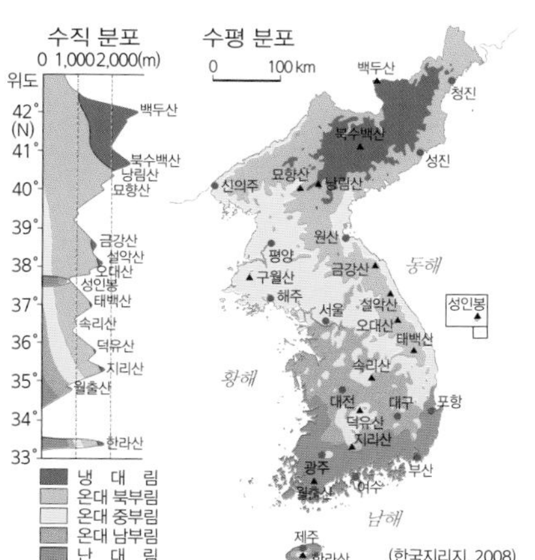

① 온대림보다 냉대림의 분포 면적이 넓다.
② 남부 지방에는 냉대림이 분포하지 않는다.
③ 백두산은 한라산보다 식생의 수직적 분포가 뚜렷하다.
④ 울릉도의 해발 고도가 낮은 곳에는 난대림이 분포한다.
⑤ 고위도로 갈수록 냉대림이 분포하는 고도의 하한선이 높아진다.

17 ㉠, ㉡ 촌락의 변화로 옳은 것을 〈보기〉에서 고른 것은?

1970년대 이후 진행된 도시화로 ㉠ 대도시와 인접한 촌락에는 인구가 많이 유입된 반면 ㉡ 도시에서 멀리 떨어진 촌락은 청장년층 인구가 유출되면서 인구가 감소하고 있다.

보기
ㄱ. ㉠ – 1차 산업 종사자 비율이 증가했다.
ㄴ. ㉠ – 공장, 아파트 등 도시적 경관이 증가했다.
ㄷ. ㉡ – 인구의 고령화로 노동력 부족 문제가 발생했다.
ㄹ. ㉡ – 유소년층 인구가 증가하여 초등학교 수가 증가했다.

① ㄱ, ㄴ　② ㄱ, ㄷ　③ ㄴ, ㄷ
④ ㄴ, ㄹ　⑤ ㄷ, ㄹ

18 지도는 우리나라의 도시 분포 변화를 나타낸 것이다. 이를 분석한 내용으로 옳지 않은 것은?

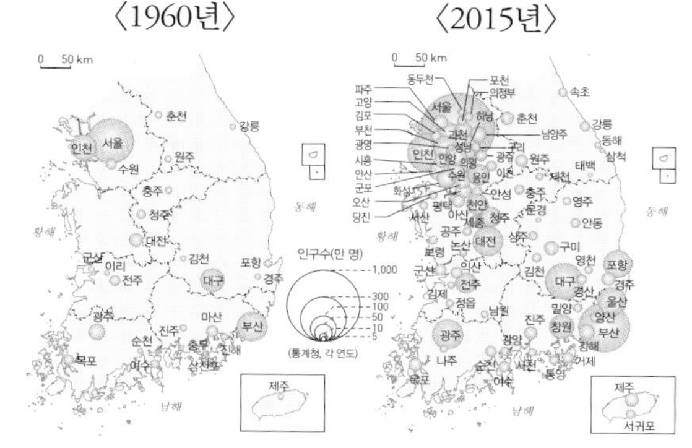

① 도시 수와 도시 인구가 증가하였다.
② 두 시기 모두 서울이 수위 도시이다.
③ 서울-부산 축을 중심으로 도시가 발달하였다.
④ 대도시 주변에는 신도시의 성장이 두드러진다.
⑤ 대도시보다 지방 중소 도시의 인구 성장이 뚜렷하다.

19 다음 자료와 같은 현상이 나타나는 기능을 고른 것은?

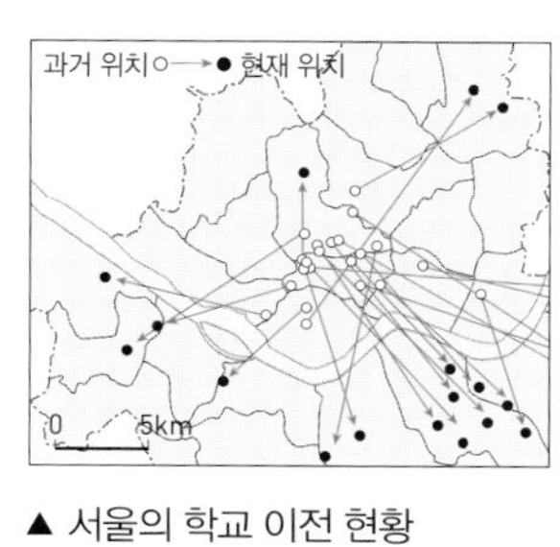

▲ 서울의 학교 이전 현황

도심의 상주인구(야간 인구)가 감소하면서 지대 지불 능력이 낮은 학교는 지가가 낮은 주변 지역으로 이전하였다.

① 주택　② 백화점　③ 고급 호텔
④ 은행 본점　⑤ 대기업 본사

20 다음에서 설명하는 용어를 쓰시오.

계획적으로 개발된 새로운 주거지를 의미하며, 우리나라에서는 1980년대 후반 이후 대규모 주택 단지를 조성하여 서울의 주택 문제를 해결하기 위해 건설되었다.

(　　　　)

7일

Memo

7일 끝!

활용 안내

- 정답 박스로 빠르게 정답 확인하기!
- 정답과 오답의 이유, 한 번 더 짚고 넘어가기!
- 서술형 답안의 평가 요소는 직접 체크해 보며, 주관식 문제 꼼꼼히 대비하기!

1일 기초 확인 문제 9, 11쪽

1 (1) 위도, 경도 (2) 냉·온대 **2** (1) 빠르다 (2) 대륙성
3 (1) B (2) D (3) C (4) A **4** (1) ㅁ (2) ㄹ (3) ㄱ, ㄴ, ㄷ, ㅂ
5 독도 **6** (1) 풍수지리 사상 (2) 신증동국여지승람 (3) 택리지
7 (1) ㄷ (2) ㄱ (3) ㄴ **8** (1) ㉡ (2) ㉠ (3) ㉢ **9** (1) 점묘도
(2) 등치선도 (3) 유선도 (4) 단계 구분도 (5) 도형 표현도
10 실내 조사

1일 내신 기출 베스트 12~13쪽

1 ④ **2** ③ **3** ① **4** ① **5** ① **6** ③ **7** ① **8** ③

1 우리나라의 위치 특성

우리나라는 위도상으로 북위 33°~43°의 중위도에 위치하여 사계절이 뚜렷한 냉·온대 기후가 나타난다. 경도상으로는 동경 124°~132°에 위치하며, 동경 135°를 표준 경선으로 사용하여 우리나라의 표준시는 본초 자오선(경도 0°)이 지나는 영국보다 9시간 빠르다. 또한 우리나라는 유라시아 대륙 동안에 위치하여 계절풍의 영향을 많이 받아 여름에는 고온 다습하고, 겨울에는 한랭 건조하다.

오답 피하기

ㄴ. 우리나라는 국토의 삼면이 바다로 둘러싸인 반도 국가로 대륙과 해양으로의 진출에 유리하다.

2 영역의 구성

(가)는 영공에 대한 설명이다. 영공은 영토와 영해의 수직 상공에 해당하며 일반적으로 수직적 범위는 대기권에 한정된다. 항공 교통이 발달하고 인공위성 및 우주 개발이 활발해짐에 따라 영공의 중요성이 커지고 있다. (나)는 영해에 대한 설명이다. 영해는 연안국의 주권이 미치는 해양의 범위이며 해수면에서 해저에 이르는 곳을 포함한다. 모식도의 A는 배타적 경제 수역, B는 영공, C는 영해, D는 영토이다. 따라서 (가)는 B, (나)는 C이다.

3 우리나라의 영해

영해의 범위는 일반적으로 기선에서 12해리까지이다. 기선은 영해의 범위를 설정하기 위한 기준이 되는 선으로 통상 기선과 직선 기선이 있다. 해안선이 단조롭거나 섬이 해안에서 멀리 떨어져 있는 경우에는 최저 조위선(바닷물이 가장 많이 빠진 썰물 때의 해안선)이 기준이 되는 통상 기선을 적용한다. 해안선의 출입이 복잡하거나 섬이 많은 경우에는 해안의 끝이나 최외곽 섬을 직선으로 연결한 직선 기선을 적용한다.

선택지 바로 보기

① 독도 주변의 12해리 수역은 우리나라의 영해이다. (○)
→ 독도는 통상 기선에서 12해리까지를 영해로 규정하고 있음.

② 제주도와 서·남해안의 영해 설정 기준은 동일하다. (×)
→ 제주도는 통상 기선을, 서·남해안은 직선 기선을 적용함.

③ 동해안의 영일만과 울산만은 통상 기선이 적용된다. (×)
→ 해안선이 단조로운 동해안은 대부분 통상 기선을 적용하지만 예외적으로 동해안의 영일만과 울산만은 직선 기선을 적용함.

④ 영해의 범위는 일반적으로 기선에서 3해리까지이다. (×)
→ 영해의 범위는 일반적으로 기선에서 12해리까지임.

⑤ 대한 해협 부근에서 영해는 직선 기선에서 200해리까지이다. (×)
→ 대한 해협 부근에서는 우리나라와 일본 간 거리가 가까워 직선 기선에서 3해리까지를 영해로 설정함.

4 독도의 특징

독도는 동도와 서도 및 89개의 부속 도서로 이루어져 있으며, 신생대 제3기 말 해저 2,000m에서 솟은 용암이 굳어져 형성된 화산섬이다. 독도는 배타적 경제 수역 설정의 기준, 군사 요충지, 동해의 교통 요지로 그 영역적 가치를 인정받고 있다. 독도 주변 해역은 한류와 난류가 교차하는 조경수역이 형성되어 있어 어족 자원이 풍부하고, 미래의 에너지원으로 주목하는 메탄 하이드레이트와 해양 심층수 등의 해양 자원이 풍부하여 해양 자원 개발의 잠재력이 크다. 또한 환경 및 생태적으로도 가치가 뛰어나 천연기념물 제336호 독도 천연 보호 구역으로 지정되어 특별하게 관리·보호되고 있다. ㉠ 독도는 우리나라 영토의 최동단에 위치한다.

5 『택리지』와 『신증동국여지승람』의 특징

『택리지』는 실학사상의 영향을 받아 각 지역의 특성을 종합적이고 체계적으로 고찰하여 설명식으로 기술하였다. 반면 『신증동국여지승람』은 국가 통치의 기초 자료를 확보하기 위해 각 지역의 특성을 항목별로 분류하여 백과사전식으로 기술하였다.

오답 피하기

병, 정. 『택리지』는 조선 후기에 이중환이 제작한 사찬 지리지이고, 『신증동국여지승람』은 조선 전기에 국가에서 통치 목적으로 제작한 관찬 지리지이다.

6 「대동여지도」의 특징

「대동여지도」는 필요에 따라 많은 양의 지도를 찍을 수 있도록 목판본으로 제작하였고, 휴대와 열람이 편하도록 병풍처럼 접고

펼 수 있는 분첩 절첩식으로 만들었다. 또한, 오늘날 범례에 해당하는 지도표를 사용하여 다양한 지리 정보를 좁은 지면에 효과적으로 담았다. 도로는 직선으로 표현하였으며 10리마다 방점(눈금)을 찍어 실제 거리를 파악할 수 있게 하였다. 하천은 곡선으로 표현하였으며 항해가 가능하면 쌍선, 불가능하면 단선으로 표시하였다. ③ 우리나라 최초로 축척을 사용한 지도는 조선 후기에 제작된 정상기의 「동국지도」이며, 백리척이라는 축척을 사용하였다.

7 지리 정보의 유형

지리 정보는 지리적 현상의 위치, 형태 등을 나타내는 공간 정보, 지역의 자연적·인문적 특성을 나타내는 속성 정보, 주변 지역과의 상호 관계를 나타내는 관계 정보로 나뉜다. ㉠은 이어도의 위치(위도, 경도)를 나타내므로 공간 정보, ㉡은 이어도의 인문적 특성을 나타내므로 속성 정보에 해당한다.

8 지역 조사 과정

(가)는 지리 정보 수집 단계 중 야외 조사, (나)는 조사 계획 수립, (다)는 지리 정보 수집 단계 중 실내 조사, (라)는 지리 정보 분석에 해당한다. 따라서 지역 조사 과정을 순서대로 나열하면 (나)-(다)-(가)-(라)이다.

더 알아보기 + 지역 조사 과정

조사 계획 수립		• 조사 주제 선정 • 조사 목적에 맞는 조사 지역 선정
↓		
지리 정보 수집	실내 조사	• 문헌, 인터넷 등을 통해 자료 수집 • 조사 경로 계획, 설문지 작성 등 야외 조사를 위한 준비
	야외 조사	• 실내 조사를 통해 얻은 지리 정보 확인 및 보완 • 지역을 방문하여 관찰, 설문, 실측, 사진 촬영, 면담 등을 통해 자료 수집
↓		
지리 정보 분석		• 수집한 정보의 분석 및 분류 • 분석한 자료를 도표, 그래프, 지도 등으로 표현
↓		
보고서 작성		조사 목적, 방법, 결론이 명확하게 드러나도록 작성

2일 기초 확인 문제 17, 19쪽

1 (1) 변성암 (2) 편마암 (3) 화강암 **2** (1) B (2) D (3) F (4) C (5) E (6) G (7) A **3** (1) ㉢ (2) ㉠ (3) ㉡ **4** (1) ㄱ (2) ㄴ (3) ㄷ **5** (1) 퇴적, 침식 (2) 화학적 **6** (1) 높고, 강하다 (2) 차령산맥 **7** 고위 평탄면 **8** (1) 흙 (2) 흙 (3) 돌 **9** (1) ㄱ, ㄷ, ㅂ (2) ㄴ, ㄹ, ㅁ **10** (1) 하안 단구 (2) 선상지 (3) 침식 분지 (4) 자연 제방 (5) 삼각주

2일 내신 기출 베스트 20~21쪽

1 ⑤ **2** ⑤ **3** ⑤ **4** ③ **5** ① **6** ② **7** ③ **8** ⑤

1 한반도의 지체 구조

지도의 A는 두만 지괴와 길주·명천 지괴, B는 평북·개마 지괴, C는 평남 분지, D는 옥천 습곡대, E는 경상 분지이다. 거대한 습지 또는 호수에서 오랜 시간 퇴적물이 두껍게 쌓인 육성층이며, 일부 지역에 공룡 발자국과 뼈 화석이 분포하는 지체 구조는 중생대 중기부터 말기에 형성된 경상 분지(E)이다.

자료 분석 + 한반도의 지체 구조

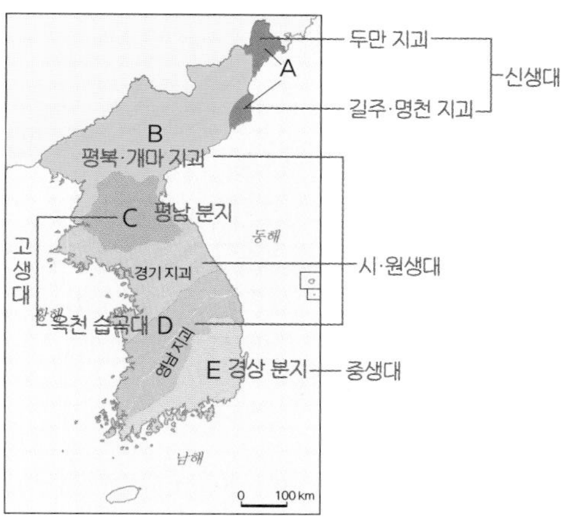

2 중생대의 지각 변동

중생대 초기에 발생한 송림 변동은 주로 북부 지방에 영향을 미쳤는데, 이때 동북동 – 서남서 방향의 지질 구조선이 형성되었다. 중생대 중기에 일어난 대보 조산 운동은 한반도 전역에서 발생한 매우 격렬했던 지각 변동으로, 이로 인해 중·남부 지방을 중심으로 북동 – 남서 방향의 지질 구조선이 형성되었으며 넓은 범위에 걸쳐 마그마가 관입하여 대보 화강암이 형성되었다. 중생대 말기에는 영남 지방을 중심으로 불국사 변동이 일어났으며 이때 소규모로 마그마가 관입하여 불국사 화강암이 형성되었다.

3 신생대의 지각 변동

그림은 동해 지각의 확장에 따른 지각 변동을 나타낸 것이다. 신생대 제3기 이후 동해 지각이 확장되면서 한반도에는 강한 횡압력이 작용하였고, 그 결과 한반도에서 동해안을 축으로 경동성 요곡 운동이 일어났다. 이로 인해 한반도는 동쪽은 높고 서쪽은 낮은 비대칭적인 골격을 갖게 되었다.

4 빙기와 후빙기의 특징

(가) 시기는 오늘날의 해안선과 거의 일치하는 것으로 보아 후빙기, (나) 시기는 현재보다 육지 면적이 넓은 것으로 보아 빙기임을 알 수 있다. 빙기는 후빙기에 비해 기후가 한랭 건조하여 식생이 빈약하였다. 또한 하천 상류에서는 퇴적 작용이 우세하게 나타났고, 하천 하류에서는 해수면 하강으로 침식 기준면이 낮아져 침식 작용이 활발하였다. ③ 기후 환경이 한랭 건조한 빙기에는 물리적 풍화 작용이, 온난 습윤한 후빙기에는 화학적 풍화 작용이 활발하다.

자료 분석 + 기후 변화와 해수면 변동

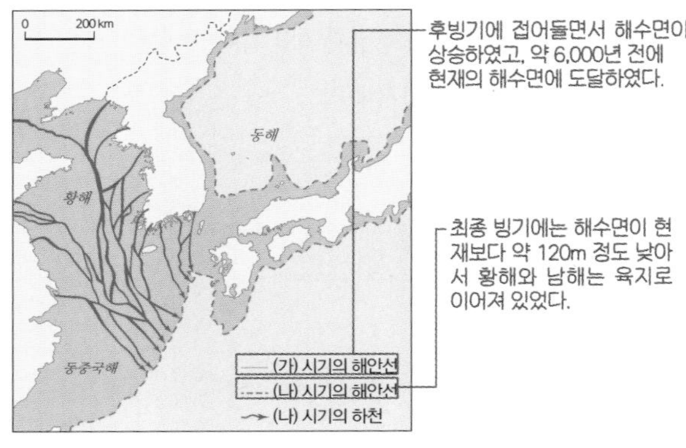

5 고위 평탄면의 특징

고위 평탄면은 지표의 기복이 작고 경사가 완만한 평탄면으로, 태백산맥의 대관령 일대와 소백산맥의 진안고원 등지에 분포한다. 고위 평탄면은 해발 고도가 높아 동위도의 저지대보다 여름철 기온이 낮고 습도가 높은 편이다. 이러한 자연환경을 이용하여 고랭지 농업과 목축업이 발달하였다. ㉠ 고위 평탄면은 오랜 기간 침식을 받아 평탄해진 땅이 신생대 제3기 경동성 요곡 운동으로 인해 융기하여 형성되었다. 기반암이 차별적인 풍화와 침식을 받아 형성된 지형에는 침식 분지가 있다.

6 돌산과 흙산의 특징

(가)는 정상부에 기반암이 지표로 드러나 있으므로 돌산이고, (나)는 정상부가 식생으로 덮여 있으므로 흙산이다.

선택지 바로 보기

① (가)는 ~~흙산~~, (나)는 ~~돌산~~이다. (×)
 돌산 흙산

② (가)는 (나)보다 토양층의 두께가 얇다. (○)
→ 토양층의 두께는 흙산이 돌산보다 두꺼움.

③ (가)는 (나)보다 정상부의 식생 밀도가 높다. (×)
→ 식생 밀도는 흙산이 돌산보다 높음.

④ (나)는 (가)보다 주요 기반암의 형성 시기가 늦다. (×)
→ 흙산의 기반암은 주로 시·원생대에 형성된 변성암(편마암)이고, 돌산의 기반암은 주로 중생대에 형성된 화강암임.

⑤ (가)와 (나)의 주요 기반암은 모두 퇴적암에 속한다.(×)
→ 돌산의 주요 기반암은 화강암으로 화성암에 속하며, 흙산의 주요 기반암은 변성암임.

7 침식 분지의 특징

자료의 (가) 지형은 주위가 산지로 둘러싸인 완만한 평지에 하천이 흐르고 있으므로 침식 분지이다. 침식 분지는 시·원생대에 형성된 변성암(편마암)이 기반암을 이루는 곳에 중생대 화강암이 관입한 이후, 화강암은 변성암에 비해 풍화와 침식에 약해 쉽게 제거된 반면 풍화와 침식에 강한 변성암은 산지로 남아 형성되었다. 침식 분지 내부의 평지는 비옥한 충적층이 있어 벼농사에 유리하기 때문에 일찍부터 주거지와 농경지로 이용되었으며, 지방 행정의 중심지로 발달한 경우가 많다.

8 자연 제방과 배후 습지의 특징

(가)는 하천 가까이에서 밭농사가 이루어지고 있으므로 자연 제방이고, (나)는 상대적으로 하천에서 멀리 떨어져 논농사가 이루어지고 있으므로 배후 습지이다. 배후 습지는 자연 제방에 비해 퇴적물의 평균 입자 크기가 작고 해발 고도가 낮으며 배수가 불량하여 홍수의 위험성이 크다.

더 알아보기 + 자연 제방과 배후 습지의 비교

구분	자연 제방	배후 습지
위치	하천에 인접	자연 제방 뒤쪽
주요 퇴적 물질	조립질(모래)	미립질(점토)
배수 상태	양호	불량
홍수 위험성	작음	큼
고도	높음	낮음
토지 이용	밭, 과수원, 취락 등	개간 후 논농사

3일 기초 확인 문제 25, 27쪽

1 (1) 서·남해안 (2) 침식, 퇴적 **2** (1) 갯벌 (2) 석호
3 (1) ㄱ (2) ㄹ (3) ㄴ (4) ㄷ **4** (1) C (2) B (3) E **5** 돌리네
6 (1) 기후 요인 (2) 계절풍 **7** (1) 크다 (2) 높다, 깊기
8 (1) ㄱ, ㄷ, ㅁ (2) ㄴ, ㄹ, ㅂ **9** (1) ㉡ (2) ㉠ **10** 푄 현상

3일 내신 기출 베스트 28~29쪽

1 ④ **2** ② **3** ④ **4** ② **5** ⑤ **6** ② **7** ② **8** ③

1 곶과 만의 특징

육지가 바다 쪽으로 돌출되어 있는 곶에서는 파랑 에너지가 집중되어 침식 작용이 활발하게 일어나 파식대, 해식애 등의 암석 해안이 발달한다. 바다가 육지 쪽으로 들어간 만에서는 파랑 에너지가 분산되어 퇴적 작용이 활발하게 일어나 사빈, 사주 등의 모래 해안이 발달한다.

더 알아보기 + 곶과 만의 특징

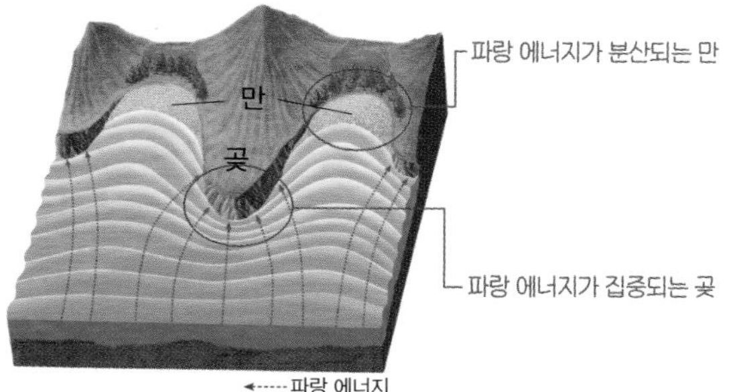

구분	곶	만
형태	육지가 바다 쪽으로 돌출됨.	바다가 육지 쪽으로 들어감.
특징	파랑 에너지 집중, 침식 작용 활발 → 육지 쪽으로 후퇴	파랑 에너지 분산, 퇴적 작용 활발 → 바다 쪽으로 성장
주요 지형	해식애, 파식대, 시 스택, 해안 단구 등 암석 해안 발달	사빈, 사주, 해안 사구 등 모래 해안·갯벌 해안 발달

2 다양한 해안 지형

지도의 A는 지반 융기로 형성된 해안 단구의 단구면, B는 파랑의 차별 침식으로 형성된 시 스택, C는 조류의 퇴적 작용으로 형성된 갯벌, D는 파랑이나 연안류의 퇴적 작용으로 형성된 사빈, E는 바람의 퇴적으로 형성된 해안 사구이다.

자료 분석 + 주요 해안 지형의 지형도 분석

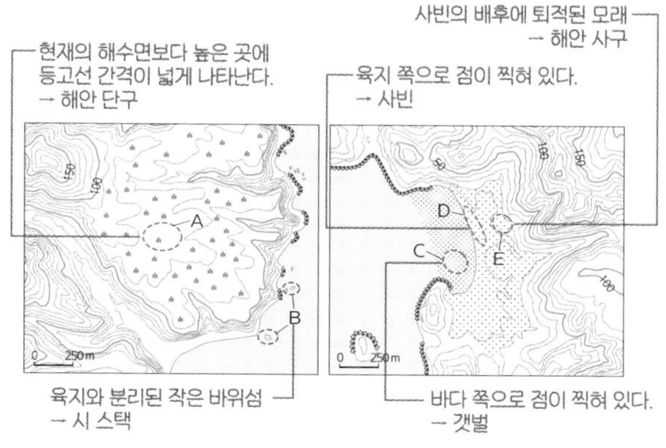

3 주요 화산 지형의 분포

지도의 A는 백두산, B는 철원·평강 일대, C는 울릉도, D는 독도, E는 제주도이다. (가) 화구호와 기생 화산이 분포하는 지역은 제주도(E)이다. 제주도의 한라산 정상부에는 화구호(화구에 물이 고여 형성된 호수)인 백록담이 있고, 산허리에는 오름으로 불리는 기생 화산이 많이 형성되어 있다. (나) 칼데라 분지와 중앙 화구구가 분포하는 지역은 울릉도(C)이다. 울릉도의 중앙부에는 칼데라 분지(화구가 함몰되어 형성된 분지)인 나리 분지와 중앙 화구구인 알봉이 있다.

4 카르스트 지형의 특징

카르스트 지형은 평안남도, 강원도 남부, 충청북도 북부, 경상북도 북부 일대에 분포하는 고생대 조선 누층군의 석회암 지대에 발달해 있다.

선택지 바로 보기

갑. 빗물이나 지하수의 용식 작용을 받아 형성되었어요. (○)
→ 카르스트 지형은 석회암의 주성분인 탄산칼슘이 빗물과 지하수의 용식 작용을 받아 형성됨.

을. 돌리네는 배수가 불량하여 주로 논으로 이용돼요. (×)
→ 돌리네는 배수가 잘되어 주로 밭으로 이용됨.

병. 기반암이 풍화된 붉은색의 토양을 볼 수 있어요. (○)
→ 카르스트 지형에 분포하는 석회암 풍화토는 석회암이 용식된 후 남은 철분 등이 산화되어 형성된 붉은색의 토양임.

정. 주된 기반암은 신생대 화산 활동으로 형성되었어요. (×)
→ 카르스트 지형의 주된 기반암인 석회암은 산호초나 조개껍질이 해저에서 쌓여 형성된 퇴적암임.

5 중위도 대륙 동안과 서안의 기후 차이

대륙 서안에 위치한 런던은 연중 편서풍과 난류의 영향을 받아 기온의 연교차가 작고, 연중 강수량이 고르다. 반면에 유라시아

정답

대륙 동안에 위치한 서울은 계절풍의 영향으로 여름에는 고온 다습하고, 겨울에는 한랭 건조하기 때문에 기온의 연교차가 크고, 여름철 강수 집중률이 높은 편이다. ⑤ 서울은 런던보다 계절별 기온 차이가 큰 편이다.

자료 분석 + 런던과 서울의 기후 그래프 비교

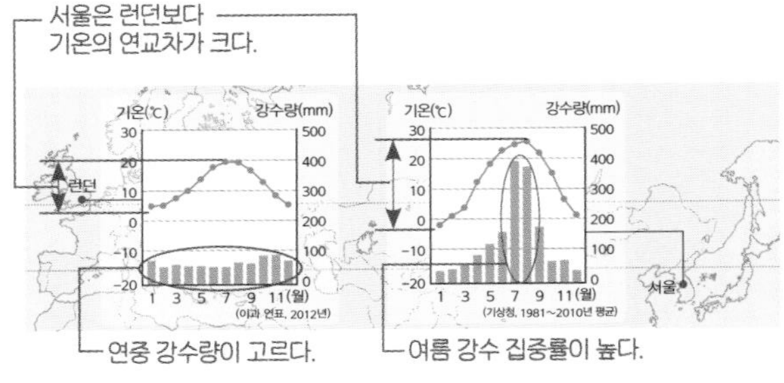

6 우리나라의 기온 특성

우리나라는 위도의 영향으로 남쪽에서 북쪽으로 갈수록 기온이 낮아지며, 국토가 남북으로 길어서 기온의 남북 차가 동서 차보다 크다.

7 우리나라의 강수 특성

우리나라의 강수 분포는 지형과 풍향 등의 영향으로 지역적 차이가 큰 편이다. 여름철 우리나라로 유입하는 남서 기류의 바람받이 지역인 한강 중·상류 지역(C)과 남해안 일대(E)는 다우지를 이룬다. 바람그늘 지역인 개마고원 일대(A)와 영남 내륙 지역(D), 해발 고도가 낮고 평평하여 상승 기류가 발생하기 어려운 대동강 하류 지역(B)은 소우지를 이룬다.

8 우리나라의 바람 특성

우리나라는 유라시아 대륙의 동쪽에 위치하여 계절풍의 영향을 많이 받는다. 겨울철에는 주로 시베리아 지역에서 한랭 건조한 북서풍이 불어오고, 여름철에는 북태평양에서 고온 다습한 남동·남서풍이 불어온다. 오호츠크해 기단이 영향을 미치는 늦봄부터 초여름 사이에는 영서 지방과 경기 지방으로 고온 건조한 북동풍이 자주 부는데, 이러한 바람을 높새바람이라고 한다. ③ 우리나라는 여름철보다 겨울철에 대륙과 해양의 평균적인 기압 차가 크기 때문에 바람의 세기는 겨울철이 여름철보다 일반적으로 더 강하게 나타난다.

4일 기초 확인 문제 33, 35쪽

1 (1) 시베리아 기단 (2) 오호츠크해 기단 (3) 북태평양 기단 (4) 적도 기단 **2** (1) 여름철 (2) 온돌 **3** (1) 터돋움집 (2) 까대기 **4** (1) ㄷ (2) ㄱ (3) ㄹ (4) ㄴ **5** 기온 역전 현상 **6** (1) ㄹ (2) ㄱ (3) ㄴ (4) ㅁ (5) ㄷ **7** 태풍 **8** (1) 길어지고, 짧아지고 (2) 축소, 확대 (3) 감소, 증가 **9** (1) 위도 (2) 침엽수림 (3) 난대림 **10** (1) ㉠, ㉢ (2) ㉡, ㉣

4일 내신 기출 베스트 36~37쪽

1 ④ **2** ③ **3** ③ **4** ⑤ **5** ② **6** ① **7** ⑤ **8** ⑤

1 겨울철 일기도의 특징

제시된 일기도를 보면 서고동저형의 기압 배치가 나타나며, 등압선의 간격이 매우 좁으므로 겨울철의 일기도에 해당한다. 겨울에는 시베리아 기단의 영향으로 한랭 건조한 기후가 나타난다. 시베리아 지역은 겨울철에 차갑게 냉각되면서 강한 고기압이 발달하고 상대적으로 따뜻한 일본 북동부 해상을 중심으로 저기압이 발달하면서 서고동저형의 기압 배치가 자주 나타난다.

선택지 바로 보기

① 열대야가 나타난다. (×)
→ 열대야 현상은 밤에도 일 최저 기온이 25℃를 넘는 현상으로, 북태평양 기단의 영향을 받는 한여름에 주로 발생함.

② 장마 전선이 형성된다. (×)
→ 오호츠크해 기단과 북태평양 기단이 만나 형성되는 장마 전선으로 인해 여름의 장마철에 집중 호우가 내림.

③ 소나기가 자주 내린다. (×)
→ 여름에는 강한 일사로 인해 대류성 강수인 소나기가 자주 내림.

④ 삼한 사온 현상이 나타난다. (○)
→ 겨울에는 시베리아 기단의 주기적인 발달과 쇠퇴로 기온의 하강과 상승이 반복되는 삼한 사온 현상이 나타남.

⑤ 주로 남풍 계열의 바람이 분다. (×)
→ 겨울철에는 주로 시베리아 지역에서 한랭 건조한 북서풍이 불어옴.

2 울릉도와 관북 지방의 전통 가옥 시설

울릉도는 겨울에 눈이 많이 내리기 때문에 눈이 집안으로 들이치는 것을 막고 실내 활동 공간을 확보하기 위해 전통 가옥에 우데기를 설치하였다. 겨울철이 추운 관북 지방의 전통 가옥에는 부엌과 방 사이에 벽 없이 연결된 정주간이 있는데, 이 공간은 부뚜막이 가까워 가장 따뜻하기 때문에 추운 겨울의 식당과 거실의 역할을 한다. 따라서 우데기는 겨울철 강수, 정주간은 겨울철 기온의 영향을 받은 시설이다.

3 기온과 주민 생활

ㄱ. 식물이 자라기 어려운 겨울을 나기 위해 많은 양의 김치를 담그는 김장 문화가 발달하였다. 김장은 겨울이 오기 직전에 하므로 김장 시기는 북쪽이 빠르고 남쪽으로 갈수록 늦다. ㄴ. 겨울에는 추위에 잘 견디는 보리나 밀을 재배하였다. ㄷ. 중부와 남부 지역의 전통 가옥에는 무더운 여름을 나기 위해 바닥 사이를 띄우고 나무판을 깔아 만든 대청마루가 설치되어 있다.

오답 피하기

ㄹ. 목화를 활용한 솜옷이나 짐승의 가죽으로 만든 옷을 입는 것은 추운 겨울을 이겨 내기 위한 주민 생활 모습이다.

4 도시 열섬 현상

도시 열섬 현상의 발생 원인으로는 도시 인구 증가, 건물·공장·자동차 등에서의 인공 열 방출, 지표 포장 면적 증가, 녹지 면적 감소 등이 있다. ⑤ 건물 옥상 녹화 사업은 도시의 녹지 공간을 확보하여 도시 열섬 현상을 완화하기 위한 대책 중 하나이다.

더 알아보기 + 도시 열섬 현상의 대책

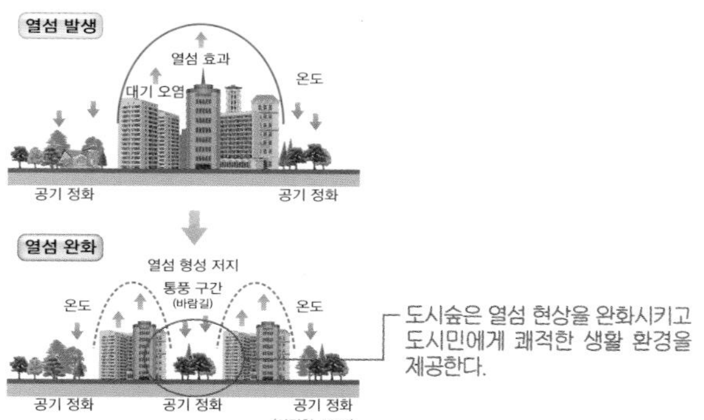

▲ 도시숲

도시 열섬 현상은 교외보다 도심의 기온이 높게 나타나는 현상으로 낮보다는 새벽에, 여름보다는 겨울에, 날씨가 맑은 날에 뚜렷하게 나타난다. 열섬 현상을 완화하기 위한 대책으로는 바람길 조성, 건물 옥상 녹화 사업, 생태 하천 복원 등이 있다.

5 자연재해의 특징

(가)는 주로 겨울에 발생하므로 대설이다. 호우는 주로 장마 전선이 형성되는 7월에 집중적으로 발생하고, 태풍은 주로 8~9월에 발생한다.

6 지구 온난화의 영향

그래프를 보면 서울은 1990년대의 여름이 1920년대보다 16일 길어졌고, 겨울은 19일 짧아졌다. 2090년대에는 이러한 현상이 더욱 심화될 것으로 예상하고 있는데, 이러한 변화가 나타나는 이유는 지구 온난화의 영향으로 연평균 기온이 상승하고 있기 때문이다.

선택지 바로 보기

① 냉방 전력 사용량이 증가할 것이다. (○)
→ 기온이 상승하면 여름이 길어지기 때문에 냉방 전력 사용량이 증가할 것임.

② 단풍이 드는 시기가 ~~빨라질~~ 것이다. (×)
늦어질

③ 하천의 결빙 일수가 ~~증가할~~ 것이다. (×)
감소할

④ 고산 식물의 분포 범위가 ~~확대될~~ 것이다. (×)
축소될

⑤ 농작물의 노지 재배 가능 기간이 ~~줄어들~~ 것이다. (×)
늘어날

7 우리나라의 식생 분포

ㄷ. 한라산은 고도에 따라 난대림, 온대림, 냉대림, 고산 식물대까지 식생의 수직적 분포가 다양하게 나타난다. ㄹ. 식생은 주로 기후의 영향을 받아 분포 지역이 달라지는데 위도의 변화에 따른 수평적 분포와 산지의 해발 고도에 따른 수직적 분포로 나타난다.

오답 피하기

ㄱ, ㄴ. 우리나라에서 가장 넓은 범위에 분포하는 식생은 고산 지대를 제외한 우리나라 대부분의 지역에 분포하는 온대림이다. 냉대림은 개마고원을 중심으로 한 북부 지역과 고산 지대에 주로 분포하며, 난대림은 제주도와 울릉도 해안 지역과 남해안을 따라 분포한다.

8 우리나라 토양의 특징

토양은 기후와 식생, 기반암, 지형 등에 따라 성질이 달라지며, 크게 성숙 토양과 미성숙 토양으로 구분한다. 토양의 생성 기간이 길어 단면이 뚜렷하게 발달하는 토양을 성숙 토양이라고 하는데, 이는 다시 성대 토양과 간대토양으로 구분한다. 반면 토양의 생성 기간이 짧거나 운반 및 퇴적으로 형성된 토양을 미성숙 토양이라고 한다.

선택지 바로 보기

갑. (가)는 기반암의 특성을 반영하는 토양입니다. (×)
→ 성대 토양은 기후와 식생의 영향을 받아 형성됨.

을. 회백색토, 갈색 삼림토는 (나)에 해당합니다. (×)
→ 회백색토와 갈색 삼림토는 성대 토양에 해당함.

병. (가), (나) 모두 성숙토에 해당합니다. (○)
→ 성숙토는 성대 토양과 간대토양으로 구분함.

정. (가), (나)는 미성숙토에 비해 토양층이 뚜렷하게 나타납니다. (○)
→ 성숙토는 토양 생성 기간이 길어 단면이 뚜렷하게 발달함.

5일 기초 확인 문제 41, 43쪽

1 (1) ㉣ (2) ㉠ (3) ㉢ (4) ㉡ **2** (1) 집촌 (2) 가까워, 강하다 (3) 높아 (4) 유출 (5) 확대, 증가 **3** (1) ㄴ (2) ㄱ (3) ㄷ (4) ㄹ **4** 도시 체계 **5** (1) 도농 통합시 (2) 종주 도시화 **6** (1) 접근성 (2) 집심 **7** (1) D (2) C (3) A (4) B **8** 인구 공동화 **9** (1) ㉠ (2) ㉡ (3) ㉢ **10** (1) 교외화 (2) 신도시

5일 내신 기출 베스트 44~45쪽

1 ① **2** ④ **3** ④ **4** ③ **5** ① **6** ① **7** ③ **8** ④

1 집촌과 산촌의 특징

(가)는 집촌, (나)는 산촌이다. 집촌은 산촌에 비해 가옥의 밀집도가 높으며, 가옥과 경지의 결합도가 낮아 경지 관리가 상대적으로 비효율적이고, 협동 노동의 필요성이 큰 지역에서 주로 형성된다.

더 알아보기 + 집촌과 산촌의 비교

구분	집촌	산촌
가옥의 밀집도	높음	낮음
가옥과 경지의 결합도	낮음	높음
협동 노동의 용이성	높음	낮음
공동체 의식	강함	약함
분포 지역	벼농사 지역, 동족촌 등	밭농사 지역, 산간 지역, 간척지 등

2 촌락의 변화

우리나라는 1970년대 이후 진행된 도시화로 도시에서 멀리 떨어진 전통 촌락에서는 청장년층 중심으로 많은 인구가 도시로 유출되었다. 이로 인해 노동력이 부족해지고 고령화 현상이 심화되었으며 폐교가 증가하였다. 또한 도시에서의 취업이 남성에 비해 여성이 유리했기 때문에 촌락에서는 여성층의 인구가 많이 유출되어 청장년층의 남초 현상이 가속화되었다. ④ 청장년층 중심으로 인구가 유출되어 출산율이 낮아지면서 유소년층 인구가 감소하였다.

3 우리나라의 도시 발달 과정

우리나라는 1960년대 이후 도시화가 급속하게 진행되면서 서울, 부산, 대구 등 대도시가 빠르게 성장하였다. 1970년대에는 광주, 대전 등 지방의 중심 도시가 성장하였으며, 수출 위주의 공업화 정책이 추진되면서 남동 임해 지역의 항구를 중심으로 울산, 포항, 창원 등의 공업 도시가 급격히 성장하였다. 1980년대부터는 대도시의 과밀화를 완화하기 위한 인구 분산 정책이 시행되어 서울, 부산과 같은 대도시 주변에 신도시와 위성 도시가 빠르게 성장하였다.

오답 피하기

ㄴ. 우리나라는 1960년대 이후 도시화가 급속하게 진행되면서 1970년대부터는 도시 인구가 촌락 인구보다 많아지기 시작하였다.

더 알아보기 + 우리나라의 도시화

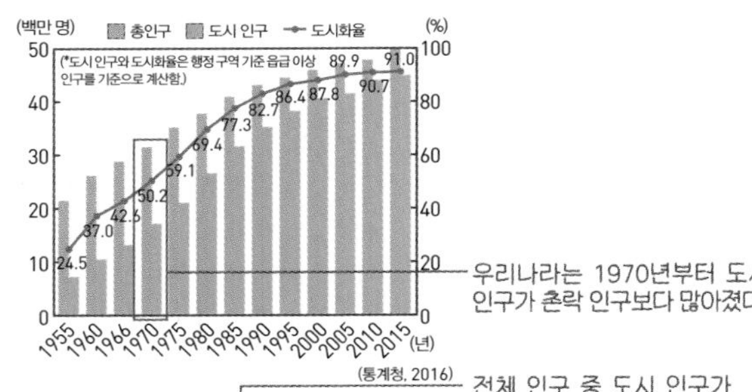

▲ 우리나라의 도시화율 변화

도시화는 인구면에서 도시 인구가 증가하고, 경제면에서 2·3차 산업 종사자 비율이 높아지며, 사회면에서 도시적 생활 양식이 확대되는 현상이다. 우리나라는 도시화가 빠르게 진행되어 현재 도시화율이 90%를 넘었다.

4 도시 간 계층 구조

중심지는 주변 지역에 재화나 서비스를 제공하는 중심 기능이 모여 있는 곳으로 학교, 상점, 도시 등이 그 예이다. 중심지에는 계층이 존재하는데 도시의 경우 인구 규모를 중심으로 도시 간의 계층 질서를 파악할 수 있다. 계층이 높은 도시는 낮은 계층의 도시보다 다양한 기능을 보유하며 넓은 배후지를 갖고, 도시 간 거리가 멀다. 정주 체계에서 중소 도시는 대도시에 비해 저차 중심지에 해당한다. ㉢ 계층이 높은 도시는 낮은 계층의 도시보다 도시의 수가 적다.

5 도시 내부 구조

그림은 도시 내부 구조를 모식적으로 나타낸 것으로 A는 도심, B는 부도심, C는 주변 지역, D는 위성 도시, E는 개발 제한 구역이다. 도심은 접근성과 지대가 높아 토지를 집약적으로 이용하기 위해 고층 건물이 밀집되어 있으며, 높은 지대를 지불할 수 있는 중추 관리 기능, 전문 서비스업, 고급 상점이 집중한 중심 업무 지구(CBD)가 형성되어 있다. 부도심은 도심과 주변 지역을 연결하는 교통의 결절점에 위치해 있으며, 도심에 집중된 상업·업무 기능을 일부 분담하고 있다.

6 도심의 인구 공동화 현상

제시된 그래프를 보면 (가) 지역에서는 주간 인구가 증가하고 야간 인구가 감소하는 인구 공동화 현상이 나타나고 있다. 인구 공

동화 현상은 도심에 상업·업무 기능이 집중하고 있어 주간에는 인구가 많지만, 야간에는 주거지가 있는 주변 지역으로 귀가하기 때문에 주·야간 인구 밀도에 차이가 나는 현상이다. 이러한 현상은 지대 지불 능력이 낮은 주거 기능이 도심에서 도시 외곽으로 빠져나가 직장과 거주지가 분화되면서 발생하였다.

7 대도시권의 형성

급격한 도시화로 인해 대도시로 인구와 기능이 집중되면서 주택 부족 및 지가 상승, 교통 체증 등의 집적 불이익이 발생하였다. 이로 인해 주거와 공업 기능 등이 도시 외곽으로 분산되는 교외화 현상이 나타났다. 그 결과 교통이 편리한 대도시 주변에서는 위성 도시가 발달하고, 근교 농촌 지역이 빠르게 성장하면서 대도시와 주변 지역이 기능적으로 연결된 하나의 대도시권을 형성하게 되었다.

8 대도시권의 발달과 주민 생활 변화

대도시 주변의 근교 농촌에서는 교통의 발달에 따라 대도시의 영향력이 확대되면서 도시적 토지 이용이 증가하였다.

선택지 바로 보기

① 겸업농가 비율이 낮아졌다. (×)
→ 겸업농가의 비율이 높아져 농업 외 소득 비율이 증가함.

② 시설 재배 면적이 축소되었다. (×)
→ 토지 이용의 집약도를 높이기 위해 비닐하우스, 온실 등을 이용한 시설 재배가 확대됨.

③ 2·3차 산업 종사자가 감소하였다. (×)
→ 대도시의 영향력이 확대되면서 2·3차 산업 종사자가 증가함.

④ 이주자의 증가로 주민 구성이 다양해졌다. (○)
→ 중심 도시에 직장을 둔 통근자나 주변 산업체 종사자가 증가하면서 주민 구성이 이질적이고 다양해짐.

⑤ 전통적 생활 공동체로서의 성격이 강화되었다. (×)
→ 도시적 생활 양식이 파급되면서 전통적 생활 공동체로서의 성격이 약화됨.

6일 누구나 100점 테스트 1회

46~47쪽

1 ① **2** ① **3** ④ **4** 지리 정보 시스템(GIS) **5** ③ **6** ②
7 ④ **8** ① **9** ④ **10** ③

1 우리나라의 위치 특성

(가)는 위도와 경도로 표현되는 수리적 위치, (나)는 대륙과 같은 지형지물로 표현되는 지리적 위치, (다)는 주변국과의 관계에 따라 결정되는 관계적 위치이다.

2 우리나라의 영역과 배타적 경제 수역

영역은 한 국가의 주권이 미치는 공간적 범위로 영토, 영해, 영공으로 구성된다. 배타적 경제 수역은 영해 기선에서 200해리까지의 수역 중 영해를 제외한 수역이다. 모식도의 A는 배타적 경제 수역, B는 영공, C는 영해, D는 영토이다.

선택지 바로 보기

ㄱ. A에서는 타국의 선박이 자유롭게 통항할 수 있다. (○)
→ 배타적 경제 수역은 영해에 속하지 않으므로 모든 선박이 자유롭게 통항할 수 있음.

ㄴ. B의 수직적 범위는 일반적으로 대기권까지이다. (○)
→ 영공은 영토와 영해의 수직 상공으로, 수직적 범위는 일반적으로 대기권에 한정됨.

ㄷ. C를 설정할 때 모든 지역에서 통상 기선을 적용한다. (×)
→ 해안선이 복잡하고 섬이 많은 서·남해안과 울산만·영일만 등의 동해안 일부에서는 직선 기선을 적용함.

ㄹ. D는 국가에 속한 육지의 범위로 부속 도서는 제외된다. (×)
→ 우리나라의 영토는 한반도와 그 부속 도서로 구성되며, 유인도와 무인도가 모두 포함됨.

3 「대동여지도」의 특징

(가) A는 단선으로 표현되어 있으므로 항해가 불가능한 하천이다. 항해가 가능한 하천은 쌍선으로 표현하였다. (나) 지도표를 통해 B는 역참, C는 읍치임을 알 수 있다. (다) 도로에 10리마다 방점이 찍혀 있으므로 B와 C 사이의 거리는 약 20리이다. (라) 산의 높낮이에 따라 선의 굵기를 다르게 표현하여 대략적인 규모를 가늠할 수 있지만 정확한 해발 고도는 알 수 없다. 학생이 옳게 답한 문항은 (가), (나), (라)이므로, 학생의 점수는 3점이다.

4 지리 정보 시스템(GIS)

지리 정보 시스템(GIS, Geographic Information System)은 다양한 지리 정보를 수치화하여 컴퓨터에 입력·저장하고, 다양한 기법으로 분석·가공하여 실생활에 필요한 자료를 만드는 종합 정보 시스템이다. 최근 컴퓨터 기술의 발달로 수치 지도를 제작할 수 있게 되어 각종 지리 정보의 입력·저장·분석·가공이 가능해졌다. 내비게이션은 지리 정보 시스템을 활용하여 목적지까지 갈 수 있는 최적 경로를 찾아 주는 대표적인 사례이다.

더 알아보기 + 지리 정보 시스템(GIS)의 활용

▲ 지리 정보 시스템 개요도

장점	복잡한 자료를 신속·정확하게 처리 가능, 지리 정보의 수정 및 분석 용이 → 신속한 공간적 의사 결정 가능
활용	최적 입지 선정(중첩 분석), 최단 경로 검색, 재해·재난 관리, 국토 및 환경 관리 등

5 한반도의 암석 분포

(가)는 고생대에 형성된 석회암, (나)는 시·원생대에 형성된 편마암, (다)는 신생대에 형성된 현무암이다. 따라서 형성 시기가 오래된 것부터 나열하면 (나)-(가)-(다) 순이다.

6 한반도의 지각 변동

② 대보 조산 운동의 영향으로 중국 방향(북동-남서)의 지질 구조선이 형성되었다. 랴오둥 방향(동북동-서남서)의 지질 구조선 형성에 영향을 미친 지각 변동은 중생대 초기에 발생한 송림 변동이다.

7 선상지와 삼각주

(가)는 선상지이다. 선상지는 경사가 급변하는 골짜기 입구에서 유속의 감소로 하천이 운반한 물질이 퇴적되어 형성된다. 우리나라는 오랜 침식으로 해발 고도가 낮은 구릉성 산지가 많아 경사가 급변하는 지형이 많지 않기 때문에 선상지가 잘 발달하지 않는다. (나)는 삼각주이다. 삼각주는 하천이 바다로 유입되는 하구 부근에서 유속의 감소로 하천이 운반해 온 물질이 쌓여 형성된다. 우리나라의 큰 하천은 주로 조차가 큰 황·남해로 유입되어 조류에 의해 하천 퇴적 물질이 쉽게 제거되기 때문에 삼각주의 발달이 미약하다.

오답 피하기

ㄴ. 선상지는 하천의 상류에, 삼각주는 하천의 하구에 형성된다.

8 다양한 해안 지형

A는 바위로 이루어진 암석 해안이다. B는 바다에 점이 찍혀 있으므로 갯벌, C는 육지의 해안 가까이에 점이 찍혀 있으므로 사빈이다.

선택지 바로 보기

갑. A는 주로 파랑 에너지가 집중되는 곳에 발달합니다. (○)
→ 해안에서 바다로 돌출된 곳에서는 파랑 에너지가 집중되면서 침식 작용이 활발하게 일어나 암석 해안이 발달함.

을. B는 주로 조류의 퇴적 작용으로 형성됩니다. (○)
→ 갯벌은 하천에 의해 운반된 모래나 점토 등의 물질이 조류에 의해 퇴적되어 형성됨.

병. C는 주로 바람의 퇴적 작용으로 형성됩니다. (×)
→ 사빈은 하천이나 주변 암석 해안으로부터 공급되어 온 모래가 파랑이나 연안류의 작용으로 해안가를 따라 퇴적되어 형성됨.

정. C는 밀물 때 잠기고 썰물 때 드러나는 지형입니다. (×)
→ 밀물 때 잠기고 썰물 때 드러나는 지형은 갯벌임.

9 주요 화산 지형의 분포

제주도의 한라산은 현무암질 용암이 여러 차례 분출하여 만들어진 방패 모양의 화산(순상 화산)이다. 정상부 일부는 종 모양의 화산으로 이루어져 있으며, 산 정상부에는 화구호인 백록담이 있다. 제주도는 한라산 이외에도 오름으로 불리는 기생 화산이 발달하였으며, 용암 동굴, 주상 절리 등 다양한 화산 지형이 분포한다. 제주도의 한라산, 성산 일출봉 등 일부 지역은 그 가치를 인정받아 세계 자연 유산과 세계 지질 공원으로 등재되었다.

10 우리나라의 기온 특성

기온의 연교차는 남쪽에서 북쪽으로 갈수록 커지고, 같은 위도에서는 해안보다 내륙이, 동해안보다 서해안이 크다. 따라서 비슷한 위도에 위치한 A~C를 기온의 연교차가 큰 지역부터 나열하면 B-A-C 순이다.

자료 분석 + 동위도 지역의 기온의 연교차 비교

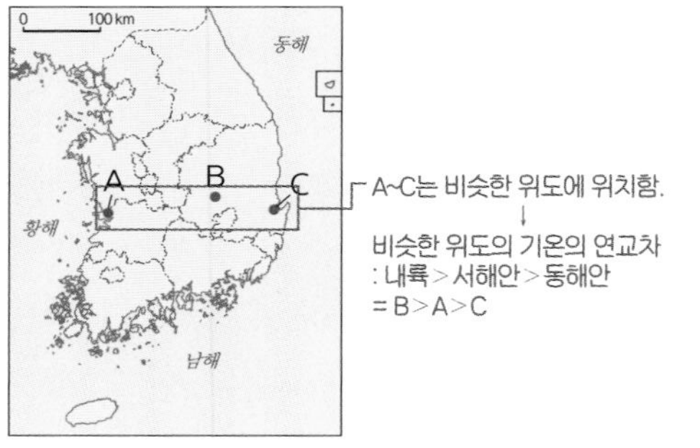

6일 누구나 100점 테스트 2회 48~49쪽

1 ③ **2** ⑤ **3** ⑤ **4** ⑤ **5** 해발 고도 **6** ① **7** ② **8** ③ **9** ④ **10** ⑤

1 여름과 겨울의 일기도

(가)는 바다에 강력한 고기압이 발달하고 내륙에 저기압이 발달하여 남고북저형의 기압 배치가 나타나므로 여름이다. 여름에는 지표면의 가열에 의한 소나기가 국지적으로 자주 내리고(ㄱ), 북태평양 고기압의 영향으로 무더위가 지속되고 열대야가 나타난다(ㄹ). (나)는 내륙에 고기압이 발달하여 서고동저형의 기압 배치가 나타나고 등압선 간격이 좁으므로 겨울이다. 겨울에는 시베리아 기단의 주기적인 발달과 쇠퇴로 기온의 하강과 상승이 반복되는 삼한 사온 현상이 나타나고(ㄴ), 차가운 북서풍이 황해를 건너오면서 눈구름을 형성하여 서해안에 폭설이 내리기도 한다(ㄷ).

자료 분석 + 여름과 겨울의 일기도

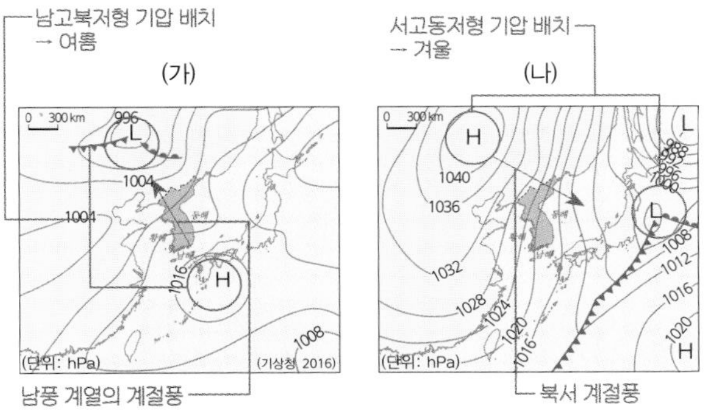

2 제주도와 울릉도의 전통 가옥

제주도에서는 바람의 저항을 줄이기 위해 지붕의 처마를 낮게 하고, 지붕을 줄로 엮어서 강풍의 피해에 대비하였다. 울릉도 지역은 눈이 많이 내리면 실외 활동이 어렵기 때문에 가옥 내에서 이동과 활동이 이루어질 수 있는 공간을 확보하기 위해 우데기를 설치하였다. ⑤ 제주도의 전통 가옥은 바람의 영향을, 울릉도의 전통 가옥은 겨울철 강수의 영향을 받은 가옥 구조가 나타난다.

3 자연재해의 특징

(가)는 주로 겨울철에 발생하므로 대설, (나)는 장마 전선이 형성되는 7월에 집중적으로 발생하므로 호우, (다)는 주로 8~9월에 발생하므로 태풍이다.

선택지 바로 보기

① (가)는 강한 바람과 비를 동반하여 풍수해를 유발한다. (×)
→ 태풍(다)에 대한 설명임.

② (나)는 짧은 시간에 많은 눈이 내리는 현상이다. (×)
→ 대설(가)에 대한 설명임.

③ (다)는 주로 장마 전선이 정체할 때 발생한다. (×)
→ 호우(나)에 대한 설명임.

④ (나)는 (다)보다 바람에 의한 피해가 크다. (×)
→ 태풍은 중심 부근의 최대 풍속이 17m/s 이상인 열대 저기압이므로, 호우는 태풍보다 바람에 의한 피해가 적음.

⑤ (가)~(다)는 모두 기후적 요인에 의해 발생한다. (○)
→ 대설, 호우, 태풍은 모두 기후적 요인에 의해 발생함.

4 지구 온난화 현상

제시된 글은 기온 상승에 따른 식생 및 농업 활동, 해양 환경 등의 변화를 나타낸 것이다. 이러한 변화와 관련된 현상은 지구 온난화 현상이다. 산업 혁명 이전의 기후 변화는 태양 복사 에너지의 변화, 대기 구성의 변화 등 자연적 요인의 영향을 많이 받았다. 산업 혁명 이후에는 경제 및 인구 성장에 따른 인위적 온실가스 배출이 지구 온난화의 주요 원인으로 간주되고 있다.

5 우리나라의 식생 분포

식생은 주로 기후의 영향을 받아 분포 지역이 달라지는데 위도의 변화에 따른 수평적 분포와 산지의 해발 고도에 따른 수직적 분포로 나타난다. 식생의 수직적 분포는 제주도의 한라산에서 가장 뚜렷하게 나타나는데 고도에 따라 난대림, 온대림, 냉대림, 고산 식물대가 순서대로 나타난다.

6 전통 촌락의 입지

전통 촌락의 입지는 물, 지형 등의 자연적 요인과 교통, 방어 등의 사회·경제적 요인의 영향을 받았다. 홍수의 위험이 낮은 산록 완사면이나 자연 제방에 촌락이 발달하였으며, 지표수가 부족한 제주도에서는 물을 구하기 쉬운 용천대를 따라 촌락이 형성되기도 하였다. 또한 육상 교통이 편리한 곳에는 역원 취락이, 수운 교통이 편리한 곳에는 나루터 취락이 형성되었다. 지형적으로 방어에 유리한 지역이나 방어가 필요한 국경 및 해안 지역에는 병영촌이 발달하였다.

7 촌락과 도시의 관계

촌락과 도시는 서로 다른 기능과 역할을 분담하고, 서로 영향을 주고받는 상호 보완적 관계이다. 촌락은 도시에 비해 주민 간 공동체 의식이 강하다. 도시는 촌락에 각종 재화와 서비스를 제공하고, 촌락은 도시에 농축산물과 여가 및 휴식 공간을 제공한다.

도시와 촌락의 상호 발전을 위해 출범한 도농 통합시는 생활권이 같은 도시와 농어촌이 하나로 합쳐져 광역 생활권을 갖춘 도시를 의미한다. ② 도시는 촌락보다 1차 산업 종사자 비중이 낮고, 2·3차 산업 종사자 비중이 높다.

8 우리나라의 도시 발달 과정

우리나라는 1960년대 이후 급속한 도시화로 서울, 부산, 대구 등 대도시가 빠르게 성장하였다. 1970년대에는 광주, 대전 등 지방의 중심 도시가 성장하였으며, 수출 위주의 공업화 정책이 추진되면서 남동 임해 지역의 항구를 중심으로 울산, 포항, 창원 등의 공업 도시가 급격히 성장하였다. 1980년대부터는 대도시의 과밀화를 완화하기 위한 인구 분산 정책이 시행되어 서울, 부산과 같은 대도시 주변에 신도시와 위성 도시가 발달하였다. 따라서 우리나라의 도시 발달 과정에 따라 나열하면 (나)-(가)-(다) 순이다.

9 도시 내부 구조

(가)는 도심, (나)는 주변 지역이다. ㄱ. 도심에서는 주간 인구가 급증하고, 야간에는 상주인구가 감소하는 인구 공동화 현상이 나타난다. 이로 인해 출퇴근 시 교통 혼잡이 발생한다. ㄷ. 도시의 중심부에 위치한 도심은 주변 지역보다 접근성이 좋다. ㄹ. 주거 기능이 발달한 주변 지역은 상업·업무 기능이 발달한 도심보다 초등학생 수가 많다.

오답 피하기

ㄴ. 대기업 본사, 관공서, 금융 기관 본점 등과 같은 중추 관리 기능은 도심에 집중되어 있다.

10 대도시권의 공간 구조

A는 대도시 일일 생활권(대도시권), B는 위성 도시, C는 중심 도시, D는 통근 가능권이다. 대도시권은 대도시를 중심으로 일상적인 생활이 이루어지는 범위로, 중심 도시로의 통근·통학이 가능한 일일 생활권이다. 위성 도시는 대도시 주변에서 대도시의 일부 기능을 분담하는 도시이다. 중심 도시는 대도시권의 중심지 역할을 하며, 그 내부는 여러 기능이 기능별로 집적하고 서로 다른 기능은 분리되어 여러 지역으로 세분화된다. ⑤ 대도시권의 공간적 범위는 중심 도시로 통근할 수 있는 지역까지이므로, 교통이 발달할수록 통근 가능권의 범위는 더욱 확대된다.

6일 서술형·사고력 테스트 / 창의·융합·코딩 테스트 50~53쪽

1~7 해설 참조 **8** ④ **9** (1) (가) – ㄱ, (나) – ㄹ, (2) (가) – 현무암, (나) – 화강암 **10** (1) 북태평양 기단 (2) 해설 참조
11 (다) – (라) – (나) – (가)

1 『택리지』와 『신증동국여지승람』의 특성 비교

(1) (가)-신증동국여지승람, (나)-택리지

(2) 모범 답안 『신증동국여지승람』은 조선 전기에 국가 주도로 편찬된 관찬 지리지로, 통치에 필요한 다양한 자료를 항목별로 묶어 백과사전식으로 기술하였다. 『택리지』는 조선 후기에 실학자 이중환이 저술한 사찬 지리지로, 특정 주제를 종합적이고 체계적으로 고찰하여 설명식으로 기술하였다.

핵심 단어 조선 전기, 조선 후기, 국가, 이중환(개인), 백과사전식, 설명식

채점 기준	구분
(가), (나) 지리지의 특징을 제시된 세 가지 측면에서 바르게 서술한 경우	상
(가), (나) 지리지의 특징을 제시된 세 가지 측면 중 두 가지만 활용하여 서술한 경우	중
(가), (나) 지리지의 특징을 제시된 세 가지 측면 중 한 가지만 활용하여 서술한 경우	하

2 자연 제방과 배후 습지의 특성 비교

(1) A-배후 습지, B-자연 제방

(2) 모범 답안 자연 제방은 배후 습지에 비해 해발 고도가 높고 퇴적 물질의 평균 입자 크기가 크며 배수가 양호하다.

핵심 단어 자연 제방, 배후 습지, 해발 고도, 퇴적 물질, 배수

채점 기준	구분
A 지형과 비교한 B 지형의 특징을 제시된 조건 세 가지를 모두 활용하여 바르게 서술한 경우	상
A 지형과 비교한 B 지형의 특징을 제시된 조건 중 두 가지만 활용하여 서술한 경우	중
A 지형과 비교한 B 지형의 특징을 제시된 조건 중 한 가지만 활용하여 서술한 경우	하

3 서해안과 동해안의 특성 비교

모범 답안 서해안(가)은 섬이 많고 해안선이 복잡한 리아스 해안을 이루며, 동해안(나)은 섬이 적고 해안선이 단조롭다.

핵심 단어 서해안, 동해안, 복잡함, 단조로움

채점 기준	구분
(가), (나) 해안의 특징을 모두 바르게 서술한 경우	상
(가), (나) 해안의 특징 중 한 가지만 바르게 서술한 경우	중
두 가지 모두 서술이 미흡한 경우	하

4 우리나라의 기온 특성

모범 답안 개마고원과 대관령 일대는 해발 고도가 높기 때문에 주변 지역에 비해 여름철 기온이 낮다.

핵심 단어 개마고원, 대관령 일대, 여름철 기온, 해발 고도

채점 기준	구분
여름철 기온 특성과 기후 요인을 모두 바르게 서술한 경우	상
여름철 기온 특성과 기후 요인 중 한 가지만 서술한 경우	중
두 가지 모두 서술이 미흡한 경우	하

5 관북 지방과 남부 지방의 전통 가옥 구조 비교

(1) 기온

(2) 모범 답안 겨울이 추운 관북 지방(가)에서는 폐쇄적인 가옥 구조가 나타나고, 여름이 무더운 남부 지방(나)에서는 개방적인 가옥 구조가 나타난다.

핵심 단어 관북 지방, 남부 지방, 겨울, 여름, 폐쇄적 가옥 구조, 개방적 가옥 구조

채점 기준	구분
(가), (나) 전통 가옥 구조가 나타나는 지역, 기후 특성, 가옥 구조의 특징을 모두 바르게 서술한 경우	상
(가), (나) 전통 가옥 구조가 나타나는 지역, 기후 특성, 가옥 구조의 특징 중 두 가지만 서술한 경우	중
(가), (나) 전통 가옥 구조가 나타나는 지역, 기후 특성, 가옥 구조의 특징 중 한 가지만 서술한 경우	하

6 기온 상승의 영향

모범 답안 여름은 길어지고, 겨울은 짧아질 것이다. 봄꽃 개화(단풍) 시기가 빨라질(늦어질) 것이다. 난대림(냉대림) 분포 면적이 확대(축소)될 것이다. 냉방(난방) 수요가 증가(감소)할 것이다. 난류성(한류성) 어족 어획량이 증가(감소)할 것이다. 농작물 재배 북한계선이 북상할 것이다. 등

채점 기준	구분
예상되는 현상을 세 가지 모두 바르게 서술한 경우	상
예상되는 현상을 두 가지만 서술한 경우	중
예상되는 현상을 한 가지만 서술한 경우	하

7 인구 공동화 현상

모범 답안 도심은 지대가 높기 때문에 주거 기능보다 상업·업무 기능이 집중하여 주간 인구가 많지만 야간에는 외곽의 주거 지역으로 귀가하면서 야간 인구(상주인구)가 감소하는 인구 공동화 현상이 나타난다.

핵심 단어 도심, 상업·업무 기능, 주거 기능, 주간 인구, 야간 인구(상주 인구)

채점 기준	구분
제시된 용어를 모두 포함하여 서술한 경우	상
제시된 용어 중 일부만 포함하여 서술한 경우	중
제시된 용어를 활용하지 않고 서술한 경우	하

8 대동여지도 읽기

읍치에서 도로를 따라 50리 정도의 거리에 있는 역참을 찾는다.(도로에 10리마다 방점이 찍혀 있음.) 역참의 남쪽에(지도의 위쪽이 북쪽, 아래쪽이 남쪽임.) 배가 다닐 수 없는 하천이 있는지 확인하고,(항해가 불가능한 하천은 단선으로 표현되어 있음.) 그 하천의 건너편에 있는 지점을 찾는다. 마지막으로 읍치로부터 해당 지점까지 오는 길에 산지가 없는지 확인한다.(산지는 굵기를 달리하여 곡선으로 표현되어 있음.) 이러한 조건을 모두 만족하는 지점은 지도의 D이다.

9 우리나라의 다양한 지형

(가)는 용암 동굴(ㄱ)로, 주된 기반암은 현무암이다. (나)는 돌산(ㄹ)으로, 주된 기반암은 화강암이다.

10 기후와 관련된 용어

(1) ㉠은 도심 열섬 현상, ㉡은 여름, ㉢은 꽃샘추위, ㉣은 터돋움집, ㉤은 정주간이다. 글자판에서 해당 글자를 지우고 남은 여섯 글자로 만들 수 있는 용어는 '북태평양 기단'이다.

(2) 모범 답안 북태평양 기단은 저위도 해양에 위치하여 고온 다습하며, 주로 여름철 무더위, 장마 등에 영향을 미친다.

핵심 단어 북태평양 기단, 고온 다습, 여름, 무더위, 장마

채점 기준	구분
(1)의 용어를 쓰고, 그 특징을 두 가지 모두 서술한 경우	상
(1)의 용어를 쓰고, 그 특징을 한 가지만 서술한 경우	중
(1)의 용어만 쓴 경우	하

11 지역 조사 과정

(가)는 보고서 작성, (나)는 지리 정보 분석, (다)는 조사 계획 수립, (라)는 지리 정보 수집 단계 중 실내 조사에 해당한다. 따라서 지역 조사 과정을 순서대로 나열하면 (다)-(라)-(나)-(가)이다.

정답

7일 학교 시험 기본 테스트 1회 54~57쪽

1 ④ 2 ② 3 ③ 4 ① 5 화강암 6 ③ 7 ②
8 ④ 9 ② 10 ② 11 ② 12 ③ 13 ① 14 ③
15 ② 16 ④ 17 ③ 18 종주 도시화 19 ④ 20 ①

1 우리나라의 위치 특성

위도는 기후와 식생 분포, 계절 등에 영향을 미치고, 경도는 국가의 표준시 결정에 영향을 미친다. 우리나라는 위도상으로 북위 33°~43°의 중위도에 위치하여 사계절이 뚜렷한 냉·온대 기후가 나타난다. 경도상으로는 동경 124°~132°에 위치하며, 동경 135°를 표준 경선으로 사용하여 우리나라의 표준시는 본초 자오선(경도 0°)이 지나는 영국보다 9시간 빠르다. 또한 우리나라는 유라시아 대륙 동안에 위치(지리적 위치)하여 계절풍의 영향을 많이 받는다. ④ 관계적 위치는 주변 국가와의 관계에 따라 변하는 상대적 특징을 가진다. 반면 수리적 위치와 지리적 위치는 변하지 않는 절대적 특징을 가진다.

2 우리나라의 영해

영해의 범위는 일반적으로 기선에서 12해리까지이다. 기선은 영해의 범위를 설정하기 위한 기준이 되는 선으로 통상 기선과 직선 기선이 있다. 해안선이 단조롭거나 섬이 해안에서 멀리 떨어져 있는 경우에는 최저 조위선(바닷물이 가장 많이 빠진 썰물 때의 해안선)이 기준이 되는 통상 기선을 적용한다. 해안선의 출입이 복잡하거나 섬이 많은 경우에는 해안의 끝이나 최외곽 섬을 직선으로 연결한 직선 기선을 적용한다.

선택지 바로 보기

① A에서의 기선은 최저 조위선을 기준으로 한다. (×)
→ 서해안에 위치한 A 지점에서는 직선 기선을 적용함.

② B는 영해 기선의 안쪽에 위치하는 내수이다. (○)
→ 내수는 영해 기선으로부터 육지 쪽의 바다임.

③ B에서 간척 사업이 이루어지면 영해가 확대된다. (×)
→ 내수에서 간척 사업이 이루어지더라도 최외곽 도서를 기준으로 기선이 설정되므로 영해의 범위는 변화가 없음.

④ C에서의 영해 설정 기준은 울릉도, 독도와 동일하다. (×)
→ 대한 해협에서는 직선 기선에서 3해리까지, 울릉도와 독도에서는 통상 기선에서 12해리까지를 영해로 설정함.

⑤ D에서 영해는 직선 기선으로부터 12해리까지이다. (×)
→ 해안선이 단조로운 동해안의 D 지점에서 영해는 통상 기선으로부터 12해리까지임.

3 「혼일강리역대국도지도」와 「천하도」의 특징

(가)는 「혼일강리역대국도지도」로, 현존하는 우리나라의 가장 오래된 세계 지도이다. (나)는 「천하도」로, 조선 중기 이후 민간에서 제작된 관념적인 세계 지도이다.

선택지 바로 보기

① 국가 주도로 제작되었다. (×)
→ 「혼일강리역대국도지도」는 국가 주도로, 「천하도」는 민간에서 제작됨.

② 아메리카 대륙이 표현되어 있다. (×)
→ 지리상 발견 시대 이전에 제작된 두 지도 모두 신대륙인 아메리카 대륙은 표현되어 있지 않음.

③ 중국 중심의 세계관이 반영되었다. (○)
→ 두 지도 모두 중국이 중심부에 표현되어 있어 중화사상이 반영되었음을 알 수 있음.

④ 조선 후기 실학사상의 영향을 받았다. (×)
→ 「혼일강리역대국도지도」는 조선 전기에, 「천하도」는 조선 중기 이후에 제작됨.

⑤ 상상 속의 국가와 지명이 표현된 관념적 세계 지도이다. (×)
→ 「천하도」에 대한 설명임.

4 지리 정보의 유형

지리 정보는 지리적 현상의 위치, 형태 등을 나타내는 공간 정보, 지역의 자연적·인문적 특성을 나타내는 속성 정보, 주변 지역과의 상호 관계를 나타내는 관계 정보로 나뉜다. ㉠은 마라도의 위도를 나타내므로 공간 정보, ㉡은 마라도의 자연적 특성을 나타내므로 속성 정보에 해당한다.

5 화강암의 특성

화성암은 마그마가 지표 위로 분출하여 형성된 화산암과 지하에 관입하여 형성된 심성암으로 분류된다. 화강암은 심성암의 한 종류로, 중생대에 형성된 화강암은 한반도 암석의 약 30%를 차지한다. 북한산은 중생대에 관입한 화강암이 지표에 드러나 형성된 돌산이다.

6 한반도의 지체 구조

지도의 A는 두만 지괴와 길주·명천 지괴, B는 평북·개마 지괴, C는 평남 분지, D는 경기 지괴, E는 옥천 습곡대, F는 영남 지괴, G는 경상 분지이다. (가)는 고생대 초에 형성된 조선 누층군, (나)는 고생대 말~중생대 초에 형성된 평안 누층군이다. 두 지층은 시·원생대에 형성된 안정 지괴 사이에서 고생대에 진행된 조륙 운동 과정(침강과 융기의 반복)에서 퇴적 작용이 일어나면서 만들어진 평남 분지(C), 옥천 습곡대(E)와 관련 있다.

7 경동성 요곡 운동과 지형 발달

신생대 제3기 경동성 요곡 운동은 동해안에 치우친 비대칭 융기 운동으로 함경·태백산맥 등의 1차 산맥, 고위 평탄면, 감입 곡류 하천, 하안 단구, 해안 단구 등 지반 융기와 관련된 지형 형성에 영향을 주었다. ② 용암 대지는 신생대 제3기 말~제4기 초 화산 활동의 영향으로 형성된 지형으로, 유동성이 큰 현무암질 용암이 열하 분출하여 기존의 골짜기나 분지를 메워 형성된 평평한 땅을 의미한다.

8 하안 단구의 특징

(가)는 등고선의 간격이 매우 조밀한 급경사의 산지 사이를 흐르는 하천 주변에서 등고선 간격이 주변보다 비교적 넓게 나타나는 것으로 보아 하안 단구임을 알 수 있다.

선택지 바로 보기

① 주로 논으로 이용된다. (×)
→ 비교적 지면이 평탄하고 침수의 위험이 낮아 마을이 형성되며 주로 밭농사가 이루어짐.

② 고도가 낮아 홍수 위험성이 높다. (×)
→ 현재의 하천보다 높은 곳에 위치해 있어 하천의 범람으로 인한 홍수 위험성이 상대적으로 낮음.

③ 주변 하천의 유로 변경이 활발하다. (×)
→ 주변 하천은 하천 중·상류에 형성된 감입 곡류 하천으로 하방 침식이 우세하여 유로 변경이 제한적임.

④ 둥근 모양의 자갈이나 모래가 발견된다. (○)
→ 과거 하천의 바닥이나 범람원이었으므로 단구면에서 하천이 흘렀던 흔적으로 둥근 모양의 자갈이나 모래가 발견됨.

⑤ 하천의 범람에 의한 퇴적 작용으로 형성되었다. (×)
→ 범람원에 대한 설명임. 하안 단구는 과거의 하천 바닥이나 범람원이 융기한 후 하방 침식을 받아 형성됨.

9 석호의 특징

후빙기 해수면 상승 이전에 골짜기였던 곳에 후빙기 해수면 상승으로 바닷물이 들어와 만이 형성되고 만의 입구를 사주가 가로막아 석호가 형성된다. 석호는 주로 동해안에 발달되어 있다. 큰 하천이 유입하는 서·남해안에서는 공급되는 퇴적 물질의 양이 많아 석호가 발달하기 어렵다.

오답 피하기

을. 호수로 흘러드는 하천의 운반 물질이 퇴적되어 시간이 지날수록 면적이 축소되고 수심이 얕아진다. 정. 석호는 바다와 완전히 분리된 호수는 아니므로 일부 해수가 드나든다. 따라서 석호의 물은 담수보다 염도가 높으므로 농업용수로 사용할 수 없다.

10 울릉도와 제주도의 화산 지형

(가) 울릉도는 점성이 큰 조면암질 용암이 분출하여 형성된 종상 화산으로, 섬 중앙에 분화구가 함몰되어 형성된 칼데라 분지(나리 분지)가 있다. (나) 제주도는 전체적으로 점성이 작은 현무암질 용암이 분출하여 형성된 순상 화산으로, 소규모 용암 분출이나 화산 쇄설물의 퇴적으로 형성된 기생 화산(오름)이 곳곳에 분포한다. 제주도에서는 기반암의 특성상 절리가 잘 발달하여 지표수가 부족하므로 밭농사가 주로 이루어진다. 울릉도와 제주도 모두 신생대 화산 활동에 의해 형성되었다. ② 유동성이 큰 용암이 열하 분출하여 형성된 지형은 용암 대지로, 철원 일대에서 볼 수 있다.

자료 분석 + 울릉도와 제주도의 지형도

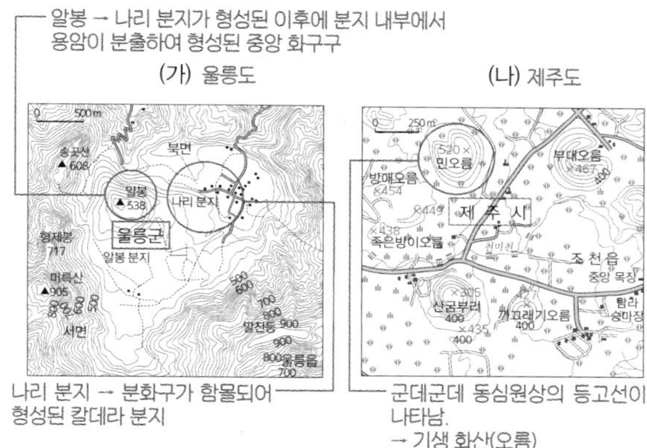

11 카르스트 지형의 특징

A는 석회암이 빗물이나 지하수에 의해 용식 작용을 받아 형성된 와지인 돌리네, B는 서로 다른 돌리네(A)가 결합하여 만들어진 우발레이다. 돌리네 내부에는 두꺼운 토양층이 형성되며, 기반암인 석회암에 절리가 잘 발달하고 물이 빠지는 구멍(싱크홀)이 있어 배수가 양호하므로 대부분 밭으로 이용된다. C는 석회 동굴 내부의 천장에서 탄산칼슘이 침전되어 형성된 종유석이다. 카르스트 지형의 주된 기반암인 D 암석은 주로 고생대 조선 누층군에 분포하는 석회암이다.

오답 피하기

ㄴ. 화구의 함몰로 형성된 분지는 칼데라 분지로, 울릉도의 나리 분지가 대표적이다. ㄷ. 기반암의 차별 침식으로 형성된 지형으로는 침식 분지가 있다.

12 우리나라의 다설지

울릉도와 소백산맥 서사면은 북서 계절풍의 영향으로 눈이 많이 내리는 지역이며, 강원도 영동 산간 지역은 북동 기류의 영향으로 눈이 많이 내리는 지역이다.

13 우리나라에 영향을 미치는 기단

(가)는 시베리아 기단, (나)는 오호츠크해 기단, (다)는 적도 기단, (라)는 북태평양 기단이다. 갑. 꽃샘추위는 초봄에 세력이 약화되었던 시베리아 기단이 일시적으로 확장하여 기온이 내려가는 현상이다. 을. 높새바람은 늦봄에서 초여름 사이에 오호츠크

해 기단의 영향으로 부는 북동풍으로, 태백산맥을 넘으면서 고온 건조한 바람으로 변하여 영서 지방에 가뭄 피해가 발생하기도 한다.

오답 피하기

병. 심한 사온 현상은 시베리아 기단의 주기적인 발달과 쇠퇴로 인해 추위가 심한 날과 덜한 날이 반복적으로 일어나는 현상이다. 정. 장마 전선은 오호츠크해 기단과 북태평양 기단이 만나 형성된다. 적도 기단의 영향으로 발생하는 기후 현상은 태풍이다.

14 기후와 주민 생활

김장 문화와 온돌은 겨울철 추위에 대비한 주민 생활 모습이고, 염장 식품과 모시나 삼베로 만든 옷은 여름철 더위에 대비한 주민 생활 모습이다. ③ 저수지와 보는 홍수나 가뭄에 대비한 시설로 강수와 관련 있다.

15 자연재해의 특징

제시된 행동 요령은 짧은 시간에 많은 양의 눈이 내리는 현상인 대설(폭설)과 관련 있는 내용이다. 대설 발생 시 눈이 쌓여 다져지거나 얼어 빙판길이 나타나는 곳이 많으므로 운전자와 보행자 모두 미끄러지지 않도록 조심해야 한다.

16 지구 온난화의 영향

그래프를 보면 우리나라의 연평균 기온이 꾸준히 상승하고 있음을 알 수 있다. ㄴ. 연평균 기온이 상승하면 겨울 기간이 짧아져 봄 시작일이 빨라지므로 벚꽃과 같은 봄꽃의 개화 시기가 빨라질 것이다. ㄹ. 연평균 기온이 올라가 빙하가 녹으면 해수면이 상승하여 해안 저지대의 침수 피해가 증가할 것이다.

오답 피하기

ㄱ. 난방 전력 사용량은 감소하고, 냉방 전력 사용량은 증가할 것이다. ㄷ. 겨울 시작일이 늦어지므로 첫서리가 내리는 날이 늦어질 것이다.

17 촌락의 형태

촌락은 주민 대부분이 1차 산업에 종사하며, 자연환경과 전통문화가 잘 보존된 지역이다. 촌락은 가옥의 밀집도에 따라 가옥이 밀집하여 분포하는 집촌과 가옥이 흩어져 분포하는 산촌으로 구분된다. 집촌은 산촌에 비해 협동 노동에 유리하며, 산촌은 집촌에 비해 가옥과 경지의 결합도가 높아 경지 관리에 효율적이다. ③ 촌락은 기능에 따라 농촌, 어촌, 산지촌 등으로 구분된다.

18 우리나라의 도시 체계

우리나라는 서울을 중심으로 한 수직적 도시 체계를 이루고 있다. 서울 다음으로는 부산, 인천, 대구, 대전, 광주, 울산 등의 광역시, 그다음으로는 시·군 중심지 등이 계층을 이루며 상호 의존하면서 배열되어 있다. 우리나라는 수위 도시인 서울을 중심으로 인구와 각종 기능이 집중되어 종주 도시화 현상이 나타나고 있다. 종주 도시화 현상은 인구 규모 1위 도시의 인구가 2위 도시의 인구보다 2배 이상이 되는 도시 간 불균형 상태를 말한다.

자료 분석 + 인구 성장에 따른 도시 순위 변화

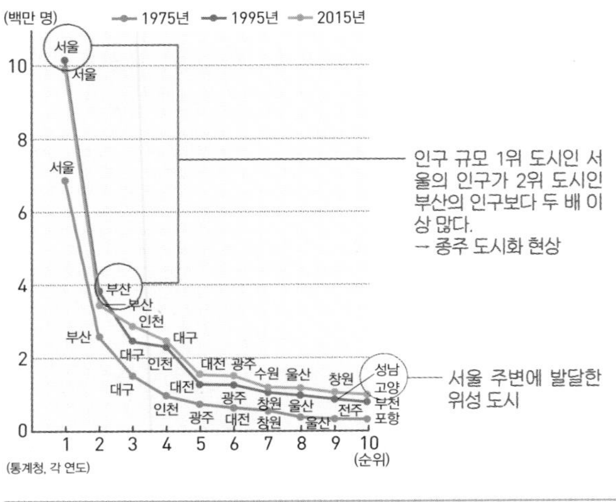

19 서울의 도시 내부 구조

주간 인구 지수는 주간 인구를 야간 인구(상주인구)로 나눈 후 100을 곱한 비율로, 주간 인구가 야간 인구보다 많으면 100 이상, 야간 인구가 주간 인구보다 많으면 100 이하이다. 서울의 중심부에 위치한 A 지역은 주간 인구 지수가 120 초과이므로 상업·업무 기능이 발달한 도심이라는 것을 알 수 있다. 서울의 외곽에 위치한 B 지역은 주간 인구 지수가 90 미만이므로 주거 기능이 발달한 주변 지역이라는 것을 알 수 있다. ④ 주거 기능이 발달한 주변 지역은 상업·업무 기능이 발달한 도심보다 초등학교 학생 수가 많다.

오답 피하기

①, ②, ③, ⑤는 접근성이 높아 상업·업무 기능이 집중되어 있는 도심에서 높게 나타나는 항목이다.

20 대도시권의 확대

제시된 지도를 통해 수도권 지하철 노선이 수도권 주변 지역으로 점점 확대되고 있음을 알 수 있다. 교통수단의 발달과 광역 교통망의 확충으로 대도시로의 접근성이 높아져 거주지의 교외화가 확대되면서 대도시권의 범위가 광역화되고 있다. 또한 대도시 주변에 신도시가 건설되면서 대도시권이 더욱 확대되고 있다.

7일 학교 시험 기본 테스트 2회 58~61쪽

1 ④ **2** ⑤ **3** 풍수지리 **4** ① **5** ① **6** ② **7** ②
8 ③ **9** ④ **10** ② **11** ④ **12** ⑤ **13** 봄 **14** ③
15 ⑤ **16** ④ **17** ③ **18** ⑤ **19** ① **20** 신도시

1 우리나라의 위치 특성

을. 우리나라는 유라시아 대륙 동안에 위치하여 연교차가 큰 대륙성 기후가 나타난다. 정. 우리나라는 위도상으로 북위 33°~43°의 중위도에 위치하여 사계절이 뚜렷한 냉·온대 기후가 나타난다.

오답 피하기

갑. 우리나라의 표준 경선은 동경 135°이므로 독도의 동쪽을 통과한다. 병. 우리나라는 반도 국가로 대륙과 해양 양방향으로의 진출 및 교류에 유리하다.

더 알아보기 + 우리나라의 중앙 경선과 표준 경선

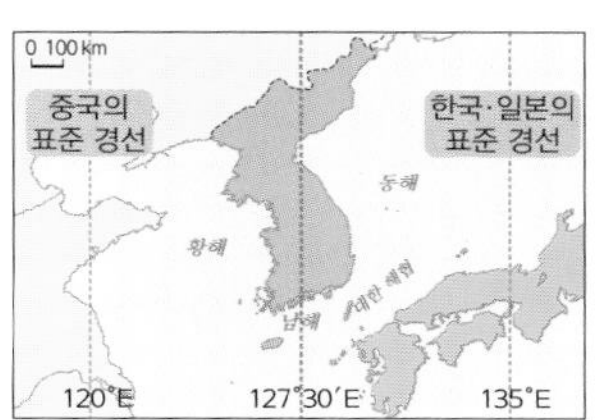

우리나라의 중앙 경선은 동경 127°30′이지만, 표준 경선은 동경 135°를 사용한다. 따라서 우리나라의 표준시는 실제 시각보다 30분 정도 빠르다.

2 독도의 특징

독도는 경상북도 울릉군 울릉읍 독도리 1~96번지에 위치하며, 울릉도에서 남동쪽으로 87.4km 떨어져 있어 맑은 날이면 육안으로 볼 수 있다. 주변 해역은 난류와 한류가 만나는 조경 수역으로 좋은 어장을 형성하고 있다. 독도는 512년 신라가 우산국을 편입하면서 우리나라 영토가 되었다. ⑤ 독도 주변 12해리까지의 해역은 우리나라의 영해이다.

더 알아보기 + 한일 중간 수역과 한중 잠정 조치 수역

우리나라와 일본, 중국은 배타적 경제 수역을 설정할 때 중복되는 수역이 발생한다. 이를 조정하기 위해 우리나라는 1998년 일본과 한일 어업 협정을 통해 중간 수역을 설정하였고, 2001년에는 중국과 한중 어업 협정을 통해 잠정 조치 수역을 설정하여 양국이 해당 수역의 어업 자원을 공동으로 보존·관리하고 있다.

3 풍수지리 사상

풍수지리 사상의 풍수는 장풍득수(藏風得水)의 줄인 말로, 바람을 막고 물을 얻는다는 뜻이다. 즉, 풍수지리 사상에서 말하는 명당은 일반적으로 배산임수 지역을 의미하며, 우리나라 곳곳의 배산임수 지역에 위치한 촌락의 모습을 통해 오늘날까지도 우리 생활에 영향을 미치고 있음을 알 수 있다.

4 통계 지도의 유형

(가)는 유선도, (나)는 단계 구분도이다. 통계 지도는 지리 정보를 점, 선, 색상, 도형 등을 이용하여 나타낸 지도로, 지리정보를 효과적으로 전달하는 수단 중 하나이다.

더 알아보기 + 통계 지도의 유형

점묘도	통계 값을 일정한 단위의 점으로 환산하여 지리 현상의 분포를 표현한 지도 예 백화점 분포, 인구 분포
등치선도	통계 값이 같은 지점을 선으로 연결하여 표현한 지도 예 연평균 기온, 단풍 시작일 등
유선도	사람, 물자 등의 이동을 화살표의 방향과 굵기로 표현한 지도 예 인구 이동, 항공기 운항 편수 등
단계 구분도	등급을 나눌 수 있는 자료를 색상 등 유형을 달리하여 표현한 지도 예 인구 밀도, 경지 이용률 등
도형 표현도	도형의 크기를 달리하여 자료의 공간적 차이를 표현하거나 도형을 세분화하여 두 가지 이상의 지리 정보를 한 번에 표현한 지도 예 1·2·3차 산업 생산액 등

5 한반도의 지체 구조

시·원생대에 형성되었고 변성암(편마암)이 분포하며 지반이 견고한 편인 지체 구조는 평북·개마 지괴, 경기 지괴, 영남 지괴이다.

6 빙기와 후빙기의 특징

(가)는 빙기, (나)는 후빙기이다. ② 빙기에는 해수면이 하강하였고, 후빙기에는 해수면이 상승하였다.

자료 분석 + 기후 변화에 따른 지형 형성 작용

(가) 빙기
상류부 — 식생 빈약, 물리적 풍화 작용 활발, 하천 유량 ↓ → 퇴적 작용 활발
해수면 하강 (침식)
하류부
(나) 후빙기
온난 습윤 기후
해수면 상승 (퇴적) — 범람원, 삼각주 및 석호 발달
식생 발달, 화학적 풍화 작용 활발, 하천 유량 ↑ → 침식 작용 활발

정답

7 **1차 산맥과 2차 산맥의 특징**

(가)는 1차 산맥, (나)는 2차 산맥이다. 1차 산맥은 2차 산맥에 비해 평균 해발 고도가 높고, 형성 시기가 이르며, 산줄기의 연속성이 강하다.

8 **우리나라의 하천 지형**

우리나라의 큰 하천은 두만강을 제외하고 대부분 황해나 남해로 흐른다. 우리나라는 계절에 따라 강수 변동이 크기 때문에 하천의 유량 변동도 큰 편이다. ⓒ 조차가 큰 황해나 남해로 흐르는 하천의 하구에서는 밀물 시 바닷물이 유입되는 감조 구간이 나타나 염해를 입기 쉬운데 이러한 하천을 감조 하천이라고 한다.

9 **해안 단구의 특징**

(가)는 현재의 해수면보다 높은 곳에 등고선 간격이 넓게 나타나므로 해안 단구이다. 해안 단구는 과거 파식대가 지반의 융기나 해수면 변동에 의해 현재의 해수면보다 높은 곳에 위치하게 된 계단 모양의 지형으로, 지반 융기의 영향을 많은 받은 동해안에서 주로 볼 수 있다. 과거에 물이 드나들었던 곳이므로 단구면에서 둥근 자갈이 발견되기도 하며, 주변 지역보다 평탄하여 농경지, 교통로 등으로 이용된다. ④ 비교적 고도가 높은 곳에 위치하여 바닷물에 의해 침수될 위험성이 낮다.

10 **석회암의 분포**

지도에 표시된 지역을 보면 한반도의 지체 구조 중 고생대에 형성된 조선 누층군(평남 분지와 옥천 습곡대)이 분포하는 위치와 대체로 일치한다. 따라서 지도는 석회암의 분포를 나타낸 것임을 알 수 있다. 석회암이 분포하는 지역에 발달하는 지형은 카르스트 지형으로 돌리네, 우발레, 석회 동굴 등을 볼 수 있다.

더 알아보기 + **한반도의 지체 구조**

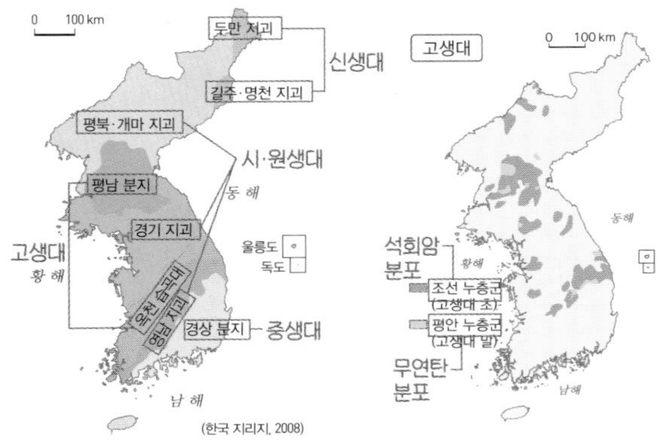

▲ 한반도의 지체 구조 ▲ 고생대의 지체 구조

11 **용암 동굴과 석회 동굴의 특징**

(가)는 용암 동굴, (나)는 석회 동굴이다. ㄱ. 용암 동굴은 유동성이 큰 현무암질 용암이 흐를 때, 공기에 노출된 바깥 부분은 굳고 안쪽 부분은 굳지 않고 사면을 타고 흘러내려 빈 공간이 생기면서 만들어진다. ㄴ. 석회 동굴의 내부에는 탄산칼슘이 침전되어 종유석, 석순, 석주 등이 발달한다. 천장에서 고드름처럼 발달한 것을 종유석, 바닥에서 원뿔 모양으로 솟아오른 것을 석순, 종유석과 석순이 연결되어 기둥처럼 된 것을 석주라고 한다. ㄹ. 용암 동굴과 석회 동굴은 모두 독특한 지형 경관으로 인해 관광 자원으로 활용되고 있다.

오답 피하기

ㄷ. 용암 동굴의 기반암은 주로 신생대에 형성된 현무암이고, 석회 동굴의 기반암은 주로 고생대 초기에 형성된 석회암이다.

12 **우리나라의 기후 특성**

기후는 일정한 장소에서 오랜 기간에 걸쳐 나타나는 대기의 종합적이고 평균적인 상태를 의미한다.

선택지 바로 보기

① ㉠은 특정 지역에서 매일 나타나는 기상 현상을 말한다. (×)
→ 날씨에 대한 설명임.

② ㉡에는 위도, 수륙 분포, 지형, 해발 고도 등이 있다. (×)
→ 기후 요인에 해당함.

③ ㉢에는 기온, 강수, 바람 등이 있다. (×)
→ 기후 요소에 해당함.

④ 우리나라에서 ㉣은 대체로 북부 지방에서 남부 지방으로 갈수록 커진다. (×)
→ 우리나라에서 기온의 연교차는 북에서 남으로 갈수록 작아짐.

⑤ 우리나라는 ㉤의 영향으로 겨울에는 한랭 건조하고, 여름에는 고온 다습하다. (○)
→ 겨울에는 대륙으로부터 불어오는 북서 계절풍으로 인해 한랭 건조하고, 여름에는 해양으로부터 불어오는 남동·남서 계절풍으로 인해 고온 다습함.

13 **봄의 기후 특성**

꽃샘추위, 건조한 날씨, 황사 현상 등은 봄에 나타나는 기후 특성이다.

14 **기온과 주민 생활**

식물이 자라기 어려운 겨울철 환경을 극복하기 위해 김장 문화가 발달하였다. 김장은 겨울이 오기 직전에 하므로 김장 시기는 북쪽이 빠르고 남쪽으로 갈수록 늦다. 또한 겨울이 추운 북부 지방의 김치는 싱겁고 고춧가루를 적게 사용하는 반면 상대적으로 따뜻한 남부 지방은 김치가 쉽게 시어지므로 짜고 매운 편이다.

15 기후 변화의 대책

인간은 지역과 국가를 초월하여 현재와 미래의 세대를 위해서 기후 변화에 적극적으로 대응해야 한다. 국제적 차원에서는 기후 변화 협약 가입 및 국제 협약을 이행할 수 있는 제도적 준비가 필요하다. 국가적 차원에서는 배출권 거래제를 도입하고 자원 절약형 산업을 육성하는 등 온실가스 감축을 위한 전략이 필요하다. 개인적 차원에서는 대중교통을 이용하고, 친환경 및 에너지 효율이 높은 제품을 이용하는 등 일상생활에서 에너지를 절약하는 노력으로 기후 변화에 대응할 필요가 있다.

16 우리나라의 식생 분포

식생이란 지표를 덮고 있는 식물 집단으로 주로 기후의 영향을 받아 분포 지역이 달라지는데 위도의 변화에 따른 수평적 분포와 산지의 해발 고도에 따른 수직적 분포로 나타난다.

선택지 바로 보기

① 온대림보다 냉대림의 분포 면적이 넓다. (×)
→ 고산 지대를 제외한 우리나라 대부분의 지역에 분포하는 온대림의 분포 면적이 가장 넓음.

② 남부 지방에는 냉대림이 분포하지 않는다. (×)
→ 남부 지방의 일부 고산 지역에 냉대림이 분포함.

③ 백두산은 한라산보다 식생의 수직적 분포가 뚜렷하다. (×)
→ 한라산은 식생의 수직적 분포가 가장 뚜렷하게 나타남.

④ 울릉도의 해발 고도가 낮은 곳에는 난대림이 분포한다. (○)
→ 울릉도의 저지대에 난대림이 분포함.

⑤ 고위도로 갈수록 냉대림이 분포하는 고도의 하한선이 높아진다. (×)
→ 고위도로 갈수록 기온이 낮아지므로 냉대림이 분포하는 고도의 하한선이 낮아짐.

17 촌락의 변화

ㄴ. 대도시와 인접한 촌락에서는 도시의 영향을 받아 공장, 아파트 등 도시적 경관이 증가했다. ㄷ. 도시에서 멀리 떨어진 촌락에서는 청장년층 중심으로 인구가 유출되면서 인구의 고령화로 인해 노동력 부족 문제가 발생했다.

오답 피하기

ㄱ. 대도시와 인접한 촌락에서는 1차 산업 종사자 비율은 감소하고, 2·3차 산업 종사자 비율은 증가했다. ㄹ. 도시에서 멀리 떨어진 촌락에서는 청장년층 인구 유출에 따라 출산율이 감소하여 유소년층 인구도 감소하였다. 이로 인해 초등학생 수가 감소하여 폐교가 증가하고 있다.

18 우리나라의 도시 분포 변화

1960년과 2015년 도시 분포를 비교해 보면 도시 수와 도시 인구 모두 증가하였음을 알 수 있다. 두 시기 모두 인구가 가장 많은 수위 도시는 서울이며, 도시 수와 도시 인구 모두 서울-부산 축을 중심으로 눈에 띄게 성장하였다. 서울, 부산, 대구 등 대도시 주변에는 신도시의 성장이 두드러진다. ⑤ 중소 도시에 비해 대도시의 인구 성장이 뚜렷하다.

19 이심 현상

자료는 서울의 학교 이전을 나타낸 것이다. 대도시는 도시 성장 과정에서 도심에서 주변 지역으로 학교가 이전하는 현상이 나타난다. 학교가 대도시의 도심에서 주변 지역으로 이전하는 것은 주거 기능의 이심 현상으로 주거 단지가 주변 지역에 조성되면서 도심의 학생 수가 감소하였기 때문이다.

오답 피하기

②, ③, ④, ⑤는 지대 지불 능력이 높아 접근성이 높은 도심에 집중하는 상업·업무 기능이다.

20 신도시의 특징

신도시는 계획적으로 개발된 새로운 주거지로, 우리나라의 신도시는 1980년대 후반 이후 대규모 주택 단지를 조성하여 서울의 주택 문제를 해결하기 위해 건설되었다.

더 알아보기 + 수도권의 신도시 분포와 교통망 확충

대도시 주변에 주로 주거 기능을 담당하는 1기·2기 신도시가 건설되면서 주민들의 출퇴근 편의를 위해 지하철, 고속 국도 등 광역 교통망이 확충되어 대도시권이 더욱 확대되고 있다.

핵심 용어 풀이

01 본초 자오선 | 근본 本, 처음 初, 첫째 지지 子, 일곱째 지지 午, 선 線

경도 측정의 기준이 되는 자오선으로 영국의 그리니치 천문대를 지나는 경도 ❶ [ ]° 선

답 ❶ 0

예 1 우리나라는 본초 자오선이 지나는 영국의 표준시보다 9시간 빠르다.

02 영역 | 거느릴 領, 나라 域

한 국가의 ❶ [ ]이 미치는 공간적 범위로 영토, 영해, 영공으로 구성됨.

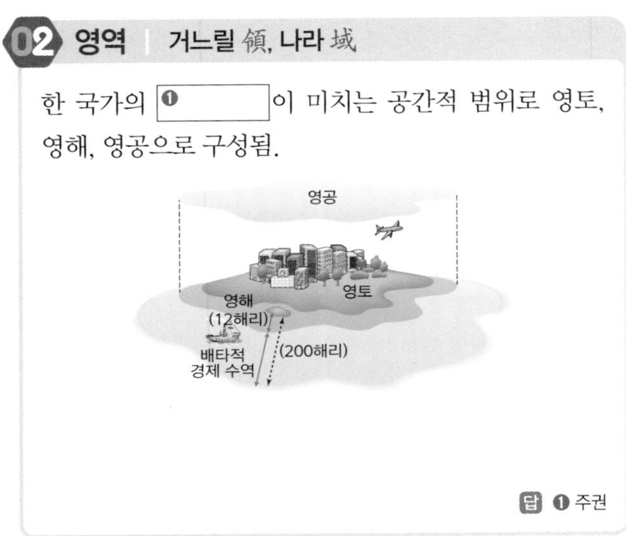

답 ❶ 주권

예 1 영역은 국민의 안전을 보장받을 수 있는 생활 터전으로 국가를 구성하는 기본 요소이다.

예 2 영역은 국가의 독립성과 정체성을 형성하는 중요한 요소이며, 타 국가와의 관계 유지에도 매우 중요하다.

03 배산임수 | 등질 背, 뫼 山, 임할 臨, 물 水

뒤로는 ❶ [ ]을 등지고 앞으로는 ❷ [ ]을 바라보는 형태의 입지

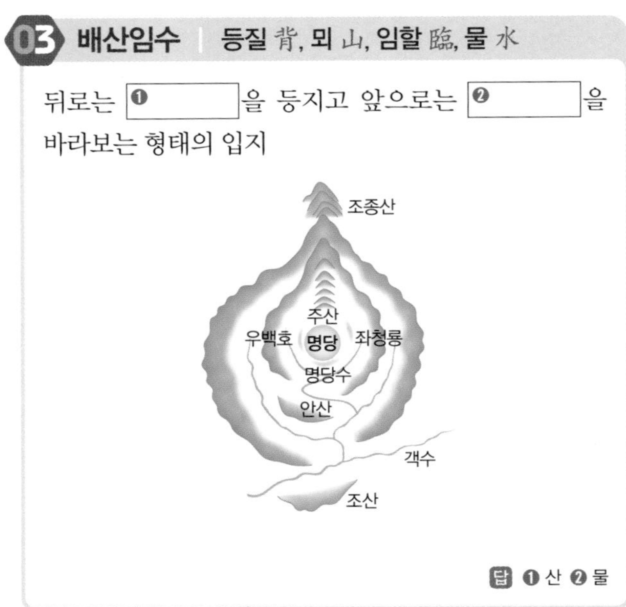

답 ❶ 산 ❷ 물

예 1 전통 촌락은 주로 차가운 북서풍을 차단하고 각종 용수를 얻을 수 있는 배산임수 지역에 입지하였다.

04 대동여지도 | 클 大, 동녘 東, 수레 輿, 땅 地, 그림 圖

조선 후기 실학사상의 영향을 받아 ❶ [ ]가 제작한 우리나라 지도

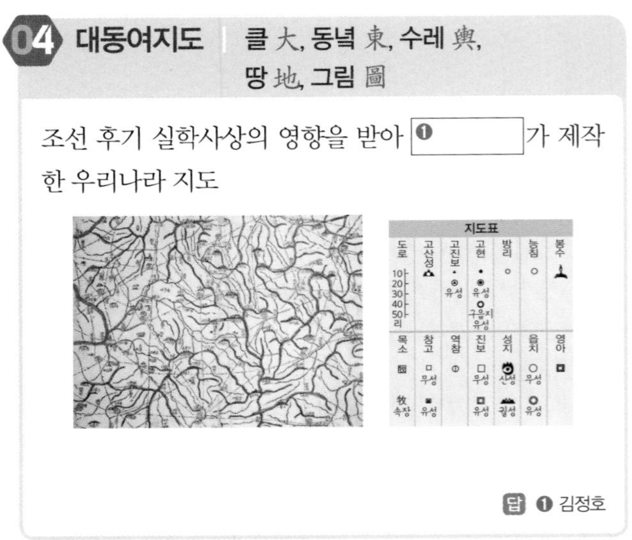

답 ❶ 김정호

예 1 대동여지도는 조선 후기까지 축적된 지도 제작 기술을 집대성한 최고의 걸작으로 평가받고 있다.

예 2 대동여지도는 오늘날 기호에 해당하는 지도표를 사용하여 지도에 다양한 정보를 담았다.

05 지리 정보 시스템 | GIS: Geographic Information System

다양한 ❶ ______를 수치화하여 컴퓨터에 입력·저장하고, 사용자의 요구에 따라 가공·분석·처리하여 다양하게 표현해 주는 종합 정보 시스템

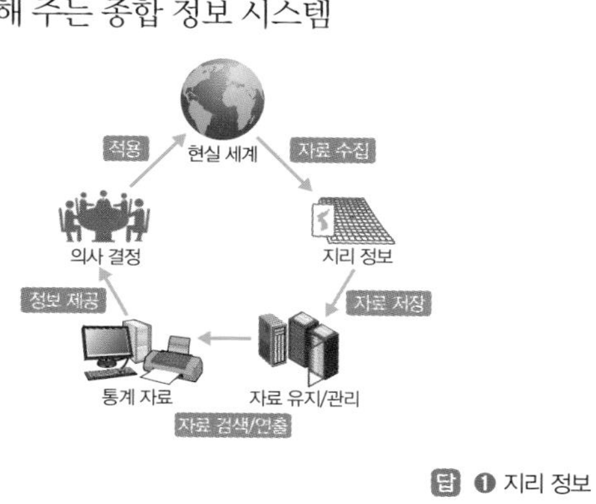

답 ❶ 지리 정보

예 1 지리 정보 시스템은 중첩 분석 등을 통해 각종 시설물의 입지를 선정할 수 있다.

06 경동 지형 | 기울 傾, 움직일 動, 땅 地, 모양 形

한쪽은 높고 급한 면을 이루고, 다른 한쪽은 낮고 완만한 면을 이루는 ❶ ______ 지형

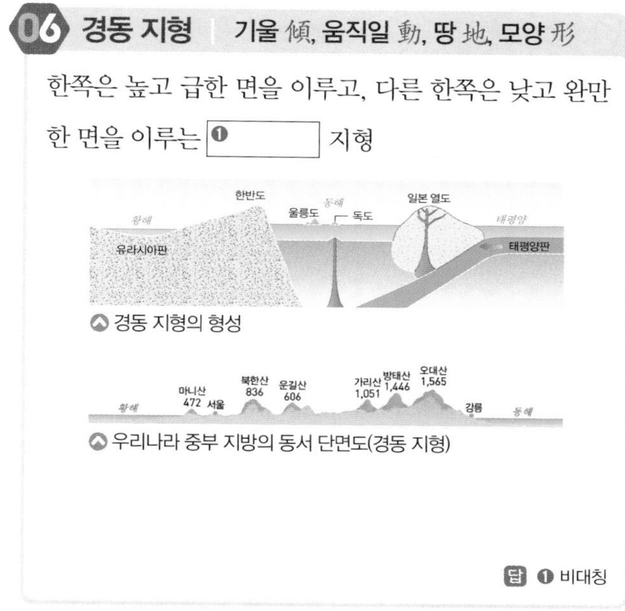

경동 지형의 형성

우리나라 중부 지방의 동서 단면도(경동 지형)

답 ❶ 비대칭

예 1 한반도는 신생대 제3기 경동성 요곡 운동으로 인하여 동서가 비대칭적인 경동 지형을 이루고 있다.

07 고위 평탄면 | 높을 高, 자리 位, 평평할 平, 평탄할 坦, 낯 面

오랜 기간 침식을 받아 평탄해진 땅이 신생대 제3기 ❶ ______ 과정에서 융기하여 해발 고도가 높은 곳에 위치한 지형

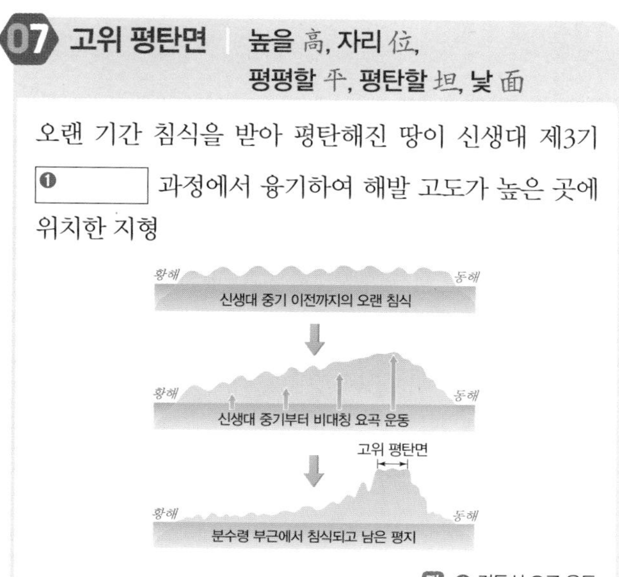

답 ❶ 경동성 요곡 운동

예 1 고위 평탄면은 경동성 요곡 운동으로 융기하기 이전의 한반도가 평탄했음을 알려 주는 대표적인 지형이다.

08 감입 곡류 하천 | 산골짜기 嵌, 들 入, 굽을 曲, 흐를 流, 물 河, 내 川

하천의 ❶ ______ 지역에서 ❷ ______ 사이를 곡류하며 흐르는 하천

감입 곡류 하천(강원도 정선군)

답 ❶ 중·상류 ❷ 산지

예 1 감입 곡류 하천은 신생대 제3기 경동성 요곡 운동으로 인하여 하천의 하방 침식이 우세하게 진행되어 발달하였다.

핵심 용어

핵심 용어 풀이

09 침식 분지 | 잠길 浸, 좀먹을 蝕, 동이 盆, 땅 地

높은 산지로 둘러싸인 비교적 경사가 완만한 평지 지형으로, 암석의 ❶ [　　] 에 의해 형성됨.

시·원생대의 변성 퇴적암
중생대의 화강암 관입
충적층
변성암
화강암
변성암

답 ❶ 차별 침식

예 1 침식 분지는 일찍부터 주거지와 농경지로 이용되었으며, 지방 행정의 중심지로 발달한 경우가 많다.

10 범람원 | 넓을 汎, 넘칠 濫, 언덕 原

하천의 중·하류 지역에서 하천의 범람으로 운반 물질이 ❶ [　　] 되어 형성된 충적 평야

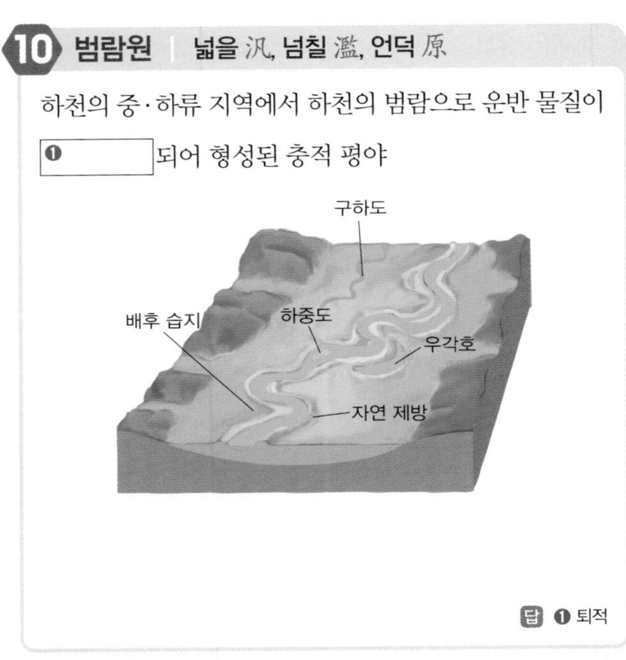

답 ❶ 퇴적

예 1 범람원은 대부분 자연 제방과 배후 습지로 구성되어 있다.

11 해안 단구 | 바다 海, 언덕 岸, 층계 段, 언덕 丘

과거의 파식대가 지반의 ❶ [　　] 나 해수면 변동에 의해 현재의 해수면보다 높은 곳에 위치하게 된 계단 모양의 지형

⌃ 해안 단구(강원도 강릉시)

답 ❶ 융기

예 1 해안 단구는 지반의 융기량이 많았던 동해안에서 특히 잘 나타난다.

예 2 해안 단구면은 지형이 평탄하므로 취락이 형성되거나 농경지, 교통로 등으로 이용된다.

12 석호 | 개펄 潟, 호수 湖

후빙기 해수면 ❶ [　　] 으로 형성된 만의 입구를 ❷ [　　] 가 막아 형성된 호수

⌃ 석호(강원도 강릉시)

답 ❶ 상승 ❷ 사주

예 1 동해안에 영랑호, 경포호 등의 석호가 발달해 있으며, 경치가 아름다워 관광 자원으로 이용되고 있다.

예 2 석호는 시간이 지날수록 하천에 의해 유입되는 퇴적 물질이 쌓여 수심이 얕아지고 면적이 축소된다.

13 갯벌

❶ [ ] 에 의해 가는 모래나 점토 등이 하천의 하구나 그 주변의 해안 지역에 퇴적되어 형성된 지형

갯벌(충청남도 태안군)

답 ❶ 조류

예 1 갯벌은 밀물 때는 바닷물에 잠기고 썰물 때는 물 위로 드러나는 지형이다.

예 2 조차가 큰 서해안과 남해안은 갯벌이 형성되기에 유리한 조건을 갖추고 있다.

14 주상 절리 | 기둥 柱, 형상 狀, 마디 節, 다스릴 理

화산 활동으로 분출된 ❶ [ ] 이 냉각되는 과정에서 수축되면서 형성된 다각형 기둥 모양의 절리

주상 절리(제주특별자치도 서귀포시)

답 ❶ 용암

예 1 철원 및 연천 일대의 한탄강 주변에는 용암이 식으면서 만들어진 주상 절리가 발달해 있다.

예 2 제주도에는 한라산 이외에도 기생 화산, 용암 동굴, 주상 절리 등 다양한 화산 지형이 분포한다.

15 카르스트 지형 | Karst, 땅 地, 모양 形

❶ [ ] 의 주성분인 탄산칼슘이 빗물과 지하수의 ❷ [ ] 작용을 받아 형성된 지형

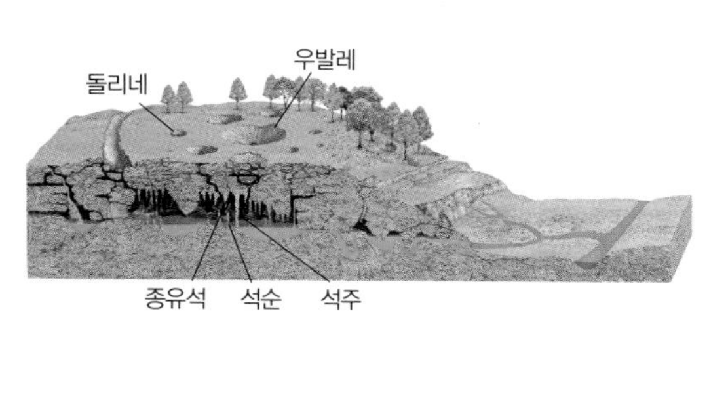

답 ❶ 석회암 ❷ 용식

예 1 카르스트 지형은 평안남도, 강원도 남부, 충청북도 북부, 경상북도 북부 일대에 분포하는 고생대 조선 누층군의 석회암 지대에 발달해 있다.

16 연교차 | 해 年, 견줄 較, 다를 差

일 년 중 ❶ [ ] 평균 기온과 ❷ [ ] 평균 기온의 차이

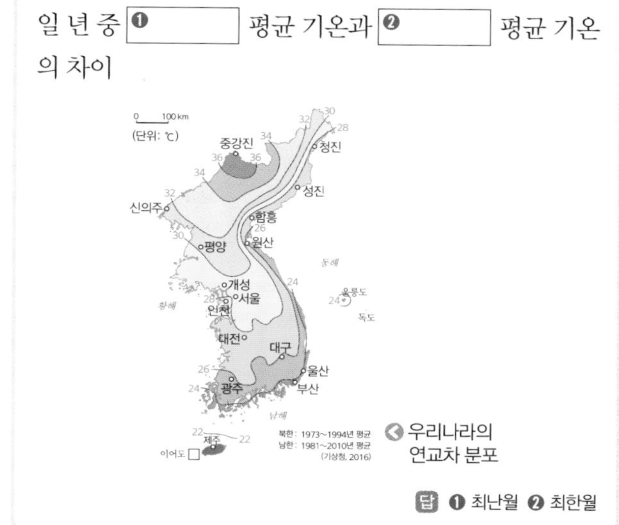

우리나라의 연교차 분포

답 ❶ 최난월 ❷ 최한월

예 1 우리나라는 유라시아 대륙의 동쪽에 위치하여 기온의 연교차가 큰 대륙성 기후가 나타난다.

핵심 용어 풀이

17 지형성 강수 | 땅 地, 모양 形, 성질 性, 내릴 降, 물 水

습한 공기가 산을 타고 올라갈 때 기온이 내려가면서 수증기로 응결되어 ❶ ______ 사면에서 내리는 비나 눈

답 ❶ 바람받이

예1 여름철 고온 다습한 남서 기류가 우리나라에 유입되면 비구름이 상승하는 바람받이 지역은 지형성 강수가 많이 내려 다우지를 이룬다.

18 높새바람

늦봄~초여름 사이 오호츠크해 고기압의 세력이 확장될 때 태백산맥을 넘어 불어오는 ❶ ______ 한 북동풍

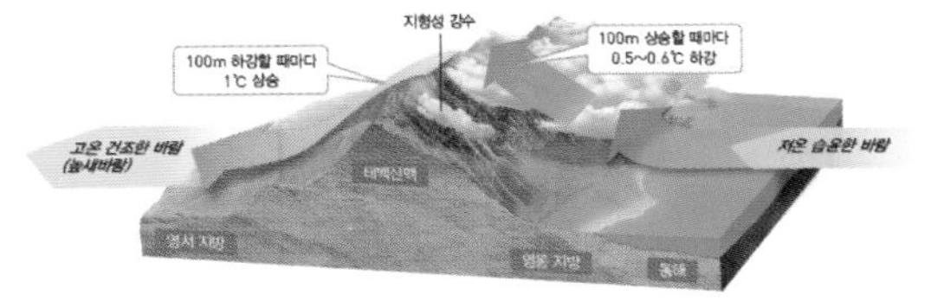

답 ❶ 고온 건조

예1 높새바람이 불면 영서와 경기 지방에서는 가뭄이나 이상 고온 현상이 나타나기도 한다.

19 기단 | 기운 氣, 둥글 團

넓은 지역에 걸쳐 있는, 수평 방향으로 거의 같은 성질을 가진 ❶ ______ 덩어리

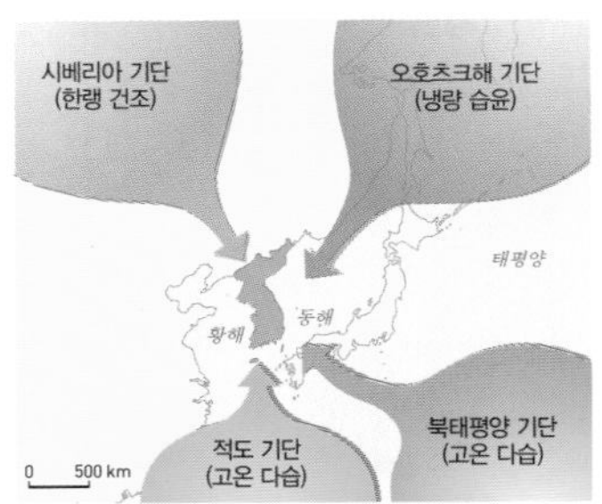

우리나라에 영향을 미치는 기단

답 ❶ 공기

예1 시베리아 기단은 겨울철에 영향을 미치고, 북태평양 기단은 한여름에 영향을 미친다.

20 우데기

❶ ______ 에서 눈이나 비바람 등을 막기 위해 가옥의 바깥쪽에 지붕의 처마 끝에서부터 땅에 닿는 부분까지 둘러치는 벽

울릉도의 전통 가옥

우데기 내부 모습

답 ❶ 울릉도

예1 울릉도 지역은 눈이 많이 내리면 실외 활동이 어렵기 때문에 가옥 내에서 이동과 활동이 이루어질 수 있는 공간을 확보하기 위해 우데기를 설치하기도 하였다.

21 자연재해 | 스스로 自, 그럴 然, 재앙 災, 해할 害

태풍, 가뭄, 홍수, 지진 등 피할 수 없는 ❶ [ ] 으로 인하여 인간 활동에 인적·물적 피해가 일어나는 것

가뭄으로 바닥을 드러낸 저수지 (경상북도 문경시, 2015.10.25.)

답 ❶ 자연 현상

예 1 자연재해는 홍수, 가뭄, 폭설, 태풍 등 기후적 요인의 자연재해와 지진, 화산 활동 등 지형적 요인의 자연재해로 구분된다.

22 지구 온난화 | 땅 地, 공 球, 따뜻할 溫, 따뜻할 暖, 될 化

지구의 평균 기온이 지속적으로 ❶ [ ] 하는 현상

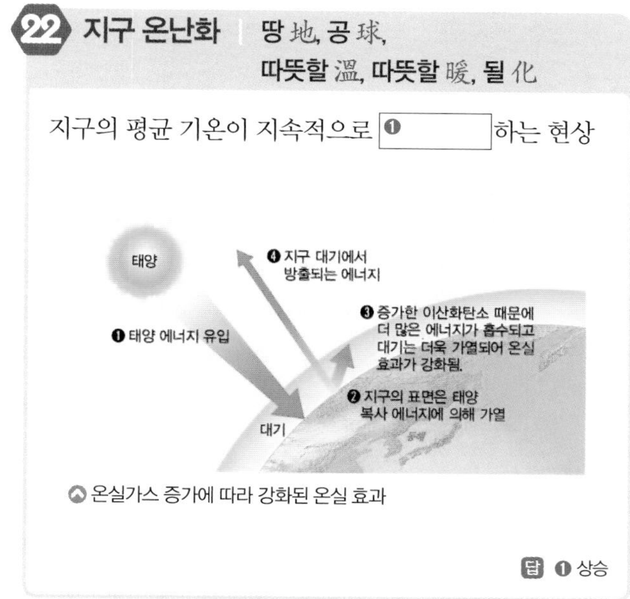

온실가스 증가에 따라 강화된 온실 효과

답 ❶ 상승

예 1 오늘날은 경제 및 인구 성장에 따른 인위적 온실가스 배출이 지구 온난화의 주요 원인으로 간주되고 있다.

23 도시화 | 도읍 都, 저자 市, 될 化

❶ [ ] 인구가 증가하고, ❷ [ ] 산업 종사자 비율이 높아지며, 도시적 생활 양식이 확대되는 현상

우리나라의 도시화율

답 ❶ 도시 ❷ 2·3차

예 1 우리나라는 1960년대 이후 경제 개발 정책과 공업화로 도시화가 급속하게 진행되면서 서울, 부산, 대구 등 대도시가 급성장하였다.

24 도시 체계 | 도읍 都, 저자 市, 몸 體, 맬 系

한 국가 또는 한 지역에 분포하는 도시 간의 기능적 상호 의존으로 형성되는 도시 간의 ❶ [ ] 질서

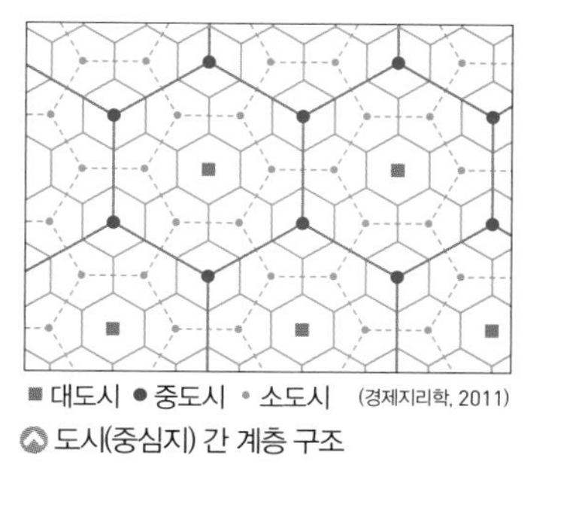

도시(중심지) 간 계층 구조

답 ❶ 계층

예 1 도시 체계에서 높은 계층의 도시일수록 그 수는 적지만 중심지 기능은 다양하므로 낮은 계층의 도시는 높은 계층의 도시에 기능적으로 의존한다.

핵심 용어 풀이

25 종주 도시화 | 마루 宗, 주인 主, 도읍 都, 저자 市, 될 化

인구 규모 1위 도시의 인구가 2위 도시의 인구보다 ❶ [　　] 배 이상이 되는 도시 간 불균형 상태

◀ 인구 성장에 따른 도시 순위 변화

답 ❶ 2

예 1 우리나라는 수위 도시인 서울을 중심으로 인구와 각종 기능이 집중하여 종주 도시화 현상이 나타나고 있다.

26 인구 공동화 현상 | 사람 人, 인구 口, 빌 空, 빌 洞, 될 化, 나타날 現, 모양 象

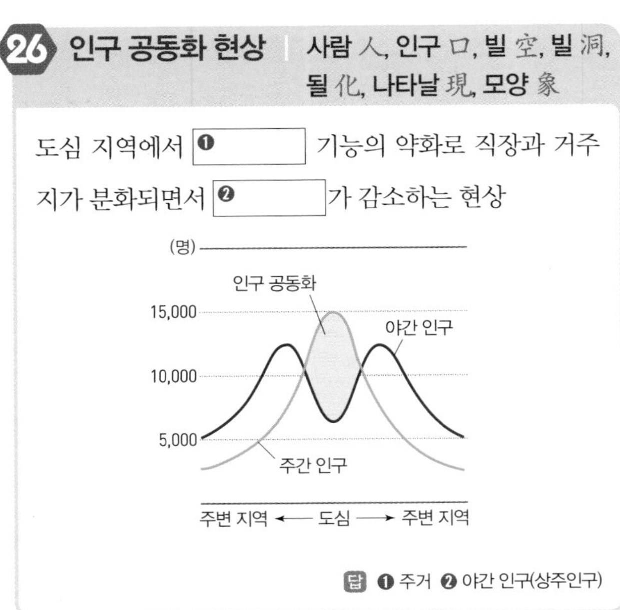

예 1 도심에서는 인구 공동화 현상으로 인해 출퇴근 시 교통 혼잡이 발생한다.

27 부도심 | 버금 副, 도읍 都, 중심 心

도심과 주변 지역을 연결하는 교통의 ❶ [　　] 에 형성되어 도심의 기능을 일부 분담하는 중심지

▲ 부도심(서울 강남구 테헤란로)

답 ❶ 결절점

예 1 부도심은 도심에 집중된 상업·업무 기능을 분담하여 도심의 과밀화와 교통 혼잡을 완화하는 역할을 한다.

28 대도시권 | 클 大, 도읍 都, 저자 市, 우리 圈

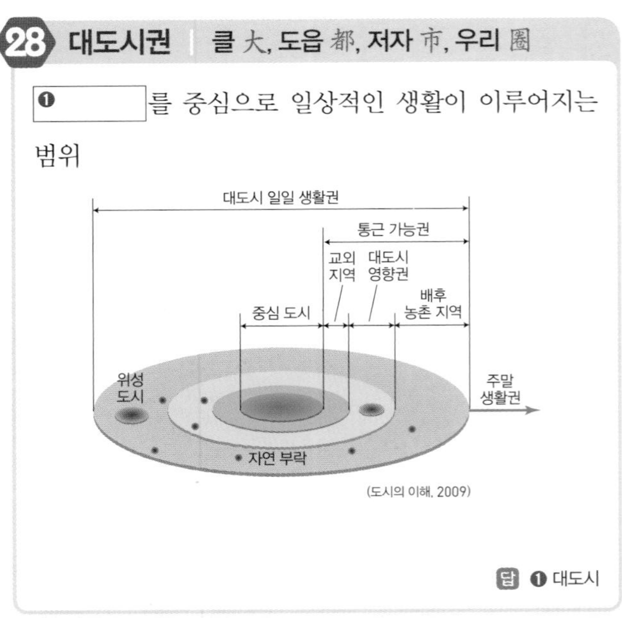

예 1 교통이 발달하고 대도시가 성장하면 대도시권의 범위는 더욱 확대된다.

부록 핵심 개념 총집합

핵심 개념 01 우리나라의 위치와 영역

1. 우리나라의 위치

수리적 위치	· 북위 33°~43°(중위도): 사계절이 뚜렷한 ❶ [　　] 기후가 나타남. · 동경 124°~132°: 동경 135°를 표준 경선으로 사용하여 영국보다 9시간 빠름.
지리적 위치	· 유라시아 대륙 동안: 대륙성·계절풍 기후 · 반도 국가: 대륙과 해양으로의 진출 유리
관계적 위치	오늘날 태평양 시대의 중심 국가로 발돋움

2. 우리나라의 영역

영토	한반도와 그 부속 도서
영해	· 일반적으로 기선에서 ❷ [　　] 해리까지의 수역 · 통상 기선: 동해안 대부분, 제주도, 울릉도, 독도 · 직선 기선: 서·남해안, 동해안의 영일만과 울산만 · 대한 해협은 직선 기선에서 3해리까지
영공	영토와 영해의 수직 상공

답 ❶ 냉·온대 ❷ 12

핵심 개념 02 전통적인 국토 인식

1. **풍수지리 사상:** 산줄기와 바람, 물의 흐름 등을 파악하여 좋은 터(명당)를 찾는 사상
2. 고문헌에 나타난 국토 인식

조선 전기	· 국가가 편찬한 관찬 지리지 · ❶ [　　] 기술 예 『신증동국여지승람』
조선 후기	· 개인이 편찬한 사찬 지리지, 실학사상의 영향 · 설명식 기술 예 이중환의 『택리지』

3. 고지도에 나타난 국토 인식

조선 전기	「혼일강리역대국도지도」: 국가 제작, 중화사상과 주체적 국토 인식 반영, 아시아·유럽·아프리카 표현
조선 중기	「천하도」: 민간에서 제작한 관념 지도, 중화사상과 도교적 세계관 반영
조선 후기	「❷ [　　]」: 목판본, 분첩 절첩식, 지도표 사용, 도로에 10리마다 방점 표시, 하천 구분

답 ❶ 백과사전식 ❷ 대동여지도

핵심 개념 03 지리 정보와 지역 조사

1. **지리 정보:** 지표상의 지리적 현상들을 확인·분석하고 그 특성을 파악하는 데 필요한 정보

❶ [　　]	지리적 현상의 위치, 형태 등을 나타내는 정보
속성 정보	지역의 자연적·인문적 특성을 나타내는 정보
관계 정보	주변 지역과의 상호 관계를 나타내는 정보

2. 지리 정보 시스템(GIS)

(1) 의미: 지리 정보를 수치화하여 컴퓨터에 입력·저장하고 다양한 기법으로 분석·가공하여 실생활에 필요한 자료를 만드는 종합 정보 시스템

(2) 활용: 최적 입지 선정(중첩 분석), 최단 경로 검색, 재해 관리, 국토 및 환경 관리 등

3. ❷ [　　]: 지역에 대한 정보를 수집·분석·종합하여 지역성을 파악하는 활동

조사 계획 수립 → 지리 정보 수집(실내·야외 조사) → 지리 정보 분석 → 보고서 작성

답 ❶ 공간 정보 ❷ 지역 조사

핵심 개념 04 한반도의 형성 과정

1. 한반도의 지체 구조

시·원생대	평북·개마 지괴, 경기 지괴, 영남 지괴
고생대	평남 분지, 옥천 습곡대 → 석회암, 무연탄 분포
중생대	❶ [　　] → 공룡 발자국 화석 분포
신생대	두만 지괴, 길주·명천 지괴 → 갈탄 분포

2. 한반도의 지각 변동

중생대	송림 변동(동북동-서남서 방향의 지질 구조선), 대보 조산 운동(북동-남서 방향의 지질 구조선, 대보 화강암), 불국사 변동(불국사 화강암)
신생대	· ❷ [　　]: 신생대 제3기, 경동 지형 · 화산 활동: 신생대 제3기 말~제4기 초

3. 기후 변화와 지형 발달

빙기	한랭 건조, 해수면 하강, 물리적 풍화 작용 활발
후빙기	온난 습윤, 해수면 상승, 화학적 풍화 작용 활발

답 ❶ 경상 분지 ❷ 경동성 요곡 운동

자르는 선

01

예제 (가)~(라)와 관련된 우리나라의 위치 특성으로 옳은 것을 〈보기〉에서 고른 것은?

(가) 냉·온대 기후가 나타난다.
(나) 영국보다 9시간이 빠르다.
(다) 대륙성·계절풍 기후가 나타난다.
(라) 대륙과 해양으로의 진출에 유리하다.

보기

ㄱ. (가) – 동경 124°~132°에 위치한다.
ㄴ. (나) – 동경 135°를 표준 경선으로 사용한다.
ㄷ. (다) – 유라시아 대륙의 서안에 위치한다.
ㄹ. (라) – 국토의 삼면이 바다로 둘러싸인 반도국이다.

① ㄱ, ㄴ ② ㄱ, ㄷ ③ ㄴ, ㄷ ④ ㄴ, ㄹ ⑤ ㄷ, ㄹ

답 ④

★기억해요!

우리나라는 [ ]상으로는 북위 33°~43°에, [ ]상으로는 동경 124°~132°에 위치한다.

답 위도, 경도

02

예제 다음과 같은 내용이 기록된 조선 시대의 지리지에 대한 설명으로 옳지 않은 것은?

[건치 연혁] 본래 맥국인데, 신라의 선덕왕 6년에 우수주로 하여 군주를 두었다.
[속현] 기린현은 부의 동쪽 140리에 있다. 본래 고구려의 기지군이었다.

① 국가 주도로 제작되었다.
② 조선 전기에 편찬된 관찬 지리지이다.
③ 사람이 살기 좋은 곳을 파악하는 내용이 담겨 있다.
④ 국가 통치의 기초 자료 수집을 목적으로 제작되었다.
⑤ 지역의 특성을 백과사전식으로 상세하게 기술하였다.

답 ③

★기억해요!

『신증동국여지승람』은 조선 전기에 제작된 [ ]이고, 『택리지』는 조선 후기에 이중환이 제작한 [ ]이다.

답 관찬 지리지, 사찬 지리지

03

예제 지역 조사 과정 중 (가) 단계의 활동으로 옳은 것은?

조사 계획 수립 → 지리 정보 수집 → 지리 정보 분석 → 보고서 작성
(지리 정보 수집: 실내 조사, (가))

① 주민들을 상대로 농업 외 소득원을 설문 조사한다.
② ○○군에 방문하기 전에 경로와 일정 등을 계획한다.
③ 군청 누리집에서 주요 작물의 생산량 변화를 조사한다.
④ 대도시에 인접한 '○○군의 농업 구조 변화'를 주제로 결정한다.
⑤ 수집한 정보를 바탕으로 읍·면별 겸업농가 비율 자료를 그래프와 표로 나타낸다.

답 ①

★기억해요!

지역 조사는 조사 계획 수립, [ ], 지리 정보 분석, 보고서 작성 순으로 이루어진다.

답 지리 정보 수집

04

예제 다음 자료와 관련 있는 지각 변동에 대한 설명으로 옳은 것을 〈보기〉에서 고른 것은?

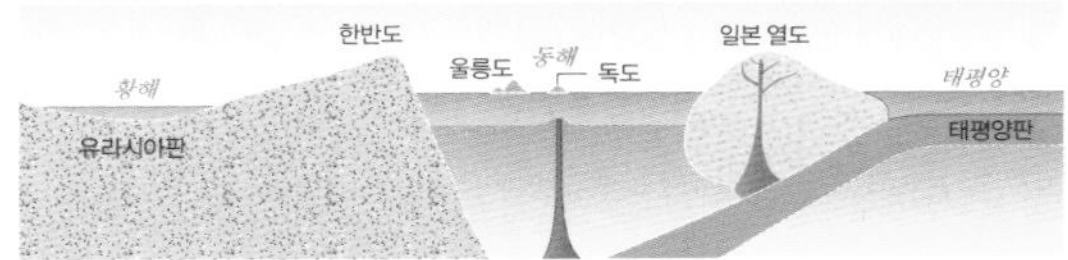

보기

ㄱ. 신생대 제3기에 일어난 지각 변동이다.
ㄴ. 우리나라의 화강암 분포에 영향을 주었다.
ㄷ. 1차 산맥, 고위 평탄면 형성에 영향을 주었다.
ㄹ. 한반도에 랴오둥 방향의 지질 구조선이 형성되었다.

① ㄱ, ㄴ ② ㄱ, ㄷ ③ ㄴ, ㄷ ④ ㄴ, ㄹ ⑤ ㄷ, ㄹ

답 ②

★기억해요!

신생대 제3기 [ ]은 동해안을 축으로 발생한 비대칭 융기 운동으로, 동고서저의 경동 지형 형성에 영향을 미쳤다.

답 경동성 요곡 운동

자르는 선

부록 핵심 개념 총집합

핵심 개념 05 산지 지형

1. 산지의 형성

1차 산맥	신생대 제3기 이후 ❶ ______ 의 영향으로 형성 ⓔ 함경·낭림·태백산맥 등
2차 산맥	중생대의 지질 구조선을 따라 차별 침식을 받아 형성 ⓔ 차령·노령산맥 등

2. ❷ ______ : 해발 고도가 높은 곳에 나타나는 경사가 완만한 지형 ⓔ 대관령 일대, 진안고원 등 → 고랭지 농업(여름철 서늘한 기후를 이용), 목축업 발달

3. 흙산과 돌산

흙산	시·원생대에 형성된 암석이 오랫동안 풍화·침식을 받아 두꺼운 토양으로 덮인 산지
돌산	중생대에 관입한 화강암이 오랫동안 풍화·침식을 받아 지표 위로 노출된 산지

답 ❶ 경동성 요곡 운동 ❷ 고위 평탄면

핵심 개념 06 하천 지형

1. 하천 중·상류에 발달하는 지형

감입 곡류 하천	하천의 중·상류 지역에서 산지 사이를 곡류하며 흐르는 하천, ❶ ______ 침식 우세
하안 단구	하천 주변에 나타나는 계단 모양의 지형
선상지	경사가 급변하는 골짜기 입구에 나타나는 부채꼴 모양의 퇴적 지형
침식 분지	암석의 차별적인 풍화·침식으로 형성된 분지

2. 하천 중·하류에 발달하는 지형

자유 곡류 하천	하천의 중·하류 지역에서 평야 위를 곡류하며 흐르는 하천, 측방 침식 우세(하중도, 우각호)
❷ ______	하천의 범람으로 운반 물질이 퇴적되어 형성된 지형, 자연 제방과 배후 습지로 구성
삼각주	하천 하구에서 유속 감소로 운반 물질이 퇴적되어 형성된 지형

답 ❶ 하방 ❷ 범람원

핵심 개념 07 해안 지형

1. 해안 침식 지형

해식애	파랑의 침식 작용을 받아 형성된 해안 절벽
파식대	해식애가 후퇴하면서 앞쪽에 남은 평탄한 지형
시 스택	해식애가 후퇴하면서 단단한 부분만 남아 형성된 기둥 모양의 지형
❶ ______	지반의 융기나 해수면 변동으로 형성된 계단 모양의 지형 → 농경지, 교통로 등으로 이용

2. 해안 퇴적 지형

사빈	파랑이나 연안류에 의해 모래가 퇴적된 지형
해안 사구	사빈의 모래가 바람에 날려 퇴적된 모래 언덕
석호	후빙기 해수면 상승으로 형성된 만의 입구를 사주가 막아 형성된 호수
❷ ______	조류에 의해 점토 등이 퇴적되어 형성된 지형

답 ❶ 해안 단구 ❷ 갯벌

핵심 개념 08 화산 지형과 카르스트 지형

1. **화산 지형:** 신생대 제3기 말~제4기 초 화산 활동으로 형성

백두산	정상부를 제외하고 경사가 완만함, 칼데라호(천지)
제주도	· 한라산: 전체적으로 순상 화산, 정상부 일부는 종상 화산, 화구호(백록담) · 기생 화산(오름), 용암 동굴, 주상 절리 등
울릉도	급경사의 종상 화산, 칼데라 분지(나리 분지), 중앙 화구구(알봉)
독도	동해의 해저에서 용암 분출로 형성된 화산섬
철원·평강	현무암질 용암의 열하 분출로 ❶ ______ 형성

2. **카르스트 지형:** 주로 고생대 조선 누층군의 석회암 지대에 발달

돌리네	❷ ______ 이 용식 작용을 받아 형성된 와지
석회 동굴	석회암이 지하수의 용식 작용을 받아 형성된 동굴 → 동굴 내부에 종유석, 석순, 석주 발달
석회암 풍화토	석회암이 용식된 후 남은 철분 등이 산화되어 형성된 붉은색의 토양

답 ❶ 용암 대지 ❷ 석회암

자르는 선

06

예제 (가) 하천과 비교한 (나) 하천의 상대적 특징을 그림의 A~E에서 고른 것은?

(가) (나)

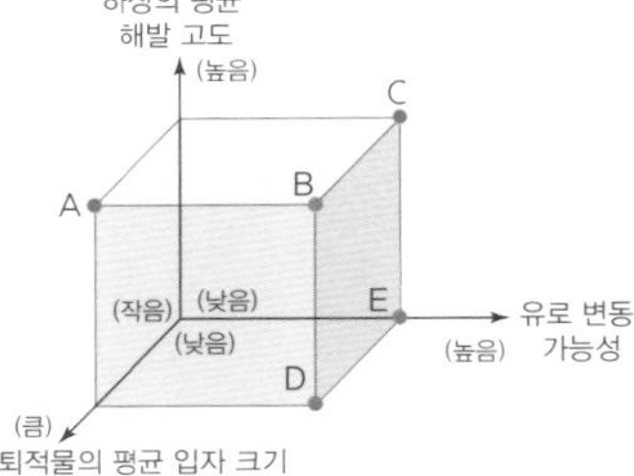

① A
② B
③ C
④ D
⑤ E

답 ⑤

★기억해요!

[　　　]은 하천의 중·상류 지역에서 산지 사이를 곡류하는 하천이고, [　　　]은 하천의 중·하류 지역에서 평야 위를 곡류하는 하천이다.

답 감입 곡류 하천, 자유 곡류 하천

05

예제 지도의 (가) 지형에 대한 설명으로 옳지 않은 것은?

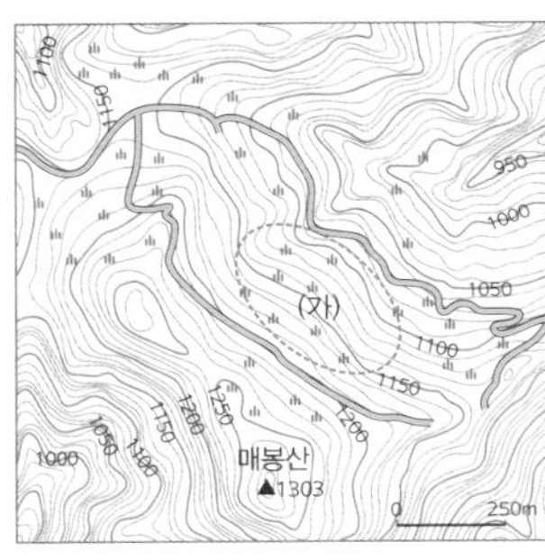

① 기온 역전 현상이 자주 발생한다.
② 신생대 지반 융기 운동의 영향을 받았다.
③ 대관령 일대, 진안 고원 등지에 발달하였다.
④ 목초 재배에 유리하여 목축업이 발달하였다.
⑤ 여름철 서늘한 기후를 이용하여 고랭지 농업이 이루어진다.

답 ①

★기억해요!

[　　　]은 오랜 침식을 받아 평탄해진 곳이 신생대 제3기 경동성 요곡 운동 과정에서 융기한 후에도 남아 있는 지형이다.

답 고위 평탄면

08

예제 지도의 (가) 지형에 대한 설명으로 옳은 것은?

① 기반암은 현무암이다.
② 화산 활동으로 형성되었다.
③ 분화구가 함몰되어 형성된 분지이다.
④ 배수가 양호하여 밭농사에 유리하다.
⑤ 기반암이 풍화된 흑갈색의 토양이 분포한다.

답 ④

★기억해요!

카르스트 지형은 [　　　]의 주성분인 탄산칼슘이 빗물이나 지하수의 용식 작용을 받아 형성된다.

답 석회암

07

예제 다음 글의 (가), (나) 지형에 대한 설명으로 옳은 것은?

> (가) 후빙기 해수면 상승으로 형성된 만의 입구를 사주가 막아 형성된 호수이다.
> (나) 밀물 때는 바닷물에 잠기고 썰물 때는 물 위로 드러나는 지형이다.

① (가)는 시간이 지날수록 면적이 확대된다.
② (가)의 물은 주변 농경지의 농업용수로 활용된다.
③ (나)는 오염 물질 정화 기능이 있다.
④ (나)는 바다로 돌출한 해안에서 잘 형성된다.
⑤ (가)는 주로 서·남해안에, (나)는 주로 동해안에 발달한다.

답 ③

★기억해요!

석호는 주로 [　　　]에 발달하며, 갯벌은 주로 조차가 큰 [　　　]에 발달한다.

답 동해안, 서·남해안

자르는 선 ✂

핵심 개념 09 우리나라의 기후 특성

1. 우리나라의 기온 특성

지역 차	· 남에서 북으로 갈수록 기온이 낮아짐. · 비슷한 위도의 겨울 기온: 동해안>서해안>내륙
연교차	북부>남부, 내륙>해안, 서해안>동해안
일교차	봄과 가을의 맑은 날에 크고, 장마철에 작음.

2. 우리나라의 강수 특성

다우지	제주도, 남해안 일대, 대관령, 한강 중·상류
소우지	개마고원, 낙동강 중·상류, 대동강 하류
다설지	❶ ______, 소백산맥 서사면, 영동 지방

3. 우리나라의 바람 특성

계절풍	· 여름: 고온 다습한 남동·남서 계절풍 · 겨울: 한랭 건조한 북서 계절풍
❷ ______	늦봄~초여름에 태백산맥을 넘어 불어오는 고온 건조한 북동풍 → 영서·경기 지방에 가뭄 피해

답 ❶ 울릉도 ❷ 높새바람

핵심 개념 10 우리나라의 계절별 기후 특성

1. 우리나라에 영향을 미치는 기단

시베리아 기단	한랭 건조, 한파, 삼한 사온, 꽃샘추위
오호츠크해 기단	냉량 습윤, 높새바람, 장마 전선
❶ ______ 기단	고온 다습, 무더위, 열대야, 장마 전선
적도 기단	고온 다습, 태풍

2. 우리나라의 계절별 기후 특성

봄	심한 날씨 변화(이동성 고기압과 저기압이 교대로 통과), 꽃샘추위, 황사 현상, 높새바람, 건조한 날씨
여름	· 장마 전선을 따라 집중 호우 발생 · 북태평양 기단 발달(남고북저형 기압 배치) → 무더위, 열대야, 소나기
가을	이동성 고기압의 영향으로 맑은 날이 많음.
겨울	❷ ______ 기단 발달(서고동저형 기압 배치) → 삼한 사온 현상, 한파, 폭설

답 ❶ 북태평양 ❷ 시베리아

핵심 개념 11 기후와 주민 생활

1. 기후 특성과 주민 생활

기온	여름	모시·삼베 옷, 염장 식품, 대청마루
	겨울	목화솜·가죽 옷, 김장 문화, 온돌, 정주간
강수	다우지	터돋움집, 피수대, 저수지·보·다목적 댐
	소우지	천일제염업, 과수 재배
	다설지	❶ ______(울릉도 전통 가옥의 방설벽)
바람		완만한 경사의 지붕·그물망 지붕·돌담(제주도), 까대기(호남 해안 지역)

2. 국지 기후와 주민 생활

도시 열섬 현상	· 도심의 기온이 교외보다 높게 나타나는 현상 · 평균 기온 상승, 상대 습도·평균 풍속 감소
❷ ______	· 지표 부근의 기온이 상공의 기온보다 낮은 현상 · 농작물 냉해 발생, 대기 오염 물질 정체

답 ❶ 우데기 ❷ 기온 역전 현상

핵심 개념 12 자연재해와 기후 변화

1. **자연재해:** 인간 활동에 인적·물적 피해를 주는 자연 현상

홍수	주로 여름철에 발생(장마, 태풍) → 저지대 침수
태풍	주로 여름~초가을에 발생 → 풍수해, 해일 피해
대설	짧은 시간에 많은 눈이 내리는 현상
가뭄	장기간 비가 내리지 않는 현상
지진	최근 경주(2016년), 포항(2017년) 일대에서 발생

2. **기후 변화:** 기후의 평균 상태가 점차 변화하는 현상

인위적 원인	삼림·열대림 파괴, 화석 연료 소비 증가로 온실가스 증가 → ❶ ______ 현상 심화
영향	· 계절: 여름은 길어지고, 겨울은 짧아짐. · 식생: 난대림(냉대림) 분포 면적 확대(축소), 고산 식물 분포 면적 ❷ ______ · 농·어업: 농작물 재배 북한계선 북상, 난류성(한류성) 어족 어획량 증가(감소)

답 ❶ 지구 온난화 ❷ 축소

자르는 선 ✂

10

예제 (가), (나) 기단과 관련된 기후 현상을 〈보기〉에서 고른 것은?

> 우리나라는 겨울에는 (가) 의 영향으로 서고 동저형 기압 배치가 나타나고, 한여름에는 (나) 의 영향으로 남고북저형 기압 배치가 나타난다.

보기

ㄱ. 열대야　　ㄴ. 꽃샘추위　　ㄷ. 삼한 사온 현상

	(가)	(나)		(가)	(나)
①	ㄱ	ㄴ, ㄷ	②	ㄴ	ㄱ, ㄷ
③	ㄱ, ㄴ	ㄷ	④	ㄱ, ㄷ	ㄴ
⑤	ㄴ, ㄷ	ㄱ			

답 ⑤

★기억해요!

우리나라는 ______ 기단의 영향을 받는 겨울철은 한랭 건조하고, ______ 기단의 영향을 받는 한여름에는 고온 다습하다.

답 시베리아, 북태평양

09

예제 지도는 우리나라의 1월 평균 기온을 나타낸 것이다. 이에 대한 설명으로 옳지 않은 것은?

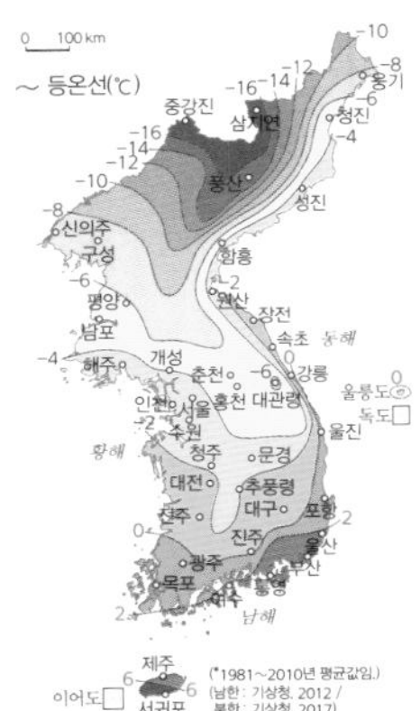

① 남북 간의 기온 차가 동서 차보다 크다.

② 남쪽에서 북쪽으로 갈수록 기온이 낮아진다.

③ 비슷한 위도의 내륙 지역은 해안 지역보다 기온이 높다.

④ 비슷한 위도의 동해안 지역은 서해안 지역보다 기온이 높다.

⑤ 동해안 지역은 산맥의 영향으로 등온선이 해안을 따라 평행하게 나타난다.

답 ③

★기억해요!

비슷한 위도의 동해안은 서해안보다 겨울철 기온이 ______. 이는 태백·함경산맥이 차가운 북서풍을 막아주고 동해의 수심이 황해보다 깊기 때문이다.

답 높다

12

예제 (가), (나) 자연재해에 대한 설명으로 옳은 것은?

구분	안전 문자 내용
(가)	강력한 □□ 북상 중. 호우 및 강풍 피해 예상, 선박 파손, 저지대 침수 등 안전에 유의하세요.
(나)	○○시 북구 북쪽 6km 지점에 리히터 규모 5.5 △△ 발생, 여진 주의 및 재난 방송 청취 바랍니다.

① (가)는 주로 겨울에 발생한다.

② (가)는 진행 속도는 느리지만 피해 면적이 넓다.

③ (나)는 강한 바람과 많은 비를 동반한다.

④ (나)에 대비하여 건축물의 내진 설계를 강화한다.

⑤ (가)는 지형적 요인, (나)는 기후적 요인에 따른 자연재해이다.

답 ④

★기억해요!

홍수, 태풍, 폭설, 가뭄은 ______ 요인에 따른 자연재해이고, 지진과 화산 활동은 ______ 요인에 따른 자연재해이다.

답 기후적, 지형적

11

예제 다음은 두 지역의 전통 가옥 구조를 나타낸 것이다. (가), (나) 지역에 대한 설명으로 옳은 것은?

(가)　　(나)

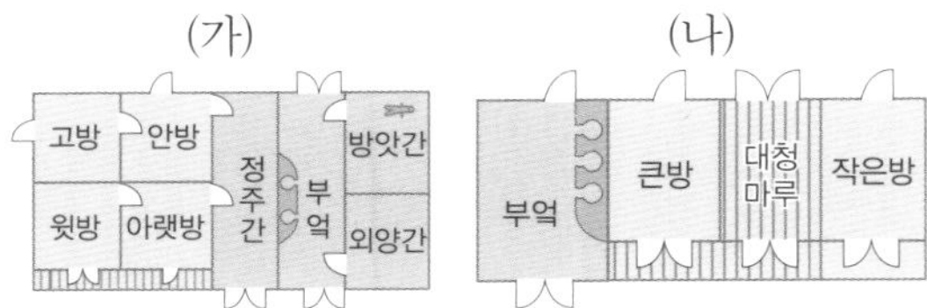

① (가)의 정주간은 더위에 대비한 시설이다.

② (나)의 대청마루는 추위에 대비한 시설이다.

③ (가) 지역은 (나) 지역보다 김장 시기가 늦다.

④ (가) 지역은 (나) 지역보다 연평균 기온이 높다.

⑤ (가), (나) 지역의 가옥 구조에 가장 큰 영향을 준 기후 요소는 기온이다.

답 ⑤

★기억해요!

______은 추위에 대비하여 폐쇄적인 가옥 구조가 나타나고, ______은 더위에 대비하여 개방적인 가옥 구조가 나타난다.

답 관북 지방, 남부 지방

자르는 선

핵심 개념 13 촌락의 형성과 변화

1. 전통 촌락의 입지
(1) 자연적 요인: 배산임수 입지 선호, 득수 및 피수에 유리한 곳
(2) 사회·경제적 요인: 교통이 편리한 곳, 방어에 유리한 곳
2. 전통 촌락의 형태

❶	가옥의 밀집도가 높음. → 협동 노동에 유리하고 공동체 의식이 강함.
산촌	가옥의 밀집도가 낮고, 가옥과 경지의 결합도가 높음. → 경지 관리가 효율적임.

3. 촌락의 변화

대도시와의 거리가 먼 촌락	❷ 중심의 인구 유출 → 인구 고령화, 노동력 부족, 폐교 증가
대도시와의 거리가 가까운 촌락	상업적 농업 확대, 겸업농가 비중 증가, 2·3차 산업 비중 증가, 도시적 경관 증가

답 ❶ 집촌 ❷ 청장년층

핵심 개념 14 도시의 발달과 도시 체계

1. 우리나라의 도시 발달 과정

1960년대	대도시 성장, 인구의 대도시 집중 가속화
1970년대	지방 중심 도시, 남동 임해 공업 도시 성장
1980년대 이후	대도시의 인구 분산 정책 → 대도시 주변에 신도시와 위성 도시 발달

2. 도시 체계
(1) 의미: 도시의 상호 작용에 의해 나타나는 도시 간 계층 질서
(2) 도시(중심지) 간 계층 구조

구분	중심지 기능	배후지 면적	중심지 수	중심지 간 거리
고차 중심지	❶	넓음	적음	멂
저차 중심지	❷	좁음	많음	가까움

(3) 우리나라 도시 체계의 특징: 서울을 중심으로 한 수직적 도시 체계 → 종주 도시화 현상이 나타남.

답 ❶ 많음 ❷ 적음

핵심 개념 15 도시 내부의 지역 분화

1. 지역 분화의 요인: 접근성과 지대의 지역 차
2. 지역 분화의 과정

❶	지대 지불 능력이 높은 상업·업무 기능은 접근성이 높은 도심에 집중함.
이심 현상	지대 지불 능력이 낮은 주택, 학교, 공장 등은 도시 외곽으로 분산됨.

3. 도시 내부 구조

❷	접근성과 지대가 높음, 중심 업무 지구(CBD) 형성, 인구 공동화 현상
부도심	교통의 결절점에 형성, 도심의 기능 일부 분담
중간 지역	상업·공업·주거 기능이 혼재된 점이 지대
주변 지역	신흥 주거 지역(고급 주택, 대규모 아파트 단지)과 공업 지역 형성
개발 제한 구역	시가지의 무분별한 팽창을 막고, 녹지 공간을 보존하기 위해 설정함.

답 ❶ 집심 현상 ❷ 도심

핵심 개념 16 대도시권의 형성과 확대

1. **대도시권의 형성:** 급속한 산업화·도시화로 인구와 기능이 집중되어 집적 불이익 발생 → 교외화 현상 → 대도시와 주변 지역이 기능적으로 연결되어 일일 생활권 형성
2. **대도시권의 공간 구조**

중심 도시		대도시권의 중심지 역할
통근 가능권	교외 지역	중심 도시와 연속된 지역
	대도시 영향권	도시와 농촌 경관 혼재
	배후 농촌 지역	대도시로의 최대 통근 가능 지역
	❶	중심 도시의 일부 기능 분담

3. **대도시권의 확대:** 대도시 주변에 ❷ 건설, 교통망 확충 → 대도시권이 점차 확대되고 있음.
4. **대도시권의 변화:** 도시적 토지 이용 증가, 집약적 토지 이용 증가, 상업적 농업 발달, 겸업농가 비중 증가, 주민 구성 다양화

답 ❶ 위성 도시 ❷ 신도시

14

예제 그림은 중심지(도시)의 계층 구조를 나타낸 것이다. (가)와 비교한 (나)의 상대적 특징으로 옳은 것은?

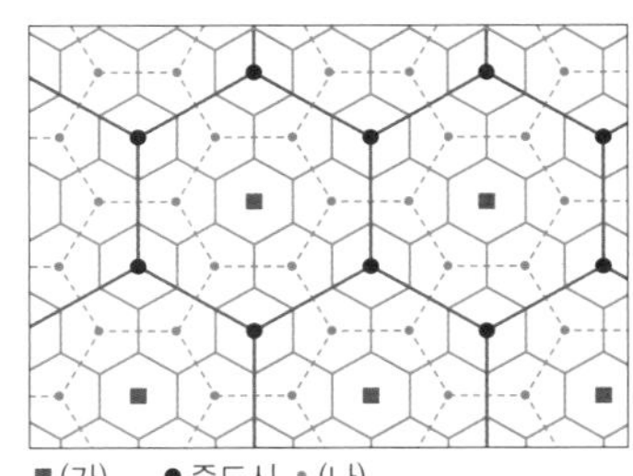

① 중심지 수가 많다. ② 중심지 기능이 많다.
③ 배후지 면적이 넓다. ④ 고차 계층의 도시이다.
⑤ 중심지 간 거리가 멀다.

답 ①

★기억해요!

계층이 높은 도시일수록 낮은 계층의 도시보다 도시의 수는 적지만 보유하고 있는 기능은 더 [   ].

답 많다

13

예제 다음은 학생이 수업 시간에 학습한 내용을 정리한 것이다. 밑줄 친 ㉠~㉤ 중 옳지 않은 것은?

〈촌락의 변화〉

1. 대도시와의 거리가 먼 촌락
   - ㉠ 청장년층 중심의 인구 감소
   - ㉡ 인구의 고령화, 노동력 부족
   - ㉢ 결혼 적령기 청장년층의 남초 현상
2. 대도시와의 거리가 가까운 촌락
   - ㉣ 상업적 농업 확대
   - ㉤ 겸업농가 비중 감소
   - 아파트, 공장 등 도시적 경관 증가

① ㉠ ② ㉡ ③ ㉢ ④ ㉣ ⑤ ㉤

답 ⑤

★기억해요!

대도시와 인접한 촌락에는 인구가 유입된 반면 도시에서 멀리 떨어진 촌락은 [   ] 중심으로 인구가 유출되면서 인구의 고령화가 심화되고 있다.

답 청장년층

16

예제 다음에서 설명하는 현상으로 가장 적절한 것은?

> 도시화의 진전에 따라 기존의 도시 지역에 인구와 기능이 과다하게 집중되면서 발생하는 여러 가지 문제 때문에 도시의 인구나 기능, 시설 등이 도시 주변 지역으로 확산되는 현상을 말한다.

① 집심 현상 ② 교외화 현상
③ 이촌 향도 현상 ④ 인구 공동화 현상
⑤ 종주 도시화 현상

답 ②

★기억해요!

급속한 도시화로 대도시의 과밀화 문제가 발생하여 도시의 인구나 기능 등이 주변 지역으로 확산되면서 대도시와 주변 지역이 기능적으로 연결되어 [   ]이 형성되었다.

답 대도시권

15

예제 그림은 대도시의 내부 구조를 나타낸 것이다. A~E에 대한 설명으로 옳지 않은 것은?

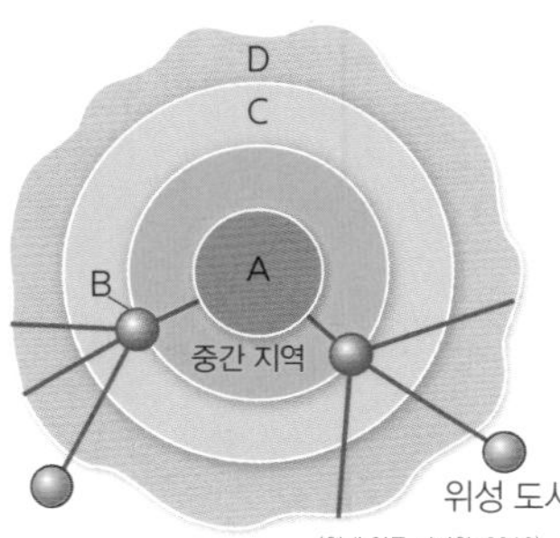

(현대 인문 지리학, 2012)

① A에서는 인구 공동화 현상이 발생하기도 한다.
② B는 A의 기능을 일부 분담한다.
③ D는 시가지의 무분별한 팽창을 막기 위해 설정된 공간이다.
④ A는 C보다 주간 인구 지수가 높다.
⑤ C는 A보다 거주자의 평균 통근 거리가 짧다.

답 ⑤

★기억해요!

도시 내부는 [   ], 부도심, 중간 지역, 주변 지역 등으로 이루어져 있다.

답 도심

자르는 선

book.chunjae.co.kr

교재 내용 문의	교재 홈페이지 ▸ 고등 ▸ 교재상담
교재 내용 외 문의	교재 홈페이지 ▸ 고객센터 ▸ 1:1문의
발간 후 발견되는 오류	교재 홈페이지 ▸ 고등 ▸ 학습지원 ▸ 학습자료실

7일 끝

중간고사 기말고사

7일 끝으로 끝내자!

고등 한국지리

BOOK 2

천재교육

언제나 만점이고 싶은 친구들

Welcome!

숨 돌릴 틈 없이 찾아오는 시험과 평가,
성적과 입시 그리고 미래에 대한 걱정.
중·고등학교에서 보내는 6년이란 시간은
때때로 힘들고, 버겁게 느껴지곤 해요.

그런데 여러분, 그거 아세요?
지금 이 시기가 노력의 대가를
가장 잘 확인할 수 있는 시간이라는 걸요.

안 돼, 못하겠어, 해도 안 될 텐데-
어렵게 생각하지 말아요. 천재교육이 있잖아요.
첫 시작의 두려움을 첫 마무리의 뿌듯함으로 바꿔줄게요.

펜을 쥐고 이 책을 펼친 순간
여러분 앞에 무한한 가능성의 길이 열렸어요.

우리와 함께 꽃길을 향해 걸어가 볼까요?

#시험대비
#핵심정복

7일 끝
중간고사
기말고사

Chunjae
Makes
Chunjae

개발총괄 김덕유
편집개발 중등 사회팀
제작 황성진, 조규영

발행일 2021년 3월 15일 초판 2021년 3월 15일 1쇄
발행인 (주)천재교육
주소 서울시 금천구 가산로9길 54
신고번호 제2001-000018호
고객센터 1577-0902
교재 내용문의 (02)3282-1780

※ 정답 분실 시에는 천재교육 홈페이지에서 내려받으세요.

7일 끝으로 끝내자!

고등 한국지리

BOOK 2

이 책의 구성과 활용

시험 공부 시작

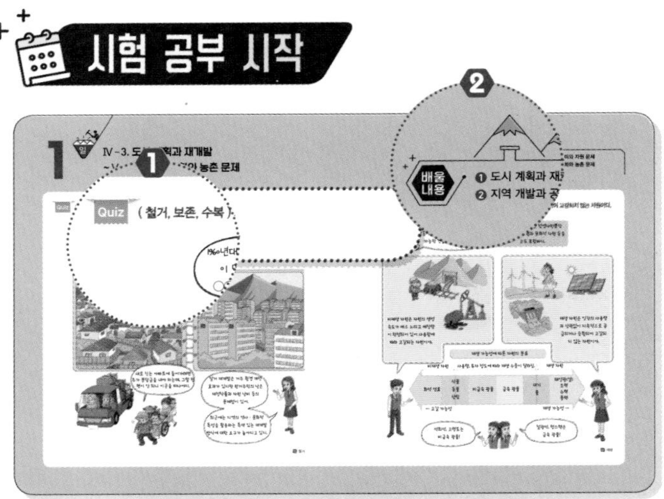

퀴즈로 생각 열기

공부할 내용을 만화로 가볍게 살펴보며 학습을 준비해 보세요.

❶ **생각 열기** | 만화 내용을 가볍게 보고 퀴즈를 풀면서 학습 목표를 떠올려 보세요.

❷ **배울 내용** | 공부할 내용을 살피며 핵심 학습 요소를 확인해 보세요.

본격 공부 중

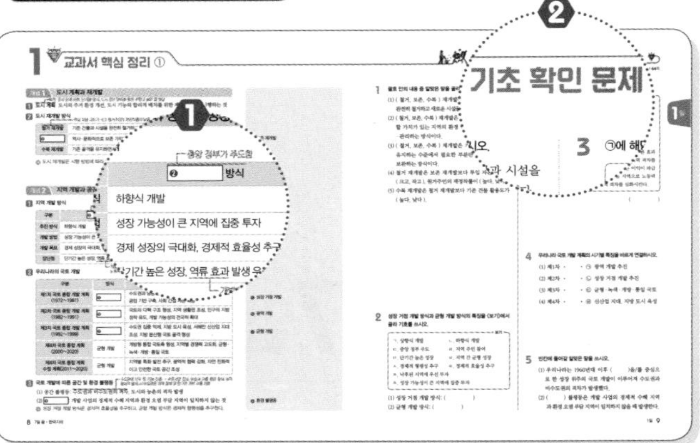

교과서 핵심 정리 + 기초 확인 문제

꼭 알아야 할 교과서 핵심 내용을 익히고 기초 확인 문제를 풀며 제대로 이해했는지 확인해 보세요.

❶ 빈칸 문제를 채우며 교과서 핵심 내용을 다시 한 번 체크해 보세요.

❷ 교과서 핵심과 관련된 기초 확인 문제를 풀며 공부한 내용을 확인해 보세요.

내신 기출 베스트

다양한 유형의 문제를 풀어 보며 공부한 내용을 점검해 보세요.

❶ 대표 예제 문제를 풀며 시험에 잘 나오는 문제를 확인해 보세요.

❷ 개념 가이드를 보며 시험에 잘 나오는 용어나 개념을 익히거나 문제 해결의 힌트를 얻어 보세요.

시험 공부 마무리

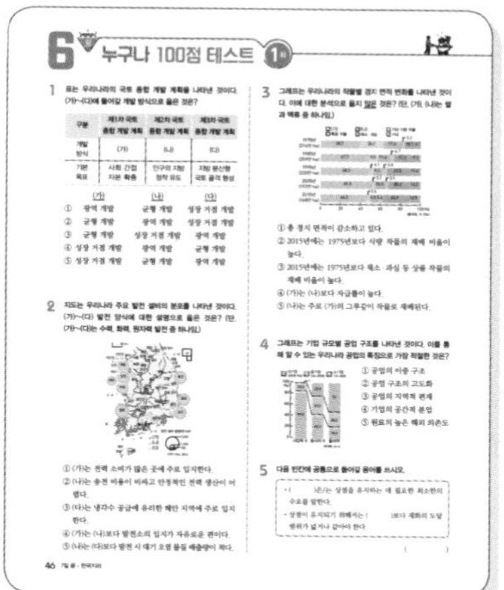

누구나 100점 테스트

앞에서 공부한 내용을 바탕으로 기초 이해력을 점검해 보세요.

서술형·사고력 테스트 / 창의·융합·코딩 테스트

서술형 문제를 집중적으로 풀고, 다양한 자료들을 활용한 문제를 풀며 사고력을 길러 보세요.

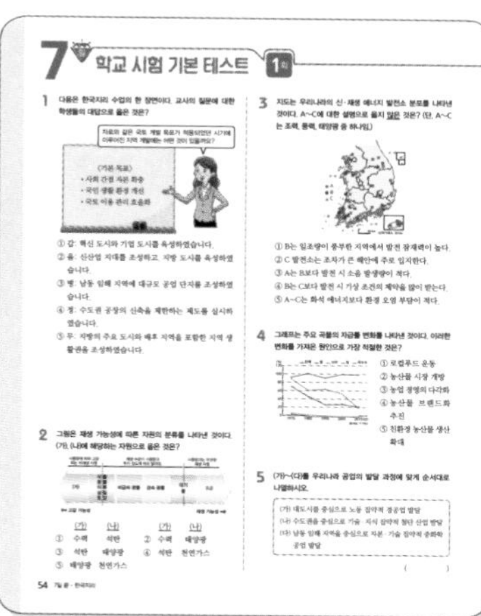

학교 시험 기본 테스트

시험 문제에 가까운 예상 문제를 풀며 실전에 대비해 보세요.

틈틈이·짬짬이 공부하기

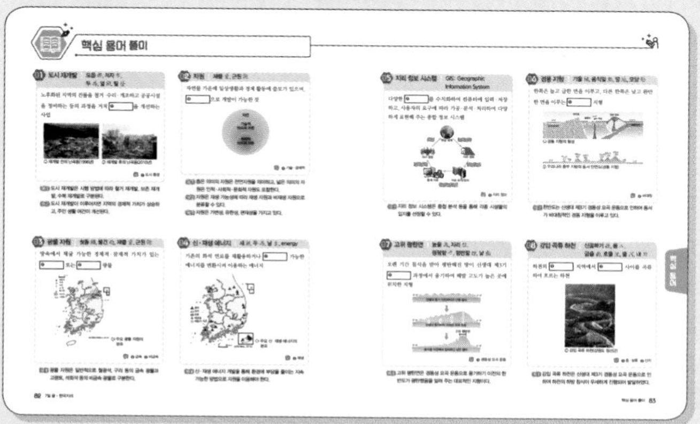

핵심 용어 풀이

과목별 필수 어휘를 담은 핵심 용어 풀이를 보며 어휘력을 길러 보세요.

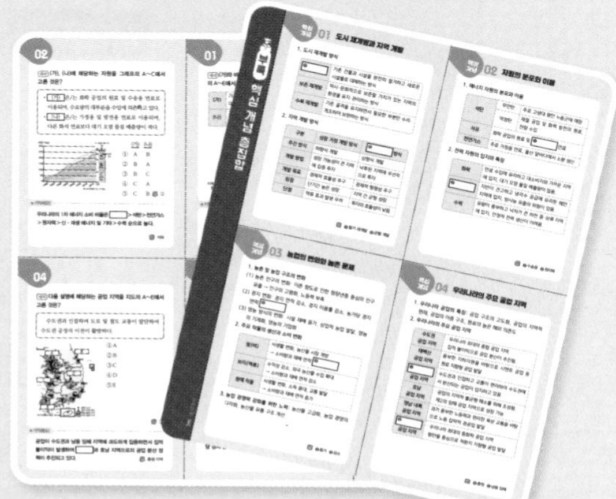

핵심 개념 총집합 카드

카드를 휴대하며 이동할 때나 시험 직전에 활용해 보세요.

이 책의 차례

우리 학교 시험 범위 확인

☑ 시험 범위에 해당하는 부분에 표시해 보세요.

교과서 단원		교재
Ⅰ. 국토 인식과 지리 정보	1. 국토의 위치와 영토 문제	☐ BOOK ❶ 1일, 6일 1회, 7일
	2. 국토 인식의 변화	☐ BOOK ❶ 1일, 6일 1회, 7일
	3. 지리 정보와 지역 조사	☐ BOOK ❶ 1일, 6일 1회, 7일
Ⅱ. 지형 환경과 인간 생활	1. 한반도의 형성과 산지의 모습	☐ BOOK ❶ 2일, 6일 1회, 7일
	2. 하천 지형과 해안 지형	☐ BOOK ❶ 2, 3일, 6일 1회, 7일
	3. 화산 지형과 카르스트 지형	☐ BOOK ❶ 3일, 6일 1회, 7일
Ⅲ. 기후 환경과 인간 생활	1. 우리나라의 기후 특성	☐ BOOK ❶ 3일, 6일 1회, 7일
	2. 기후와 주민 생활	☐ BOOK ❶ 4일, 6일 2회, 7일
	3. 기후 변화와 자연재해	☐ BOOK ❶ 4일, 6일 2회, 7일
Ⅳ. 거주 공간의 변화와 지역 개발	1. 촌락의 변화와 도시 발달	☐ BOOK ❶ 5일, 6일 2회, 7일
	2. 도시 구조와 대도시권	☐ BOOK ❶ 5일, 6일 2회, 7일
	3. 도시 계획과 재개발	☐ BOOK ❷ 1일, 6일 1회, 7일
	4. 지역 개발과 공간 불평등	☐ BOOK ❷ 1일, 6일 1회, 7일
Ⅴ. 생산과 소비의 공간	1. 자원의 의미와 자원 문제	☐ BOOK ❷ 1일, 6일 1회, 7일
	2. 농업의 변화와 농촌 문제	☐ BOOK ❷ 1일, 6일 1회, 7일
	3. 공업의 발달과 지역 변화	☐ BOOK ❷ 2일, 6일 1회, 7일
	4. 서비스업의 변화와 교통·통신의 발달	☐ BOOK ❷ 2일, 6일 1회, 7일
Ⅵ. 인구 변화와 다문화 공간	1. 인구 분포와 인구 구조의 변화	☐ BOOK ❷ 3일, 6일 1회, 7일
	2. 인구 문제와 공간 변화	☐ BOOK ❷ 3일, 6일 1회, 7일
	3. 외국인 이주와 다문화 공간	☐ BOOK ❷ 3일, 6일 1회, 7일
Ⅶ. 우리나라의 지역 이해	1. 지역의 의미와 지역 구분	☐ BOOK ❷ 4일, 6일 2회, 7일
	2. 북한 지역의 특성과 통일 국토의 미래	☐ BOOK ❷ 4일, 6일 2회, 7일
	3. 인구와 기능이 집중된 수도권	☐ BOOK ❷ 4일, 6일 2회, 7일
	4. 태백산맥으로 나뉘는 강원 지방	☐ BOOK ❷ 4일, 6일 2회, 7일
	5. 빠르게 성장하는 충청 지방	☐ BOOK ❷ 5일, 6일 2회, 7일
	6. 다양한 산업이 함께 발전하는 호남 지방	☐ BOOK ❷ 5일, 6일 2회, 7일
	7. 공업과 함께 발달한 영남 지방	☐ BOOK ❷ 5일, 6일 2회, 7일
	8. 세계적인 관광 중심지 제주특별자치도	☐ BOOK ❷ 5일, 6일 2회, 7일

1 Ⅳ-3. 도시 계획과 재개발 ~Ⅴ-2. 농업의 변화와 농촌 문제

Quiz (철거, 보존, 수복) 재개발은 기존 건물과 시설을 완전히 철거하고 새로운 시설물로 대체하는 방식이다.

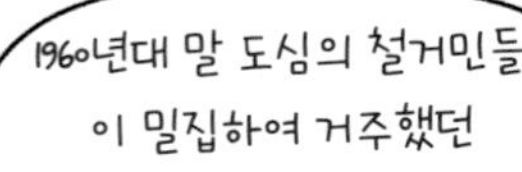

대대적으로 재개발되어 대규모 아파트 단지로 탈바꿈했어.

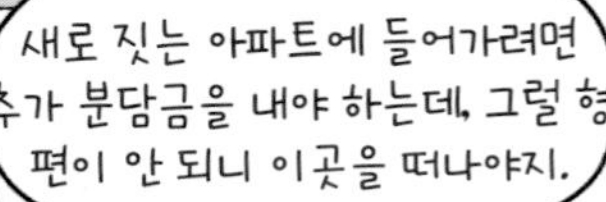

철거 재개발은 거주 환경 개선 효과가 있지만 원거주민의 낮은 재정착률과 자원 낭비 등의 문제점이 있어.

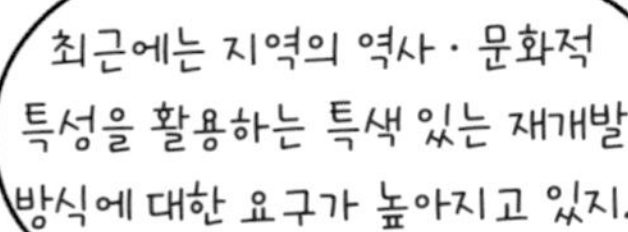

답 철거

배울 내용
❶ 도시 계획과 재개발
❷ 지역 개발과 공간 불평등
❸ 자원의 의미와 자원 문제
❹ 농업의 변화와 농촌 문제

Quiz (재생, 비재생) 자원은 인간의 사용량과 상관없이 지속적으로 공급되거나 순환되어 고갈되지 않는 자원이다.

자원은 자연물 중에서 일상생활과 경제 활동에 쓸모가 있으며, 경제적으로 이용 가능한 것을 가능한 것을 의미해.

넓은 의미의 자원은 천연자원뿐만 아니라 인적 자원과 문화적 자원 등을 모두 포함하지.

비재생 자원은 자원의 생성 속도가 매우 느리고 매장량이 한정되어 있어 사용함에 따라 고갈되는 자원이야.

재생 자원은 인간의 사용량과 상관없이 지속적으로 공급되거나 순환되어 고갈되지 않는 자원이야.

재생 가능성에 따른 자원의 분류

비재생 자원	사용량, 투자 정도에 따라 재생 수준이 달라짐.				재생 자원
화석 연료	식물 동물 삼림	비금속 광물	금속 광물	대기 물	태양광(열) 조력 수력 풍력

← 고갈 가능성 재생 가능성 →

석회석, 고령토는 비금속 광물!

철광석, 텅스텐은 금속 광물!

답 재생

1일 교과서 핵심 정리 ①

개념 1 도시 계획과 재개발

목적: 도시 문제 완화, 난개발 방지, 도시 경관 정비를 통한 주민의 삶의 질 향상

1 도시 계획 도시의 주거 환경 개선, 도시 기능의 합리적 배치를 위한 계획을 수립·시행하는 것

2 도시 재개발 방식

투입 자본 규모가 크고 원거주민의 재정착률이 낮음.

철거 재개발	기존 건물과 시설을 완전히 철거하고 새로운 시설물로 대체하는 방식
❶	역사·문화적으로 보존 가치가 있는 지역의 환경을 유지·관리하는 방식
수복 재개발	기존 골격을 유지하면서 필요한 부분만 수리·개조하여 보완하는 방식

예 도시 재개발은 시행 방법에 따라 철거 재개발, 보존 재개발, 수복 재개발로 구분한다.

❶ 보존 재개발

개념 2 지역 개발과 공간 불평등

1 지역 개발 방식

(❷ 방식: 중앙 정부가 주도함 / 균형 개발 방식: 지방 자치 단체·지역 주민이 주도함.)

구분	❷ 방식	균형 개발 방식
추진 방식	하향식 개발	❸ 개발
개발 방법	성장 가능성이 큰 지역에 집중 투자	낙후된 지역에 우선적으로 투자
개발 목표	경제 성장의 극대화, 경제적 효율성 추구	지역 간 균형 발전, ❹ 추구
장단점	단기간 높은 성장, 역류 효과 발생 우려	지역 간 균형 성장, 투자의 효율성이 낮음.

역류 효과: 개발에 따른 이익이 파급되지 않고 오히려 주변 지역에서 거점 지역으로 노동력 및 자본이 집중하는 것으로, 지역 격차를 심화시킴.

❷ 성장 거점 개발
❸ 상향식
❹ 경제적 형평성

2 우리나라의 국토 개발

구분	방식	특징
제1차 국토 종합 개발 계획 (1972~1981)	❺	수도권과 남동 임해 공업 지역을 중심으로 발달, 대규모 공업 기반 구축, 사회 간접 자본 확충
제2차 국토 종합 개발 계획 (1982~1991)	❻	국토의 다핵 구조 형성, 지역 생활권 조성, 인구의 지방 정착 유도, 개발 가능성의 전국적 확대
제3차 국토 종합 개발 계획 (1992~1999)	❼	수도권 집중 억제, 지방 도시 육성, 서해안 신산업 지대 조성, 지방 분산형 국토 골격 형성
제4차 국토 종합 계획 (2000~2020)	균형 개발	개방형 통합 국토축 형성, 지역별 경쟁력 고도화, 균형·녹색·개방·통일 국토
제4차 국토 종합 계획 수정 계획(2011~2020)	균형 개발	지역별 특화 발전 추구, 광역적 협력 강화, 자연 친화적이고 안전한 국토 공간 조성

❺ 성장 거점 개발
❻ 광역 개발
❼ 균형 개발

3 국토 개발에 따른 공간 및 환경 불평등

수도권에 인구 및 기능 집중 → 수도권은 집값 상승과 교통 혼잡 등의 집적 불이익 발생, 비수도권은 경제 침체 및 인구와 자본 유출 심화

(1) 공간 불평등: 수도권과 비수도권의 격차, 도시와 농촌의 격차 발생

(2) ❽ : 개발 사업의 경제적 수혜 지역과 환경 오염 부담 지역이 일치하지 않는 것

예 성장 거점 개발 방식은 경제적 효율성을 추구하고, 균형 개발 방식은 경제적 형평성을 추구한다.

❽ 환경 불평등

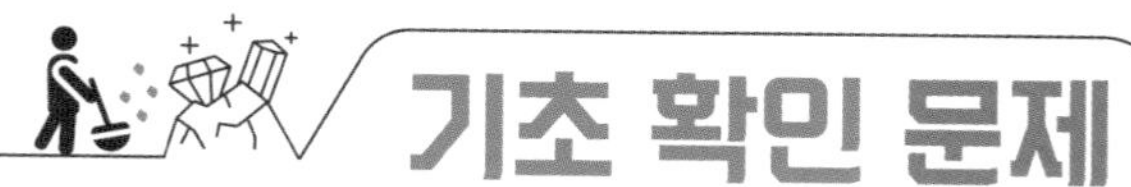

기초 확인 문제

정답과 해설 64쪽

1 괄호 안의 내용 중 알맞은 말을 골라 ○표 하시오.

(1) (철거, 보존, 수복) 재개발은 기존 건물과 시설을 완전히 철거하고 새로운 시설물로 대체하는 방식이다.

(2) (철거, 보존, 수복) 재개발은 역사·문화적으로 보존할 가치가 있는 지역의 환경 악화를 예방하고 유지·관리하는 방식이다.

(3) (철거, 보존, 수복) 재개발은 기존 건물을 최대한 유지하는 수준에서 필요한 부분만 수리·개조하여 보완하는 방식이다.

(4) 철거 재개발은 보존 재개발보다 투입 자본 규모가 (크고, 작고), 원거주민의 재정착률이 (높다, 낮다).

(5) 수복 재개발은 철거 재개발보다 기존 건물 활용도가 (높다, 낮다).

2 성장 거점 개발 방식과 균형 개발 방식의 특징을 〈보기〉에서 골라 기호를 쓰시오.

보기

ㄱ. 상향식 개발　　ㄴ. 하향식 개발
ㄷ. 중앙 정부 주도　　ㄹ. 지역 주민 참여
ㅁ. 단기간 높은 성장　　ㅂ. 지역 간 균형 성장
ㅅ. 경제적 형평성 추구　　ㅇ. 경제적 효율성 추구
ㅈ. 낙후된 지역에 우선 투자
ㅊ. 성장 가능성이 큰 지역에 집중 투자

(1) 성장 거점 개발 방식: (　　　　)

(2) 균형 개발 방식: (　　　　)

3 ㉠에 해당하는 용어를 쓰시오.

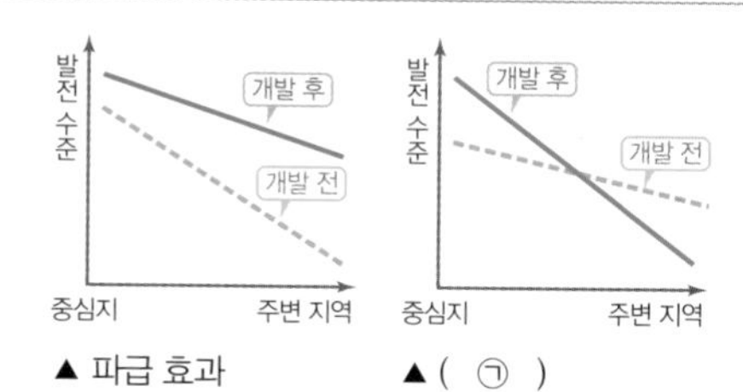

▲ 파급 효과　　▲ (㉠)

파급 효과는 성장 거점 지역의 집중 개발에 따른 효과가 주변 지역의 산업을 발전시키는 것으로, 지역 격차를 완화시킨다. 반면, (㉠)는 개발에 따른 이익이 파급되지 않고 오히려 주변 지역에서 거점 지역으로 노동력 및 자본이 집중하는 것으로, 지역 격차를 심화시킨다.

(　　　　)

4 우리나라 국토 개발 계획의 시기별 특징을 바르게 연결하시오.

(1) 제1차 •　　• ㉠ 광역 개발 추진

(2) 제2차 •　　• ㉡ 성장 거점 개발 추진

(3) 제3차 •　　• ㉢ 균형·녹색·개방·통일 국토

(4) 제4차 •　　• ㉣ 신산업 지대, 지방 도시 육성

5 빈칸에 들어갈 알맞은 말을 쓰시오.

(1) 우리나라는 1960년대 이후 (　　　)을/를 중심으로 한 성장 위주의 국토 개발이 이루어져 수도권과 비수도권의 격차가 발생했다.

(2) (　　　) 불평등은 개발 사업의 경제적 수혜 지역과 환경 오염 부담 지역이 일치하지 않을 때 발생한다.

1일 교과서 핵심 정리 ②

개념 3 자원의 의미와 자원 문제

자원의 특성

가변성	기술적·경제적 수준, 문화적 배경에 따라 자원의 가치가 달라짐.
유한성	대부분의 자원은 매장량이 한정되어 있음.
편재성	특정 자원은 일부 지역에 편중되어 분포함.

1 광물 자원의 분포와 이용

철광석	강원 홍천·양양	제철 공업의 원료, 대부분 수입(오스트레일리아, 브라질 등)
석회석	강원 삼척, 충북 단양	시멘트 공업의 원료, 주로 고생대 ❶ ______ 에 매장
고령토	강원, 경남 하동·산청	도자기 및 내화 벽돌, 종이, 화장품 등의 원료

2 에너지 자원의 분포와 이용

석탄	무연탄	주로 고생대 ❷ ______ 에 매장, 대부분 폐광되어 현재는 소량만 생산
	역청탄	제철 공업 및 화력 발전의 원료, 전량 수입(오스트레일리아, 인도네시아 등)
석유	화학 공업의 원료 및 ❸ ______ 연료, 대부분 수입	
천연가스	주로 ❹ ______ 연료, 울산 앞바다의 가스전에서 소량 생산, 대부분 수입	

- 폐광: 수요 감소, 석탄 산업 합리화 정책 등으로 1980년대 후반부터 생산량이 급감함.
- 천연가스: 연소 시 다른 화석 연료보다 대기 오염 물질 배출량이 적음.

3 전력 자원의 입지와 특징

화력	연료 수입에 유리하고 대소비지와 가까운 지역에 입지, 대기 오염 물질 배출량이 많음.
원자력	지반이 견고하고 냉각수 공급에 유리한 ❺ ______ 에 입지, 방사능 유출의 위험이 있음.
수력	유량이 풍부하고 낙차가 큰 하천 중·상류 지역에 입지, 안정적 전력 생산이 어려움.

- 안정적 전력 생산이 어려움: 우리나라는 계절별 하천 유량 변동이 크기 때문임.

4 자원 문제의 발생과 대책
자원 고갈, 자원의 높은 해외 의존도, 자원 개발과 소비에 따른 환경 문제 발생 → 자원 이용의 효율성 증대, 안정적 자원 공급처 확보, 신·재생 에너지 개발 등

예 우리나라의 1차 에너지 소비 비율은 2017년 기준으로 석유 > 석탄 > 천연가스 > 원자력 > 신·재생 에너지 및 기타 > 수력 순으로 높다.

신·재생 에너지의 분포

태양광	일조량이 풍부한 지역
풍력	바람이 많이 부는 해안이나 산지 지역
조력	조수 간만의 차가 큰 지역

개념 4 농업의 변화와 농촌 문제

1 농촌 및 농업 구조의 변화
(1) 농촌 인구의 변화: 이촌 향도로 인한 청장년층 인구 유출 → 인구의 고령화, 노동력 부족
(2) 경지 변화: 경지 면적 감소, 경지 이용률 감소, 농가당 경지 면적 ❻ ______
(3) 영농 방식의 변화: 시설 재배 증가, 상업적 농업 발달, 영농의 기계화, 영농의 기업화

2 주요 작물의 생산과 소비 변화

쌀(벼)	식생활 변화, 농산물 시장 개방 → 소비량과 재배 면적 ❼ ______
보리(맥류)	수익성 감소, 외국 농산물 수입 확대 → 소비량과 재배 면적 감소
원예 작물	식생활 변화, 소득 증대, 교통 발달 → 소비량과 재배 면적 ❽ ______

- 농산물 시장 개방: 세계 무역 기구(WTO)의 출범과 자유 무역 협정(FTA)의 체결 확대 → 값싼 외국산 농산물 수입으로 국내 농산물의 가격 경쟁력 약화

3 농업 경쟁력 강화를 위한 노력
농산물 고급화, 농업 경영의 다각화, 농산물 유통 구조 개선

- 농산물 고급화: 농산물 브랜드화 및 지리적 표시제 확대

❶ 조선 누층군
❷ 평안 누층군
❸ 수송용
❹ 가정용
❺ 해안 지역
❻ 증가
❼ 감소
❽ 증가

6 **다음에서 설명하는 자원의 특성을 〈보기〉에서 골라 기호를 쓰시오.**

> 보기
>
> ㄱ. 가변성　　ㄴ. 유한성　　ㄷ. 편재성

(1) 대부분의 자원은 매장량이 한정되어 있다. (　　)

(2) 특정 자원은 일부 지역에 편중되어 분포한다. (　　)

(3) 기술적 수준, 경제적 조건, 문화적 배경 등에 따라 자원의 가치가 달라진다. (　　)

7 **㉠에 해당하는 광물 자원을 쓰시오.**

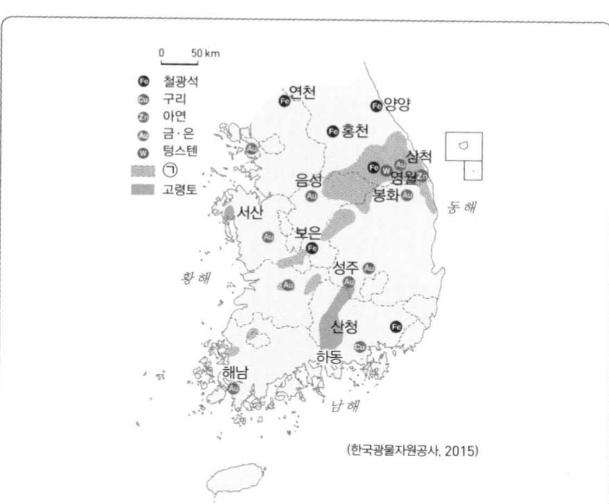

(㉠)은/는 강원도 남부에서 충청북도 북동부에 이르는 고생대 조선 누층군 지역에 주로 분포하며, 매장량이 풍부하여 생산량도 많은 편이다. 고령토는 경상남도 하동, 산청 등에 주로 분포한다. 철광석은 주로 북한에 많이 매장되어 있으며, 남한에서도 강원도 양양, 홍천 등에 소량 매장되어 있다.

(　　　　)

8 **빈칸에 들어갈 알맞은 말을 쓰시오.**

(1) (　　)은/는 주로 화학 공업의 원료 및 수송용 연료로 이용되며, 우리나라에서 소비량이 가장 많은 에너지 자원이다.

(2) (　　)은/는 주로 가정용으로 이용되며, 다른 화석 연료보다 대기 오염 물질 배출량이 적다.

(3) (　　) 발전은 연료 수입에 유리하고 대소비지와 가까운 지역에 입지한다.

(4) (　　) 발전은 지반이 견고하고 냉각수 공급에 유리한 해안 지역에 입지한다.

9 **신·재생 에너지의 분포 특성을 바르게 연결하시오.**

(1) 조력 •　　• ㉠ 일조량이 풍부한 지역

(2) 풍력 •　　• ㉡ 조수 간만의 차가 큰 지역

(3) 태양광 •　　• ㉢ 바람이 많이 부는 해안·산지 지역

10 **괄호 안의 내용 중 알맞은 말을 골라 ○표 하시오.**

(1) 산업화와 도시화의 영향으로 농가 인구와 경지 면적이 (증가, 감소)하고 있다.

(2) 오늘날 농촌에서는 휴경지의 증가와 그루갈이의 감소로 경지 이용률이 (증가, 감소)하고 있다.

(3) 쌀은 보리, 밀, 옥수수에 비해 자급률이 매우 (높은, 낮은) 편이다.

(4) 보리는 주로 벼의 그루갈이 작물로 재배되며, 수익성이 감소하고 외국 농산물 수입이 확대되면서 소비량과 재배 면적이 (증가, 감소)하였다.

내신 기출 베스트

대표 예제 1 도시 재개발 방식

(가), (나)와 관련된 재개발 방식으로 옳은 것은?

> (가) □□ 마을의 기존 주거지는 대규모 아파트 단지로 바뀌었으며 도시 기반 시설이 새롭게 들어서면서 예전과 전혀 다른 모습으로 탈바꿈하였다.
> (나) ○○ 마을은 기존의 낡은 주택을 보수하고 부족한 생활 기반 시설을 보완하는 등 주민들의 생활 환경 개선에 중점을 두어 마을을 재정비하였다.

	(가)	(나)
①	철거 재개발	보존 재개발
②	철거 재개발	수복 재개발
③	보존 재개발	철거 재개발
④	보존 재개발	수복 재개발
⑤	수복 재개발	보존 재개발

개념 가이드

❶ [ ] 은 기존 건물과 시설을 완전히 철거하고 새로운 시설물로 대체하는 방식이다.

답 ❶ 철거 재개발

대표 예제 2 지역 개발 방식

㉠, ㉡ 지역 개발 방식에 대한 설명으로 옳은 것은?

> 우리나라는 제1차 국토 종합 개발 계획에서는 ㉠ 성장 가능성이 큰 지역에 집중 투자하는 개발 방식을 채택하였고, 제3차 국토 종합 개발 계획부터는 ㉡ 낙후 지역에 우선적으로 투자하는 개발 방식을 채택하였다.

① ㉠은 주로 선진국에서 채택하는 방식이다.
② ㉡은 지방 자치 단체와 지역 주민의 주도로 이루어진다.
③ ㉠은 상향식 개발, ㉡은 하향식 개발 방식이다.
④ ㉠은 ㉡보다 지역 주민의 참여도가 높다.
⑤ ㉡은 ㉠보다 투자의 효율성이 높다.

개념 가이드

❷ [ ] 개발 방식은 성장 가능성이 큰 지역에 집중 투자하는 방식이고, ❸ [ ] 개발 방식은 낙후 지역에 우선적으로 투자하는 방식이다.

답 ❷ 성장 거점 ❸ 균형

대표 예제 3 우리나라의 국토 개발

표는 우리나라의 국토 종합 개발 계획을 나타낸 것이다. (가)에 들어갈 내용으로 옳은 것을 〈보기〉에서 고른 것은?

구분	시기	개발 전략 및 특징
제1차	1972~1981년	수도권, 남동 임해 공업 지역 발달
제2차	1982~1991년	국토의 다핵 구조 형성
제3차	1992~1999년	(가)

보기

ㄱ. 광역 개발 추진
ㄴ. 지방 분산형 국토 발전
ㄷ. 대규모 공업 기반 구축
ㄹ. 서해안 신산업 지대 조성

① ㄱ, ㄴ ② ㄱ, ㄷ ③ ㄴ, ㄷ
④ ㄴ, ㄹ ⑤ ㄷ, ㄹ

개념 가이드

❹ [ ] 국토 종합 개발 계획에서는 지방을 육성하고 수도권 집중을 억제하는 균형 개발을 추진하였다.

답 ❹ 제3차

대표 예제 4 국토 개발에 따른 공간 불평등

다음은 학생이 수업 시간에 정리한 내용 중 일부이다. 밑줄 친 ㉠~㉤ 중 옳지 않은 것은?

> 우리나라는 ㉠ 수도권을 중심으로 한 성장 위주의 국토 개발이 이루어지면서 수도권과 비수도권의 공간 불평등 문제가 발생하였다. 수도권에서는 ㉡ 인구와 기능의 과도한 집중으로 ㉢ 노동력 부족, 생활 기반 시설 부족 등의 문제가 나타나고, 비수도권에서는 ㉣ 경제 침체, 인구와 자본 유출 심화 등의 문제가 발생하고 있다. 최근 정부는 이러한 ㉤ 지역 격차 해소를 위해 혁신 도시와 기업 도시 건설을 추진하고 있다.

① ㉠ ② ㉡ ③ ㉢ ④ ㉣ ⑤ ㉤

개념 가이드

우리나라는 ❺ [ ] 을 중심으로 한 성장 위주의 국토 개발이 이루어지면서 수도권과 비수도권의 공간 불평등 문제가 발생하였다.

답 ❺ 수도권

대표 예제 5 광물 자원의 분포와 이용

(가)~(다) 광물 자원에 대한 옳은 설명을 〈보기〉에서 고른 것은?

(가)	제철 공업의 원료로 이용됨.
(나)	시멘트 공업의 원료, 제철 공업의 첨가물로 이용됨.
(다)	도자기 및 내화 벽돌, 종이, 화장품의 원료로 이용됨.

보기

ㄱ. (가)는 대부분 북한에 매장되어 있다.
ㄴ. (나)는 주로 고생대 평안계 지층에 매장되어 있다.
ㄷ. (다)는 경상남도 하동, 산청 등에 주로 분포한다.
ㄹ. (가)는 비금속 광물, (나), (다)는 금속 광물이다.

① ㄱ, ㄴ ② ㄱ, ㄷ ③ ㄴ, ㄷ
④ ㄴ, ㄹ ⑤ ㄷ, ㄹ

개념 가이드

철광석은 ❻ [ ] 광물이고, 석회석과 고령토는 ❼ [ ] 광물이다.

답 ❻ 금속 ❼ 비금속

대표 예제 6 우리나라의 1차 에너지원별 소비량 변화

그래프는 우리나라의 1차 에너지원별 소비량 변화를 나타낸 것이다. A~C에 대한 설명으로 옳은 것은?

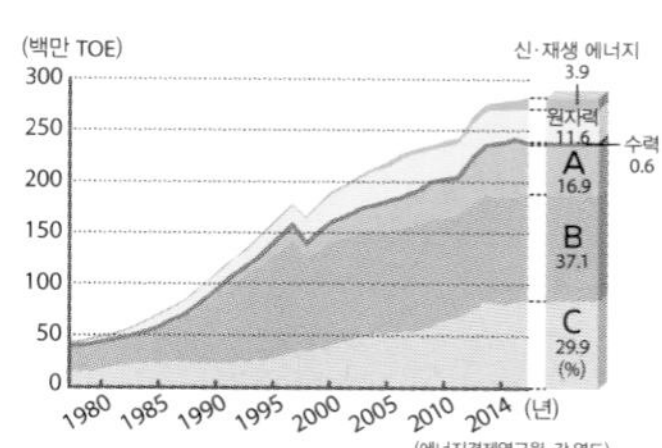

① A는 주로 산업용·발전용으로 이용된다.
② B는 주로 고생대 평안 누층군에 매장되어 있다.
③ C는 냉동 액화 기술 및 수송 기술의 발달로 소비량이 급증하였다.
④ A는 B보다 연소 시 대기 오염 물질을 적게 배출한다.
⑤ A~C 모두 전량 수입에 의존하고 있다.

개념 가이드

우리나라의 1차 에너지 소비 비율은 ❽ [ ] > 석탄 > 천연가스 > 원자력 > 신·재생 에너지 및 기타 > 수력 순으로 높다.

답 ❽ 석유

대표 예제 7 우리나라 주요 발전 설비의 분포

지도는 우리나라 주요 발전 설비의 분포를 나타낸 것이다. (가)~(다) 발전 양식으로 옳은 것은?

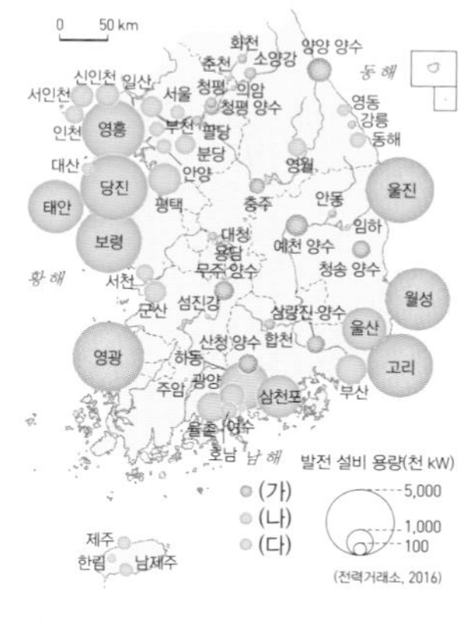

	(가)	(나)	(다)
①	수력	화력	원자력
②	수력	원자력	화력
③	화력	수력	원자력
④	원자력	수력	화력
⑤	원자력	화력	수력

개념 가이드

❾ [ ] 발전은 지반이 견고하고 냉각수 공급에 유리한 해안 지역에 입지한다.

답 ❾ 원자력

대표 예제 8 경지 면적과 경지 이용률의 변화

그래프는 경지 면적과 경지 이용률의 변화를 나타낸 것이다. 이를 통해 추론한 내용으로 옳지 않은 것은?

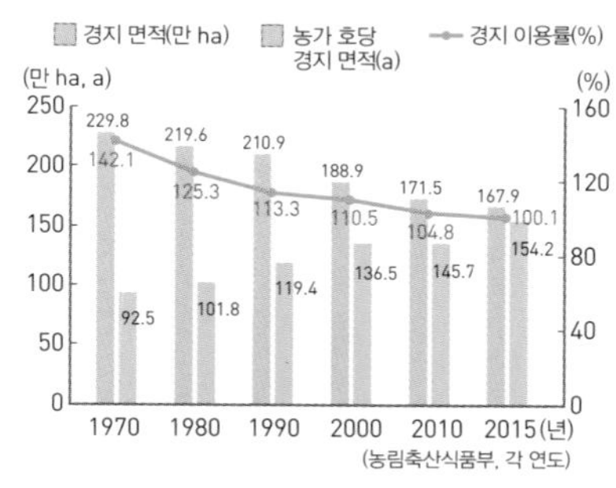

① 농가 인구가 감소하였을 것이다.
② 휴경지 면적이 증가하였을 것이다.
③ 그루갈이 면적이 증가하였을 것이다.
④ 농경지가 주택, 공장 등으로 전환되었을 것이다.
⑤ 경지 면적 감소율보다 농가 수 감소율이 더 클 것이다.

개념 가이드

우리나라는 산업화·도시화의 영향으로 경지 면적과 경지 이용률은 ❿ [ ] 하고, 농가 호당 경지 면적은 ⓫ [ ] 하였다.

답 ❿ 감소 ⓫ 증가

1일

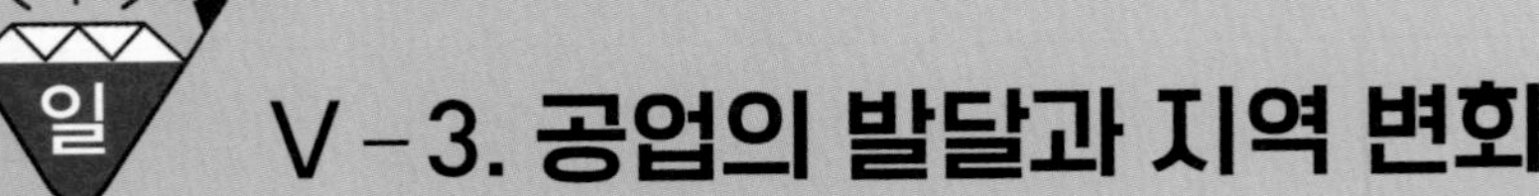

2일 V-3. 공업의 발달과 지역 변화 ~4. 서비스업의 변화와 교통·통신의 발달

Quiz 우리나라는 (노동, 자본·기술) 집약적 공업 중심에서 (노동, 자본·기술) 집약적 공업 중심으로 공업 구조가 고도화되었다.

1960년대
대도시를 중심으로 노동 집약적 경공업 발달
서울
대구
부산
많은 사람이 필요해.

1970~1980년대
남동 임해 지역을 중심으로 자본·기술 집약적 중화학 공업 발달
원료 수입과 제품 수출에 유리한 항구가 있어야 해.
남동 임해 지역

1990년대 이후
수도권을 중심으로 기술·지식 집약적 첨단 산업 발달
정보와 자본, 고급 인력이 풍부한 곳

답 노동, 자본·기술

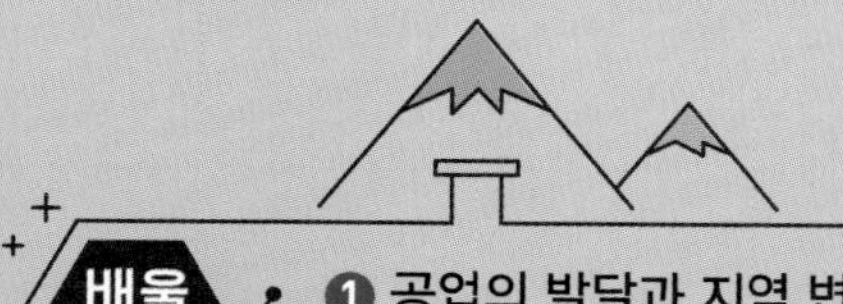

배울 내용

❶ 공업의 발달과 지역 변화
❷ 상업 및 서비스 산업의 입지와 변화
❸ 교통·통신의 발달과 공간 변화

Quiz 상점이 유지되기 위해서는 재화의 도달 범위가 최소 요구치보다 (넓거나, 좁거나) 같아야 한다.

------- **최소 요구치** 상점이 유지되기 위한 최소한의 수요(판매량, 고객 수, 판매액)

——— **재화의 도달 범위** 상점의 기능이 영향을 미치는 범위(재화가 판매되는 최대한의 공간 범위)

최소 요구치 > 재화의 도달 범위

인구 증가, 교통의 발달, 생활 수준 향상

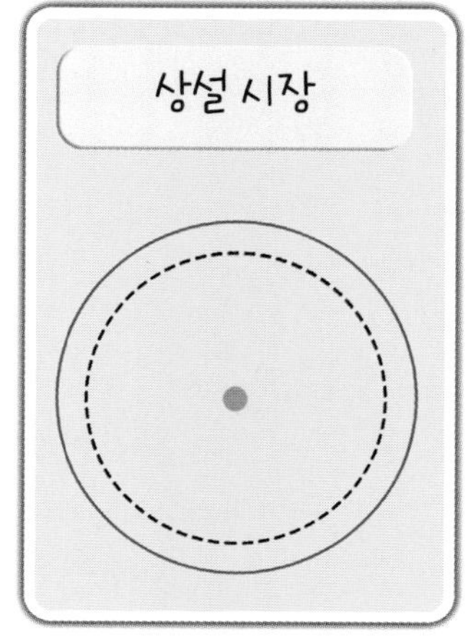

최소 요구치 < 재화의 도달 범위

답 넓거나

2일 교과서 핵심 정리 ①

개념 1 공업의 발달과 지역 변화

우리나라 공업의 발달 과정

1960년대	노동 집약적 경공업 발달(대도시)
1970~80년대	자본·기술 집약적 중화학 공업 발달(남동 임해 지역)
1990년대 이후	기술·지식 집약적 첨단 산업 발달(수도권), 탈공업화

1 우리나라 공업의 특징

(1) 공업 구조의 고도화: 노동 집약적 공업 중심에서 자본·기술 집약적 공업 중심으로 전환됨.
(2) 공업의 지역적 편재: 수도권과 남동 임해 지역에 공업 집중 → 국토의 불균등 성장을 초래함.
(3) 공업의 ❶ [ ]: 대기업과 중소기업 간의 생산성 격차가 매우 큼.
(4) 원료의 높은 해외 의존도: 임해 지역에 가공 무역 발달 → 국제 원자재 가격 변동에 민감함.

가공 무역: 원료 또는 반제품을 수입하여 완제품을 만든 후 다시 수출하는 형태의 무역

2 공업의 입지 유형

원료 지향형	• 제조 과정에서 원료의 무게나 부피가 감소하는 공업 ㉥ 시멘트 • 원료가 쉽게 부패 또는 변질되는 공업 ㉥ 통조림
시장 지향형	• 제조 과정에서 제품의 무게나 부피가 ❷ [ ]하는 공업 ㉥ 음료, 가구 • 제품이 변질·파손되기 쉬운 공업 ㉥ 유리, 식품 • 소비자와의 잦은 접촉이 필요한 공업 ㉥ 인쇄
적환지 지향형	무게나 부피가 큰 원료를 해외에서 수입하고 제품을 수출하는 공업 ㉥ 제철, 정유
노동 지향형	생산비에서 ❸ [ ]가 차지하는 비중이 큰 공업 ㉥ 섬유, 전자 조립
❹ [ ]	• 한 가지 원료에서 다양한 제품을 생산하는 계열화된 공업 ㉥ 석유 화학 • 제품 생산에 많은 부품이 필요한 조립형 공업 ㉥ 자동차, 조선
입지 자유형	운송비에 비해 부가 가치가 큰 공업, 고부가 가치 첨단 산업 ㉥ 반도체, 정보 통신

3 우리나라의 주요 공업 지역

❺ [ ] 공업 지역	• 풍부한 자본·노동력, 넓은 소비 시장 등 → 우리나라 최대의 종합 공업 지역 • 최근 첨단 산업이 빠르게 성장하고 있음, 집적 불이익으로 공업 분산이 추진됨.
태백산 공업 지역	• 풍부한 지하자원을 바탕으로 시멘트 공업 등 ❻ [ ] 공업이 발달함. • 교통이 불편하고 소비 시장과의 거리가 멀어 공업의 집적도가 낮은 편임.
충청 공업 지역	• 수도권과 인접하고 교통이 편리하여 수도권에서 분산되는 공업이 입지하고 있음. • 해안 지역(㉥ 서산, 당진)은 중화학 공업, 내륙 지역(㉥ 대전)은 첨단 산업 발달
호남 공업 지역	• 공업의 지역적 불균형 해소를 위해 조성됨. • 중국과의 교역 증가 → 제2의 임해 공업 지역으로 성장 가능
영남 내륙 공업 지역	• 과거 풍부한 노동력과 편리한 육상 교통을 바탕으로 노동 집약적 경공업 발달 • 최근 기술 집약적 첨단 산업 발달
❼ [ ] 공업 지역	• 우리나라 최대의 중화학 공업 지역 • 원료 수입과 제품 수출에 유리한 항만을 중심으로 적환지 지향형 공업 발달

4 공업 지역의 변화

(1) 수도권 및 남동 임해 공업 지역에 ❽ [ ]이 발생함. → 공업 분산 정책 추진
(2) 기업 조직이 성장하면서 본사, 연구소, 생산 공장이 분산 입지하는 공간적 분업이 이루어짐.

공간적 분업: 본사는 자본과 정보 획득에 유리한 대도시에, 연구소는 연구 인력 확보에 유리한 대학 및 연구소 밀집 지역에, 생산 공장은 저임금 노동력 확보에 유리한 지방 및 개발 도상국에 입지함.

㉥ 공업이 수도권과 남동 임해 지역에 과도하게 집중하면서 집적 불이익이 발생하여 충청·호남 지역으로의 공업 분산 정책이 추진되고 있다.

❶ 이중 구조
❷ 증가
❸ 노동비
❹ 집적 지향형
❺ 수도권
❻ 원료 지향형
❼ 남동 임해
❽ 집적 불이익

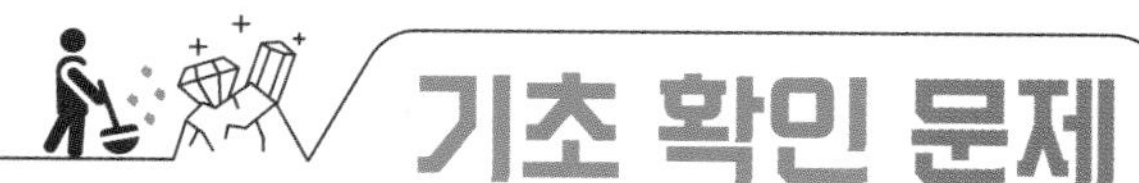

기초 확인 문제

정답과 해설 65쪽

1 괄호 안의 내용 중 알맞은 말을 골라 ○표 하시오.

(1) 1960년대에는 서울, 부산, 대구 등 대도시를 중심으로 (노동 집약적, 자본·기술 집약적) 공업이 발달하였다.

(2) 1970~1980년대에는 (수도권, 남동 임해 지역)을 중심으로 자본·기술 집약적 중화학 공업이 발달하였다.

(3) (공업화, 탈공업화)는 산업 구조가 고도화되면서 경제 전체에서 2차 산업이 차지하는 비중이 감소하고 3차 산업의 비중이 증가하는 현상이다.

2 다음 설명에 해당하는 우리나라 공업의 특징을 〈보기〉에서 골라 기호를 쓰시오.

> 보기
>
> ㄱ. 공업의 이중 구조　　ㄴ. 공업 구조의 고도화
> ㄷ. 공업의 지역적 편재

(1) 노동 집약적 공업 중심에서 자본·기술 집약적 공업 중심으로 전환되었다. (　　)

(2) 정부 주도의 수출 지향 정책으로 수도권과 영남권을 중심으로 공업이 발달하였다. (　　)

(3) 대기업은 중소기업에 비해 사업체 수 비율이 매우 낮으나 종사자 수 비율과 출하액 비율이 상대적으로 높다. (　　)

3 공업의 입지 유형과 그 사례를 바르게 연결하시오.

(1) 원료 지향형 •		• ㉠ 가구 공업
(2) 시장 지향형 •		• ㉡ 섬유 공업
(3) 적환지 지향형 •		• ㉢ 제철 공업
(4) 노동 지향형 •		• ㉣ 시멘트 공업
(5) 집적 지향형 •		• ㉤ 석유 화학 공업

4 다음 설명에 해당하는 우리나라의 공업 지역을 지도의 A~F에서 골라 쓰시오.

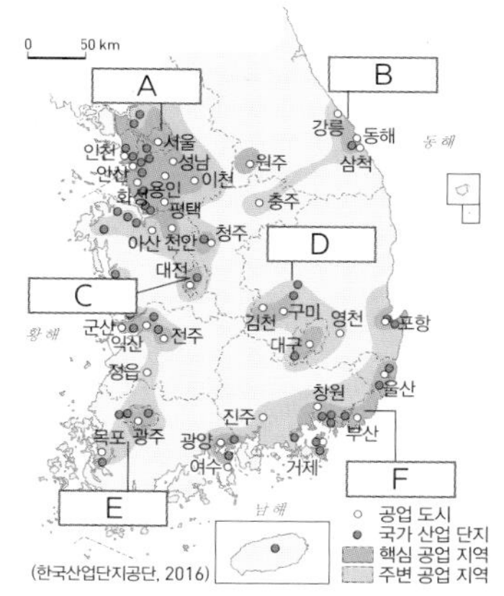

(한국산업단지공단, 2016)

(1) 우리나라 최대의 종합 공업 지역이다. (　　)

(2) 우리나라 최대의 중화학 공업 지역이다. (　　)

(3) 중국과의 교역 증가로 제2의 임해 공업 지역으로 성장할 가능성이 크다. (　　)

(4) 풍부한 지하자원을 바탕으로 시멘트 공업 등 원료 지향형 공업이 발달하였다. (　　)

(5) 과거 풍부한 노동력과 편리한 육상 교통을 바탕으로 노동 집약적 경공업이 발달하였다. (　　)

(6) 수도권과 인접한 지리적 위치를 바탕으로 수도권에서 분산되는 공업이 입지하고 있다. (　　)

5 빈칸에 들어갈 알맞은 말을 쓰시오.

> 기업 조직이 성장하면서 본사와 연구소는 자본 확보 및 정보 수집에 유리한 대도시에 입지하고, 생산 공장은 지가와 임금이 저렴한 지방이나 해외로 이전하는 등 각 기능이 분산 입지하는 (　　　)이/가 이루어진다. 이러한 과정에서 일부 기업은 다국적 기업으로 성장하기도 한다.

(　　　　)

2일 교과서 핵심 정리 ②

개념 2 상업 및 서비스 산업의 입지와 변화

최소 요구치	상점의 기능을 유지하기 위한 최소한의 수요
재화의 도달 범위	상점의 기능이 영향을 미치는 최대한의 공간 범위

1 상업의 입지

(1) 상점의 유지 조건: 최소 요구치 ≦ 재화의 도달 범위

(2) 상업 입지 요인의 변화: 인구 증가, 교통·통신의 발달, 생활 수준 향상으로 소비 행태 다양화 → 상설 시장 발달, 상권 확대, 상품의 유통 구조 단순화, 다양한 소비 공간(예 편의점, 대형 복합 쇼핑몰, 무점포 상점, 직거래 장터 등)의 등장

└ 전자 상거래가 활성화되면서 도매업의 기능은 약화되고, 택배업과 물류업이 발달함.

2 주요 소매 업태별 특징

백화점	주로 고급 상품 판매, 접근성이 높은 도심이나 부도심에 입지
대형 마트	생활용품을 저렴한 가격으로 대량 판매, 도시 내 ❶ ______을 중심으로 입지
❷ ______	일상생활에 필요한 기본 상품을 24시간 판매, 도시 곳곳에 분포
❸ ______	TV 홈쇼핑, 인터넷 쇼핑, 소셜 커머스 등을 통한 거래 → 택배 및 물류 산업 성장

3 서비스 산업의 유형과 입지

❹ ______ 서비스업	개인 소비자가 이용하는 서비스업(예 도·소매업, 음식업, 숙박업 등) → 소비자의 이동 거리를 최소화하고 업체 간 경쟁을 줄이기 위해 분산하여 입지함.
생산자 서비스업	기업의 생산 활동을 지원하는 서비스업(예 금융업, 보험업, 광고업 등) → 고객과의 접근성이 높고 관련 정보 획득에 유리한 대도시의 ❺ ______에 집적하여 입지함.

4 서비스 산업의 고도화

서비스업 외부화 경향이 강화되면서 업종 및 규모가 세분화되고, 기능이 전문화됨. → ❻ ______ 서비스업의 비중 증가, 지식 기반 서비스업이 성장 주도

예 소비자 서비스업은 분산 입지하고, 생산자 서비스업은 대도시의 도심·부도심에 집적 입지한다.

└ 지식과 정보를 기반으로 부가 가치를 창출함. 예 정보·통신 서비스업, 교육·문화·디자인 산업 → 수도권에 집중적으로 분포함.

개념 3 교통·통신의 발달과 공간 변화

1 교통수단별 특징

• 주행 비용: 주행 거리에 따라 증가하는 운송 비용
• 기종점 비용: 주행 거리와 관계없이 일정한 고정 비용

도로	❼ ______ 수송에 유리, 문전 연결성·기동성 우수
철도	정시성·안전성 우수, ❽ ______ 제약이 큼.
해운	대량 화물의 장거리 수송에 유리, 기상 조건의 제약이 큼.
항공	장거리 여객 수송과 고부가 가치 화물 수송에 적합

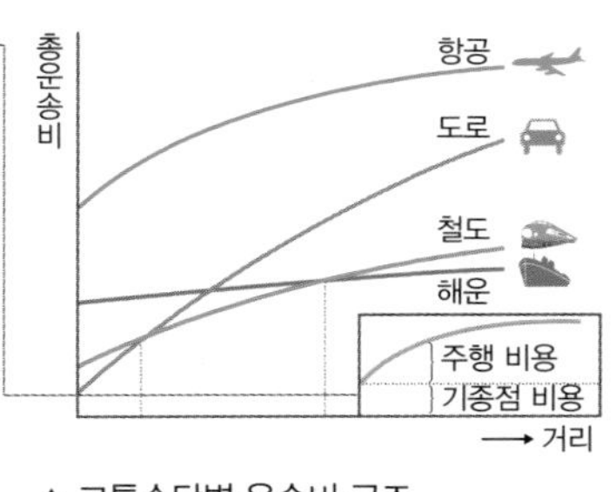

▲ 교통수단별 운송비 구조

2 교통·통신의 발달과 공간 변화

지역 간 인적·물적 교류 증가, 생활권의 확대(대도시권 형성), 지역 격차 심화(교통이 편리한 지역에 인구와 산업이 집중), 기업의 공간적 분업 현상 심화, 택배 산업과 대형 물류 창고업 성장 등

예 도로는 단거리 수송에 유리하고, 해운은 대량 화물의 장거리 수송에 유리하다.

❶ 주거 지역
❷ 편의점
❸ 무점포 상점
❹ 소비자
❺ 도심, 부도심
❻ 생산자
❼ 단거리
❽ 지형적

기초 확인 문제

정답과 해설 65쪽

6 빈칸에 들어갈 알맞은 말을 쓰시오.

(1) 상점의 기능을 유지하는 데 필요한 최소한의 수요를 (　　　　)(이)라고 하고, 상점의 기능이 영향을 미치는 최대한의 공간 범위를 (　　　　)(이)라고 한다.

(2) (　　　　)은/는 거리에 따라 증가하는 운송 비용이고, (　　　　)은/는 창고비, 하역비, 보험료 등 주행 거리와 관계없이 일정한 고정 비용이다.

7 다음 설명에 해당하는 소매 업태를 〈보기〉에서 골라 기호를 쓰시오.

보기

ㄱ. 백화점　　ㄴ. 편의점
ㄷ. 대형 마트　　ㄹ. 무점포 상점

(1) 시공간 제약이 적어 입지가 자유롭다. (　　)

(2) 접근성이 높은 도심이나 부도심에 입지한다. (　　)

(3) 생활용품을 저렴한 가격으로 대량 판매한다. (　　)

(4) 일상생활에 필요한 기본 상품을 24시간 판매하며, 도시 곳곳에 분포한다. (　　)

8 괄호 안의 내용 중 알맞은 말을 골라 ○표 하시오.

(1) (소비자, 생산자) 서비스업은 기업의 생산 활동을 지원하는 서비스업이다.

(2) 도·소매업, 음식업, 숙박업 등은 (소비자, 생산자) 서비스업에 속한다.

(3) 서비스업 외부화 경향의 강화로 서비스업의 업종 및 규모가 세분화되고 기능이 전문화되면서 (소비자, 생산자) 서비스업의 비중이 증가하고 있다.

9 다음 빈칸에 공통으로 들어갈 용어를 쓰시오.

- 정보화 사회에서는 서비스 산업이 더욱 전문화·세분화되며, 지식과 정보를 기반으로 부가 가치를 창출하는 (　　　) 서비스업이 경제 활동의 중심을 이루게 된다.
- 우리나라는 1990년대부터 탈공업화 현상이 나타났으며, 최근에는 정보·통신 서비스업, 교육·문화·디자인 산업 등 (　　　) 서비스업이 서비스 산업의 성장을 주도하고 있다.

(　　　　) 서비스업

10 다음 설명에 해당하는 교통수단을 그래프의 A~C에서 골라 쓰시오. (단, A~C는 도로, 철도, 해운 중 하나임.)

〈교통수단별 운송비 구조〉

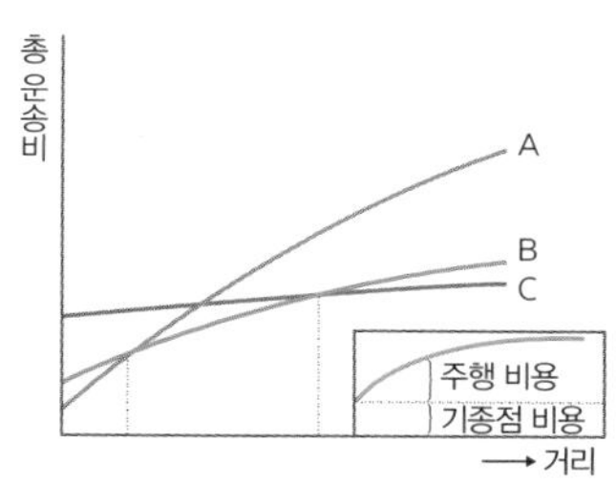

(1) 지형적 제약이 크지만, 정시성과 안전성이 우수하다. (　　)

(2) 단거리 수송에 적합하며, 기동성과 문전 연결성이 우수하다. (　　)

(3) 기종점 비용이 높고 주행 비용 증가율이 낮아 대량 화물의 장거리 수송에 적합하다. (　　)

2일 내신 기출 베스트

대표 예제 1 우리나라 공업의 특징

그래프는 업종별 공업 구조의 변화를 나타낸 것이다. 이를 통해 알 수 있는 우리나라 공업의 특징으로 가장 적절한 것은?

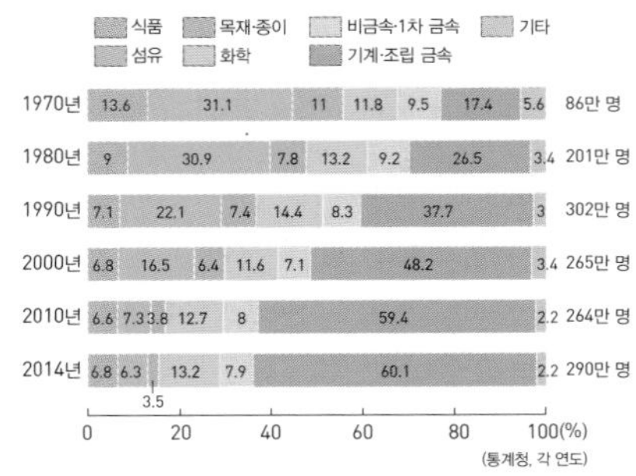

① 공업의 이중 구조가 나타나고 있다.
② 공업 구조의 고도화가 이루어지고 있다.
③ 수도권과 남동 임해 지역에 공업이 편재되어 있다.
④ 대기업과 중소기업 간의 생산성 격차가 매우 크다.
⑤ 기업 조직이 성장하면서 공간적 분업이 나타나고 있다.

개념 가이드

우리나라는 ❶ ______ 집약적 공업 중심에서 자본 및 기술 집약적 공업 중심으로 공업 구조가 고도화되었다.

답 ❶ 노동

대표 예제 2 공업의 입지 유형

지도는 어느 공업의 시·도별 생산액과 지역별 종사자 수 비중을 나타낸 것이다. 이 공업의 입지 유형으로 옳은 것은?

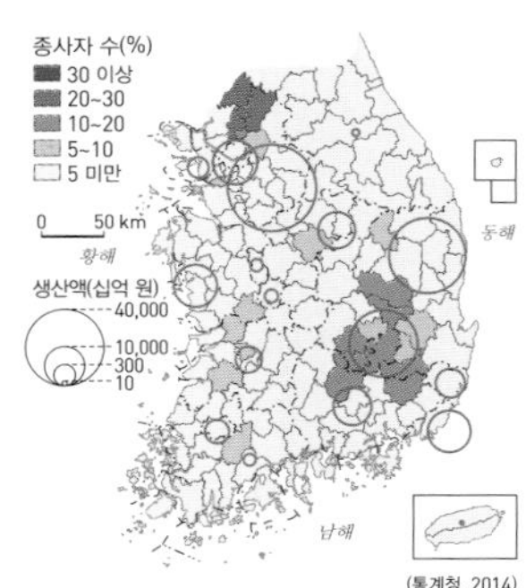

① 노동 지향형 공업
② 시장 지향형 공업
③ 원료 지향형 공업
④ 집적 지향형 공업
⑤ 적환지 지향형 공업

개념 가이드

섬유 공업은 생산비에서 ❷ ______ 가 차지하는 비중이 높으므로 수도권, 대구 등 노동력이 풍부한 지역에 입지한다.

답 ❷ 노동비

대표 예제 3 우리나라의 주요 공업 지역

(가), (나)에 해당하는 공업 지역을 지도의 A~F에서 고른 것은?

> (가) 풍부한 자본과 노동력, 넓은 소비 시장 등을 바탕으로 형성된 우리나라 최대의 종합 공업 지역이다.
> (나) 원료 수입과 제품 수출에 유리한 항만을 중심으로 적환지 지향형 공업이 발달하였다.

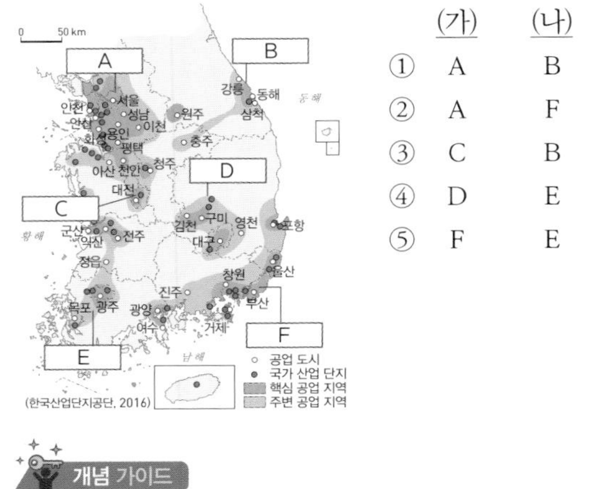

	(가)	(나)
①	A	B
②	A	F
③	C	B
④	D	E
⑤	F	E

개념 가이드

❸ ______ 공업 지역은 우리나라 최대의 종합 공업 지역이다.

답 ❸ 수도권

대표 예제 4 기업 조직의 성장과 공간적 분업

다음 글의 ㉠에 들어갈 내용으로 가장 적절한 것은?

> 기업 조직이 성장하면서 기능의 공간적 입지가 분리되기도 한다. 본사와 연구소는 대도시에 입지하고, 생산 공장은 ___㉠___ 에 유리한 지방이나 해외로 이전한다.

① 원료 획득
② 자본 획득
③ 정보 획득
④ 연구 인력 확보
⑤ 저임금 노동력 확보

개념 가이드

기업 조직이 성장하면서 본사, 연구소, 생산 공장 등이 분산 입지하는 ❹ ______ 이 나타나기도 한다.

답 ❹ 공간적 분업

대표 예제 5 상설 시장의 형성 과정

다음과 같은 변화가 나타나는 데 영향을 끼친 요인을 <보기>에서 있는 대로 고른 것은?

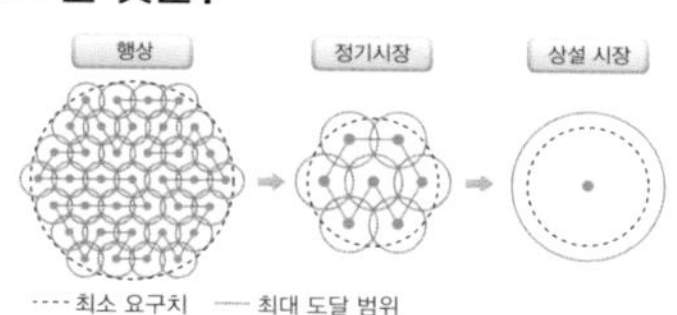

보기
ㄱ. 인구 증가 ㄴ. 교통 발달
ㄷ. 인구의 고령화 ㄹ. 소득 수준의 향상

① ㄱ, ㄴ ② ㄱ, ㄷ ③ ㄷ, ㄹ
④ ㄱ, ㄴ, ㄹ ⑤ ㄴ, ㄷ, ㄹ

교통이 발달하면 재화의 도달 범위가 ❺ ____, 인구가 증가하면 최소 요구치가 ❻ ____.

답 ❺ 넓어지고 ❻ 작아진다

대표 예제 6 편의점과 백화점의 특징

지도는 (가), (나) 소매 업태의 분포를 나타낸 것이다. (가)와 비교한 (나)의 상대적 특징으로 옳지 않은 것은? (단, (가), (나)는 백화점, 편의점 중 하나임.)

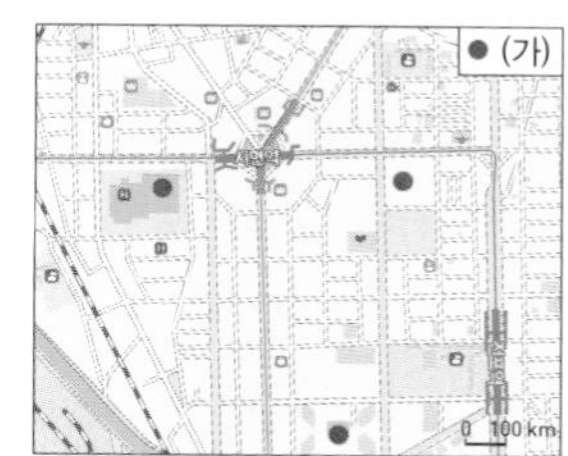

① 최소 요구치가 작다.
② 판매 상품의 종류가 적다.
③ 재화의 도달 범위가 좁다.
④ 소비자의 이용 빈도가 높다.
⑤ 업체당 1일 평균 매출액이 많다.

편의점은 백화점보다 상점의 수가 ❼ ____, 상점 간 평균 거리가 ❽ ____.

답 ❼ 많고 ❽ 가깝다

대표 예제 7 소비자 서비스업과 생산자 서비스업

(가), (나)에 대한 옳은 설명을 <보기>에서 고른 것은?

> 서비스업은 수요자 유형에 따라 개인 소비자가 이용하는 (가) 과 기업의 생산 활동을 지원하는 (나) 으로 구분된다.

보기
ㄱ. (가)의 사례로는 금융업, 보험업, 광고업 등이 있다.
ㄴ. (나)는 대도시의 도심, 부도심에 주로 입지한다.
ㄷ. (가)는 (나)보다 지식 집약적인 성격이 강하다.
ㄹ. 탈공업화 사회에서는 (가)보다 (나)의 비중이 증가한다.

① ㄱ, ㄴ ② ㄱ, ㄷ ③ ㄴ, ㄷ
④ ㄴ, ㄹ ⑤ ㄷ, ㄹ

개념 가이드

서비스업은 수요자 유형에 따라 소비자 서비스업과 ❾ ____ 서비스업으로 구분된다.

답 ❾ 생산자

대표 예제 8 교통수단별 특징

그래프는 교통수단별 운송비 구조를 나타낸 것이다. A~C에 대한 설명으로 옳은 것은? (단, A~C는 도로, 철도, 해운 중 하나임.)

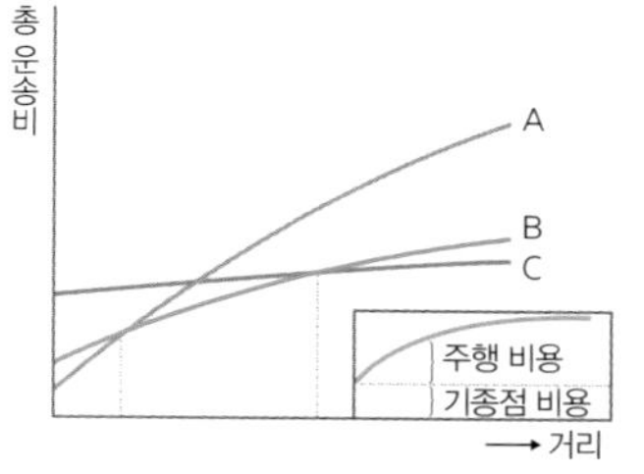

① A는 B보다 정시성과 안전성이 우수하다.
② A는 C보다 장거리 수송에 유리하다.
③ B는 C보다 운행 시 기상 조건의 제약이 크다.
④ C는 A보다 기종점 비용이 저렴하다.
⑤ C는 B보다 주행 비용 증가율이 낮다.

개념 가이드

기종점 비용은 ❿ ____ > 철도 > ⓫ ____ 순으로 높게 나타난다.

답 ❿ 해운 ⓫ 도로

3 

Ⅵ-1. 인구 분포와 인구 구조의 변화 ~3. 외국인 이주와 다문화 공간

Quiz 우리나라는 1990년대 후반부터 출생률과 사망률이 모두 낮아져 (종형, 피라미드형) 인구 구조로 변화하였다.

인구 변천 모형을 통해 사회·경제의 발전 과정에서 나타나는

출생, 사망 등에 의한 인구의 자연적 증감을 파악할 수 있어.

출생률과 사망률 (%)

40, 30, 20, 10, 0

출생률

자연 증가

사망률

전체 인구 수

시간(경제 발전) →

제1단계	제2단계	제3단계	제4단계
고위 정체기	인구 폭발기	인구 증가 둔화기	인구 안정기
조선 시대와 그 이전 (다산 다사)	일제 강점기 (다산 감사)	1960~1990년대 (감산 소사)	2000년대 이후 (소산 소사)
	식량 증산	아들, 딸 구별 말고 둘만 낳아 잘 기르자.	결혼하면 아이를 꼭 낳아야 할까?

답 종형

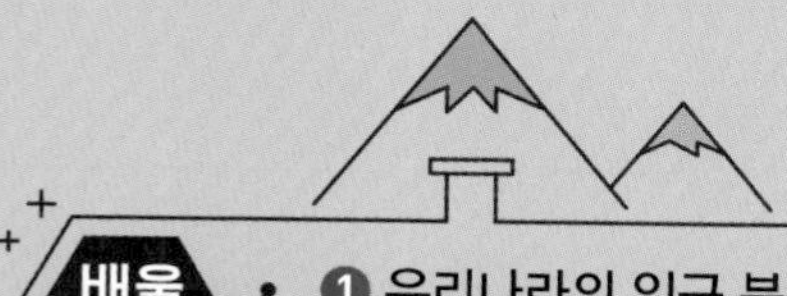

배울 내용

❶ 우리나라의 인구 분포와 인구 이동
❷ 우리나라 인구 구조의 변화
❸ 인구 문제와 공간 변화
❹ 외국인 이주와 다문화 공간

Quiz 우리나라는 유소년층과 청장년층 인구 비율은 (증가, 감소)하고 노년층 인구 비율은 (증가, 감소)하고 있다.

답 감소, 증가

3일 교과서 핵심 정리 ①

개념 1 우리나라의 인구 분포와 인구 이동

인구 분포에 영향을 미치는 요인

자연적 요인	기후, 지형, 토양, 자원 등
사회·경제적 요인	산업, 경제, 문화, 교육, 교통 등

1 우리나라의 인구 분포

인구 분포 – 인구 밀도(단위 면적당 인구수)를 통해 파악할 수 있음.

(1) 전통적 인구 분포: 자연적 요인의 영향이 큼. → 기후가 온화하고 경지 비율이 높은 남서부 평야 지대에 인구 밀집

(2) 오늘날 인구 분포: ❶ [ ] 요인의 영향이 큼.

대도시 – 예 부산, 대구, 대전, 광주 등

인구 밀집 지역	수도권(전체 인구의 약 50% 거주)을 비롯한 대도시, 공업이 발달한 남동 임해 지역
인구 희박 지역	태백·소백산맥 일대의 산간 지역, 농어촌 지역

2 우리나라의 인구 이동 근대화 이후 교통의 발달로 인구 이동이 활발해짐.

1960~80년대	산업화가 진행되면서 농촌에서 대도시, 공업 도시로의 ❷ [ ] 현상이 나타남.
1990년대 이후	수도권과 대도시로 인구 집중, 대도시의 ❸ [ ] 현상으로 대도시에서 주변 위성 도시로의 인구 이동이 많아짐.

❸ – 도시의 인구나 기능, 시설 등이 도시 주변 지역으로 확산되는 현상

예 우리나라는 오늘날 2·3차 산업이 발달한 대도시와 공업 지역을 중심으로 인구가 밀집해 있다.

개념 2 우리나라 인구 구조의 변화

1 우리나라의 인구 성장

인구 성장 – '자연적 증감(출생자 수 – 사망자 수) + 사회적 증감(전입자 수 – 전출자 수)'을 통해 파악할 수 있음.

일제 강점기	근대 의료 기술 도입, 위생 시설 확충, 식량 증산으로 사망률 감소 → 인구 급증
광복 이후	재외 동포 귀국, 북한 동포 월남 → 인구의 사회적 증가
6·25 전쟁	전쟁 중 사망률 급증, 전쟁 후 출산 붐으로 인구 급증
1960~90년대	정부 주도의 적극적인 ❹ [ ] 정책 실시 → 출산율 감소
2000년대 이후	지나친 출산율 감소로 ❺ [ ] 문제 발생 → 출산 장려 정책 실시

출산 붐 – 전쟁이나 불경기가 끝난 후 사회적·경제적으로 안정되면서 출산율이 급증하는 현상

2 우리나라의 인구 구조 변화

(1) 연령별 인구 구조: 유소년층(0~14세), 청장년층(15~64세), 노년층(65세 이상)

1960년대 이전	출생률이 높아 유소년층 인구 비율이 매우 높음. → ❻ [ ] 인구 구조
1990년대 후반	낮은 출생률로 유소년층 인구 비율 감소, 노년층 인구 비율 증가 → 종형 인구 구조
2060년대(예상)	저출산이 지속될 경우 유소년층 인구 비율이 더 낮아지고 노년층 인구 비율이 매우 높아질 것으로 예상됨. → 인구 부양비 증가, 역피라미드형 인구 구조

(2) 성별 인구 구조

성비 – 여성 인구 100명에 대한 남성 인구의 수

① 출생 시에는 성비가 높고(남초 현상), 노년층으로 갈수록 성비가 낮음(여초 현상).

노년층으로 갈수록 성비가 낮음 – 여성의 평균 수명이 길기 때문임.

② 지역의 특성에 따라 남초 현상(❼ [ ], 휴전선 부근의 군사 도시)과 여초 현상(대도시, 관광 도시, ❽ [ ])이 나타남.

예 우리나라는 유소년층과 청장년층 인구 비율은 감소하고 노년층 인구 비율은 증가하고 있다.

❶ 사회·경제적
❷ 이촌 향도
❸ 교외화
❹ 산아 제한
❺ 저출산
❻ 피라미드형
❼ 중화학 공업 도시
❽ 촌락 지역

기초 확인 문제

정답과 해설 67쪽

3일

1 괄호 안의 내용 중 알맞은 말을 골라 ○표 하시오.

(1) 오늘날에는 교통과 과학 기술의 발달로 (자연적, 사회·경제적) 요인이 인구 분포에 큰 영향을 미치고 있다.

(2) 우리나라는 1960년대 이전에 인구 대부분이 1차 산업에 종사하여 벼농사에 유리한 (남서부, 북동부) 지역에 인구가 주로 분포하였다.

(3) 우리나라는 1960년대 이후 산업화·도시화가 진행되면서 (교외화, 이촌 향도) 현상이 활발하게 일어나 대도시와 공업 도시에 인구가 집중하였다.

2 다음 각 시기의 인구 이동 특징을 〈보기〉에서 골라 기호를 쓰시오.

보기

ㄱ. 농촌에서 대도시, 공업 도시로 이동
ㄴ. 광공업이 발달한 북부 지방으로 이동
ㄷ. 대도시에서 대도시 주변 위성 도시로 이동
ㄹ. 해외 동포들이 귀국하여 고향이나 도시로 이동

(1) 일제 강점기: (　　　)
(2) 광복 이후: (　　　)
(3) 1960~1980년대: (　　　)
(4) 1990년대 이후: (　　　)

3 각 인구 관련 지표의 의미를 바르게 연결하시오.

(1) 성비 • 　　• ㉠ 단위 면적당 인구수
(2) 인구 밀도 • 　　• ㉡ 전입자 수 – 전출자 수
(3) 사회적 증감 • 　　• ㉢ 출생자 수 – 사망자 수
(4) 자연적 증감 • 　　• ㉣ 여성 인구 100명에 대한 남성 인구수

4 우리나라의 인구 성장 그래프를 보고, 빈칸에 들어갈 알맞은 말을 쓰시오.

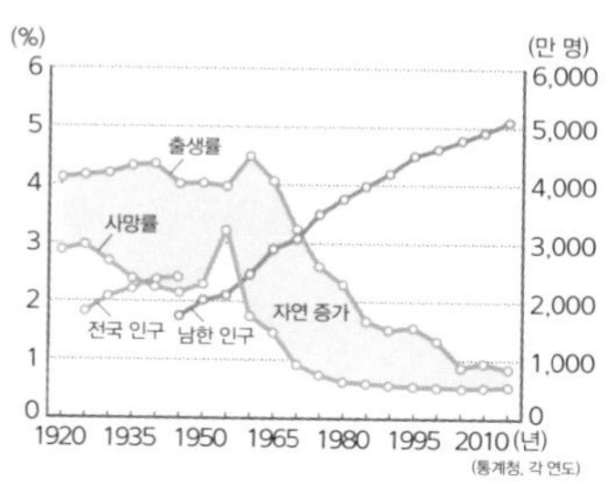

(1) 일제 강점기에는 근대 의료 기술 도입, 위생 시설 확충, 식량 증산으로 (　　　)이/가 감소하였다.

(2) 전쟁 이후 (　　　)(으)로 출생률이 급증하였다.

(3) 1960년대 이후 정부 주도의 (　　　) 정책으로 출생률이 빠르게 감소하였다.

(4) 2000년대 이후 지나친 출산율 감소로 저출산 문제가 발생하여 (　　　) 정책을 추진하고 있다.

5 ㉠, ㉡에 해당하는 인구 피라미드 유형을 쓰시오.

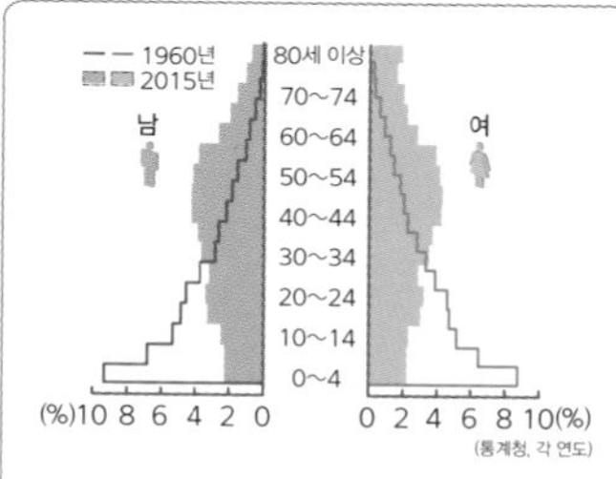

우리나라는 1960년대 이전까지 높은 출생률과 사망률로 인해 유소년층 인구 비율이 높고 노년층 인구 비율이 낮은 전형적인 (㉠) 인구 구조를 보였다. 이후 경제 발전과 산업화가 진행되고 산아 제한 중심의 가족계획 정책, 출산 및 양육 비용 증가 등으로 출생률이 급격하게 감소하면서 (㉡) 인구 구조로 변화하였다.

(1) ㉠ – (　　　　　)　(2) ㉡ – (　　　　　)

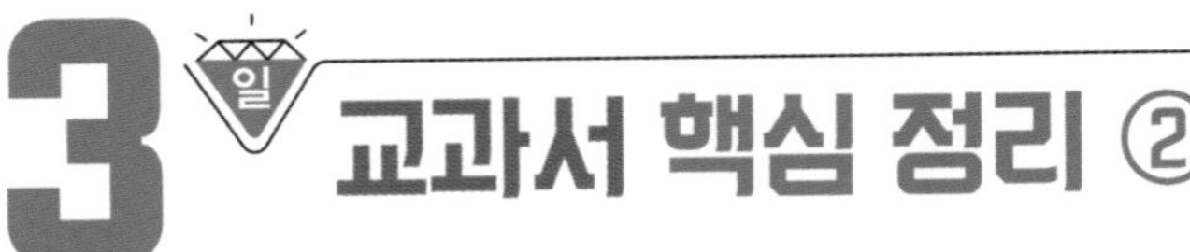

개념 3 인구 문제와 공간 변화

1 저출산 현상 2015년 기준 ❶ [ ] 1.24명으로 세계 최저 수준 → 초저출산 국가

(❶ 여성 한 명이 가임 기간(15~49세) 동안 낳을 것으로 예상되는 평균 출생아 수)

원인	결혼 및 자녀에 대한 가치관 변화, 여성의 사회 진출 확대, 자녀 양육비 부담 증가
영향	생산 가능 인구와 총인구 감소, 노동력 부족, 소비와 투자 위축 → 국가 경쟁력 약화

2 ❷ [ ] 현상 중위 연령 상승, 2000년 고령화 사회, 2017년 고령 사회 진입

(중위 연령: 총인구를 나이순으로 줄 세웠을 때 중간에 있는 사람의 나이)

원인	출산율 감소, 의학 기술 발달과 생활 수준 향상으로 기대 수명 연장 및 사망률 감소
영향	사회 복지 비용 증가, 노년 부양비 증가로 청장년층의 사회적 부담 가중, 노동 생산성 저하

(노년 부양비: 생산 가능 인구인 청장년층 인구에 대한 노년층 인구의 비율)

3 저출산·고령화 현상에 따른 공간 변화

(1) 인구 분포의 불균형 심화: 정주 여건(보건·의료 시설, 소비 및 문화 시설 등)이 잘 갖추어진 ❸ [ ] 지역에 인구 밀집 → 일부 농촌 및 지방 중소 도시 쇠퇴

(2) 사회 기반 시설 수요 변화: 유소년층보다 ❹ [ ] 인구를 위한 사회 기반 시설 수요 증가

4 저출산·고령화 현상에 대한 대책

저출산 대책	출산 휴가 및 육아 휴직 제도 개선, 양육비 지원, 양성평등 문화 확산 등
고령화 대책	정년 연장, 연금 제도 개선, 노인 복지 정책과 편의 시설 확대, 실버산업 육성 등

개념 4 외국인 이주와 다문화 공간

1 외국인 이주자의 증가

외국인의 증가와 분포

배경	세계화에 따른 노동 시장 개방, 국제 위상 제고 등
유형	외국인 근로자, 결혼 이민자, 유학생 순으로 많음.
분포	대부분 수도권에 분포, 촌락은 결혼 이민자의 비중이 높음.

(1) 외국인 근로자의 유입

배경	국내 근로자의 임금 상승, 3D 업종에 대한 기피 현상 심화 → 노동력 부족 현상 심화
현황	중국, 동남 및 남부 아시아로부터 ❺ [ ] 유입 → 주로 제조업, 서비스업에 종사

(2) 국제결혼의 증가

배경	농어촌 지역의 결혼 적령기 ❻ [ ] 불균형 심화, 국제결혼에 대한 가치관 변화
현황	총 국제결혼 건수는 도시 지역이 많고, 국제결혼 비율은 촌락 지역이 높음.

2 ❼ [ ] 사회의 형성 외국인 근로자 유입 및 국제결혼의 증가로 다문화 사회 형성

(1) 다문화 사회의 영향

긍정적 영향	부족한 노동력 충원, 저출산·고령화에 대한 대안, 다양한 문화적 자산 공유 등
부정적 영향	국내 근로자와의 일자리 경쟁, 인종(민족)·종교적 차이에 따른 차별과 사회적 편견 등

(2) 지속 가능한 다문화 사회를 위한 노력: 다문화 가정을 지원하는 사회적 시스템 구축, 다문화주의와 ❽ [ ] 관점에서 외국인의 문화적 다양성 존중 등

❶ 합계 출산율
❷ 고령화
❸ 대도시
❹ 노년층
❺ 저임금 노동력
❻ 성비
❼ 다문화
❽ 문화 상대주의적

정답과 해설 67쪽

6 각 인구 관련 지표의 의미를 바르게 연결하시오.

(1) 중위 연령 •   • ㉠ 청장년층 인구에 대한 노년층 인구의 비율

(2) 노년 부양비 •   • ㉡ 총인구를 나이순으로 줄 세웠을 때 중간에 있는 사람의 나이

(3) 합계 출산율 •   • ㉢ 출산 가능한 여성(15~64세)이 평생 낳을 것으로 예상되는 자녀의 수

7 빈칸에 들어갈 알맞은 말을 쓰시오.

(1) (   ) 현상의 원인으로는 결혼과 자녀에 대한 가치관의 변화, 자녀 양육비 부담 증가 등이 있다.

(2) (   ) 현상의 원인으로는 출산율 감소, 생활 수준 향상에 따른 기대 수명 연장 등이 있다.

(3) 한 국가에서 65세 이상(노년층) 인구의 비율이 전체 인구의 7%를 넘으면 (   ) 사회, 14%를 넘으면 (   ) 사회, 20%를 넘으면 초고령 사회로 구분한다.

8 저출산·고령화 현상에 대한 대책을 〈보기〉에서 골라 기호를 쓰시오.

보기

ㄱ. 양육비 지원   ㄴ. 실버산업 육성

ㄷ. 연금 제도 개선   ㄹ. 양성평등 문화 확산

(1) 저출산 현상의 대책: (   )

(2) 고령화 현상의 대책: (   )

9 ㉠~㉢에 해당하는 연령층을 쓰시오.

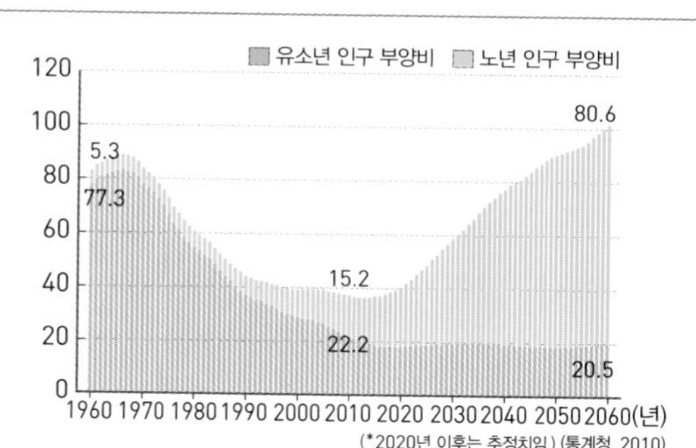

▲ 인구 부양비의 변화

우리나라는 유소년층 인구 비율이 낮아지면서 유소년 인구 부양비가 감소하고, 노년층 인구 비율이 높아지면서 노년 인구 부양비는 증가하고 있다.

• 총 부양비 = 유소년 부양비 + 노년 부양비

• 유소년 부양비 = $\frac{(\ ㉠\ )\ 인구}{청장년층\ 인구} \times 100$

• 노년 부양비 = $\frac{(\ ㉡\ )\ 인구}{청장년층\ 인구} \times 100$

• 노령화 지수 = $\frac{(\ ㉢\ )\ 인구}{유소년층\ 인구} \times 100$

(1) ㉠ – (   )   (2) ㉡ – (   )

(3) ㉢ – (   )

10 괄호 안의 내용 중 알맞은 말을 골라 ○표 하시오.

(1) 국내에 체류하는 외국인 근로자는 산업의 발달로 일자리가 풍부한 (수도권, 강원권)에 주로 분포한다.

(2) 국제결혼 비율은 (도시, 촌락) 지역이 높지만, 총 국제결혼 건수는 (도시, 촌락) 지역이 많다.

(3) 지속 가능한 다문화 사회를 위해서는 다문화주의와 (문화 상대주의적, 문화 절대주의적) 관점에서 외국인의 문화적 다양성을 존중해야 한다.

내신 기출 베스트

대표 예제 1 우리나라의 인구 분포

지도는 우리나라의 시기별 인구 분포를 나타낸 것이다. 이에 대한 설명으로 옳지 않은 것은?

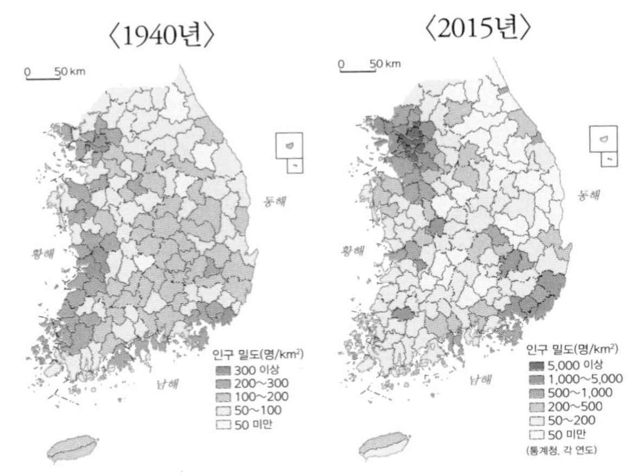

① 1940년 인구 분포는 자연적 요인의 영향이 크다.
② 1940년에는 북동부 산간 지역에 인구가 밀집해 있다.
③ 2015년 인구 분포는 이촌 향도·교외화 현상과 관련 있다.
④ 2015년에는 수도권 일대와 대도시에 인구가 밀집해 있다.
⑤ 1940~2015년에 인구 분포의 불균등 현상이 심화되었다.

개념 가이드

인구 분포는 ❶ (단위 면적당 인구수)를 통해 파악할 수 있다.

답 ❶ 인구 밀도

대표 예제 2 인구 변천 모형

다음과 같은 특징이 나타나는 인구 변천 단계를 쓰시오.

- 후기 확장기
- 인구 증가 둔화
- 가족계획, 여성의 사회 진출 증가 등으로 출생률 감소

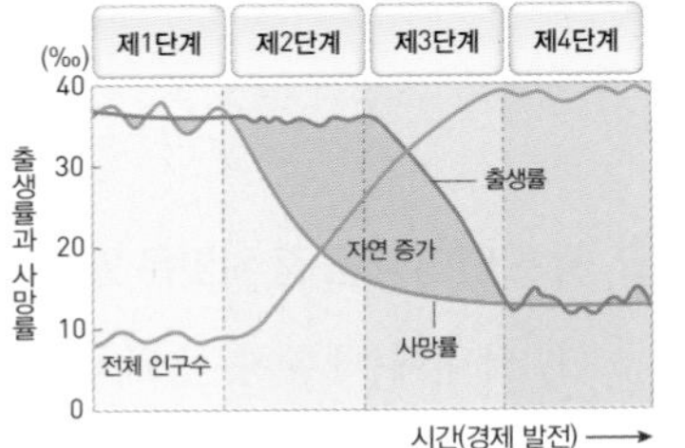

제(　　　)단계

개념 가이드

❷ 모형은 사회·경제 발전 과정에서 나타나는 인구의 자연적 증감(출생, 사망)의 변화를 잘 보여 준다.

답 ❷ 인구 변천

대표 예제 3 우리나라의 인구 성장

그래프는 우리나라의 인구 성장을 나타낸 것이다. 이에 대한 옳은 설명만을 〈보기〉에서 있는 대로 고른 것은?

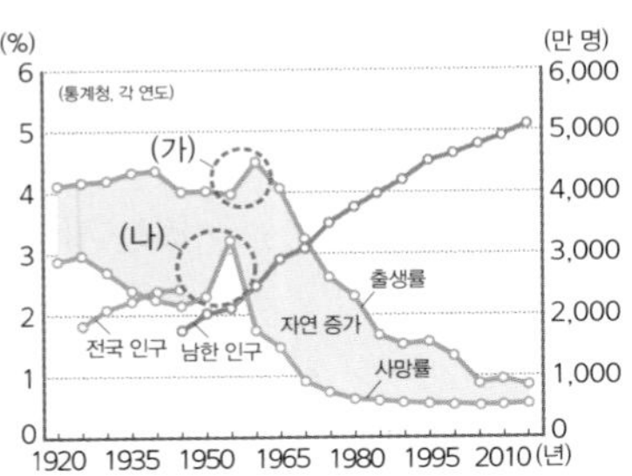

보기

ㄱ. 1950년대 이후 남한의 총인구는 꾸준히 증가하였다.
ㄴ. 1960~90년대 인구 변화는 산아 제한 정책과 관련 있다.
ㄷ. (가) 시기에는 인구의 자연 증가율이 둔화되었다.
ㄹ. (나) 시기에는 전쟁의 영향으로 사망률이 높아졌다.

① ㄱ, ㄴ　② ㄱ, ㄷ　③ ㄷ, ㄹ
④ ㄱ, ㄴ, ㄹ　⑤ ㄴ, ㄷ, ㄹ

개념 가이드

자연 증가율은 ❸ 에서 ❹ 을 뺀 값이다.

답 ❸ 출생률 ❹ 사망률

대표 예제 4 우리나라의 인구 구조 변화

우리나라의 인구 구조 변화에 대한 설명으로 옳은 것은?

① 노년층으로 갈수록 남초 현상이 나타나며 성비가 높다.
② 대도시, 관광 도시, 촌락은 주로 남초 현상이 나타난다.
③ 중화학 공업 도시, 군사 도시는 주로 여초 현상이 나타난다.
④ 유소년층과 청장년층은 비율이 증가하고, 노년층 비율은 감소하고 있다.
⑤ 유소년층과 청장년층은 도시에서, 노년층은 농어촌에서 비율이 높게 나타난다.

개념 가이드

중화학 공업 지역에서는 대체로 ❺ 현상이 나타나며, 촌락 지역에서는 ❻ 현상이 나타난다.

답 ❺ 남초 ❻ 여초

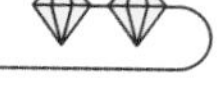

정답과 해설 67쪽

대표 예제 5 저출산 현상의 원인

그래프는 우리나라의 합계 출산율 및 출생아 수의 변화를 나타낸 것이다. 이러한 변화의 원인으로 적절하지 않은 것은?

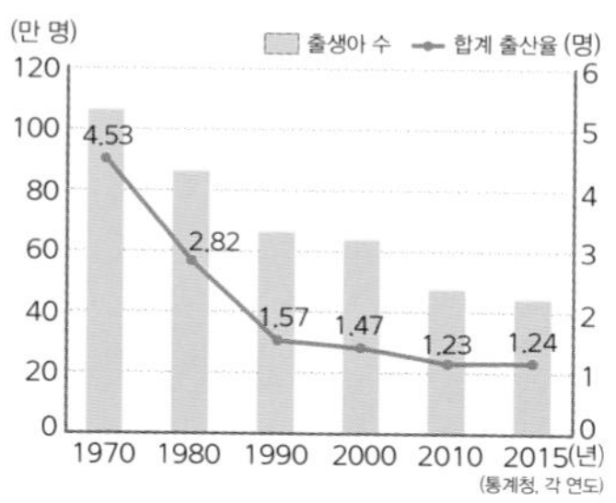

(통계청, 각 연도)

① 초혼 연령 상승
② 평균 기대 수명 연장
③ 자녀 양육비 부담 증가
④ 여성의 사회 진출 확대
⑤ 결혼 및 자녀에 대한 가치관 변화

개념 가이드

우리나라는 최근 낮은 출산율이 지속되는 ❼ ________ 현상이 나타나고 있다.

답 ❼ 저출산

대표 예제 6 연령별 인구 구성비 변화

그래프는 연령별 인구 구성비 변화를 나타낸 것이다. 이러한 변화가 현실화될 때 나타나는 현상으로 옳은 것은?

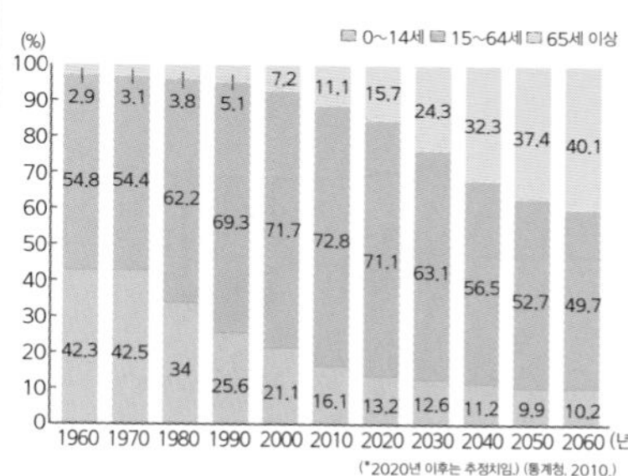

(*2020년 이후는 추정치임.) (통계청, 2010.)

① 중위 연령이 낮아질 것이다.
② 노년 부양비가 감소할 것이다.
③ 노령화 지수가 높아질 것이다.
④ 생산 가능 인구가 증가하여 노동 생산성이 높아질 것이다.
⑤ 사회 복지 비용 감소로 국가 재정에 부담이 완화될 것이다.

개념 가이드

우리나라는 유소년층과 청장년층 인구 비율은 ❽ ________ 하고, 노년층 인구 비율은 ❾ ________ 하고 있다.

답 ❽ 감소 ❾ 증가

대표 예제 7 국내 체류 외국인의 증가

그래프는 국내 체류 외국인 수와 비율의 변화를 나타낸 것이다. 이러한 변화의 배경으로 옳은 것을 〈보기〉에서 고른 것은?

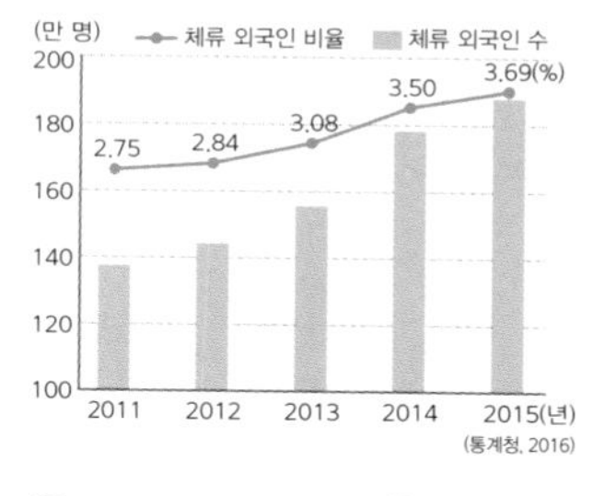

(통계청, 2016)

보기

ㄱ. 국가 위상 제고
ㄴ. 노동 시장 개방
ㄷ. 저출산 현상 심화
ㄹ. 양성평등 문화 확산

① ㄱ, ㄴ ② ㄱ, ㄷ ③ ㄴ, ㄷ
④ ㄴ, ㄹ ⑤ ㄷ, ㄹ

개념 가이드

국내 체류 외국인 수는 교통·통신의 발달로 자본과 노동력 등이 국경을 넘나드는 ❿ ________ 가 빠르게 진행되면서 꾸준히 증가하고 있다.

답 ❿ 세계화

대표 예제 8 국내 체류 외국인의 분포

지도는 어떤 인구 관련 지표의 분포를 나타낸 것이다. 이에 해당하는 지표로 옳은 것은?

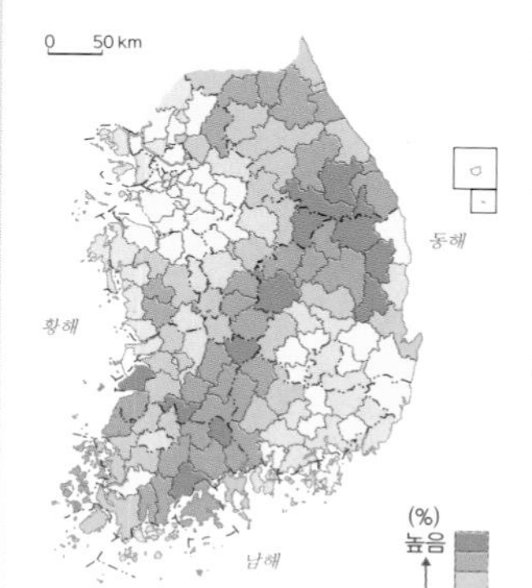

(행정자치부, 2015)

① 외국인 성비
② 유소년층 인구 비율
③ 외국인 중 유학생 비율
④ 외국인 중 결혼 이민자 비율
⑤ 외국인 중 외국인 근로자 비율

개념 가이드

국제결혼 건수는 ⓫ ________ 지역이 많고, 결혼 이민자 비율은 ⓬ ________ 지역에서 높다.

답 ⓫ 도시 ⓬ 촌락

4 일 Ⅶ-1. 지역의 의미와 지역 구분 ~4. 태백산맥으로 나뉘는 강원 지방

Quiz 북한은 산지 분포의 영향으로 대하천이 주로 (동해, 황해)로 유입한다.

답 황해

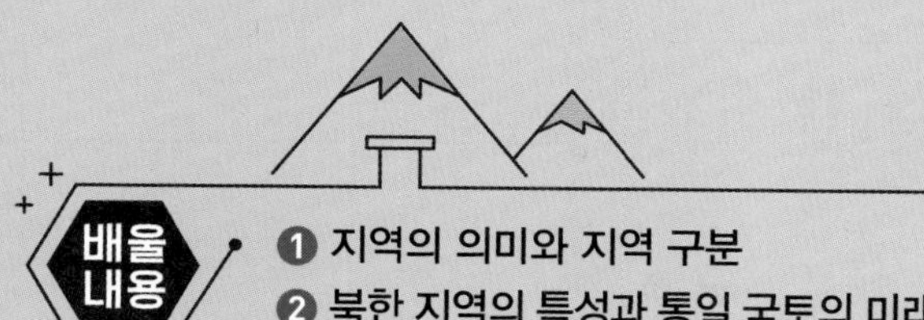

배울 내용
❶ 지역의 의미와 지역 구분
❷ 북한 지역의 특성과 통일 국토의 미래
❸ 인구와 기능이 집중된 수도권
❹ 태백산맥으로 나뉘는 강원 지방

Quiz (수도권, 강원 지방)은 서울특별시, 인천광역시, 경기도를 포함하는 지역으로 서울을 중심으로 대도시권을 이룬다.

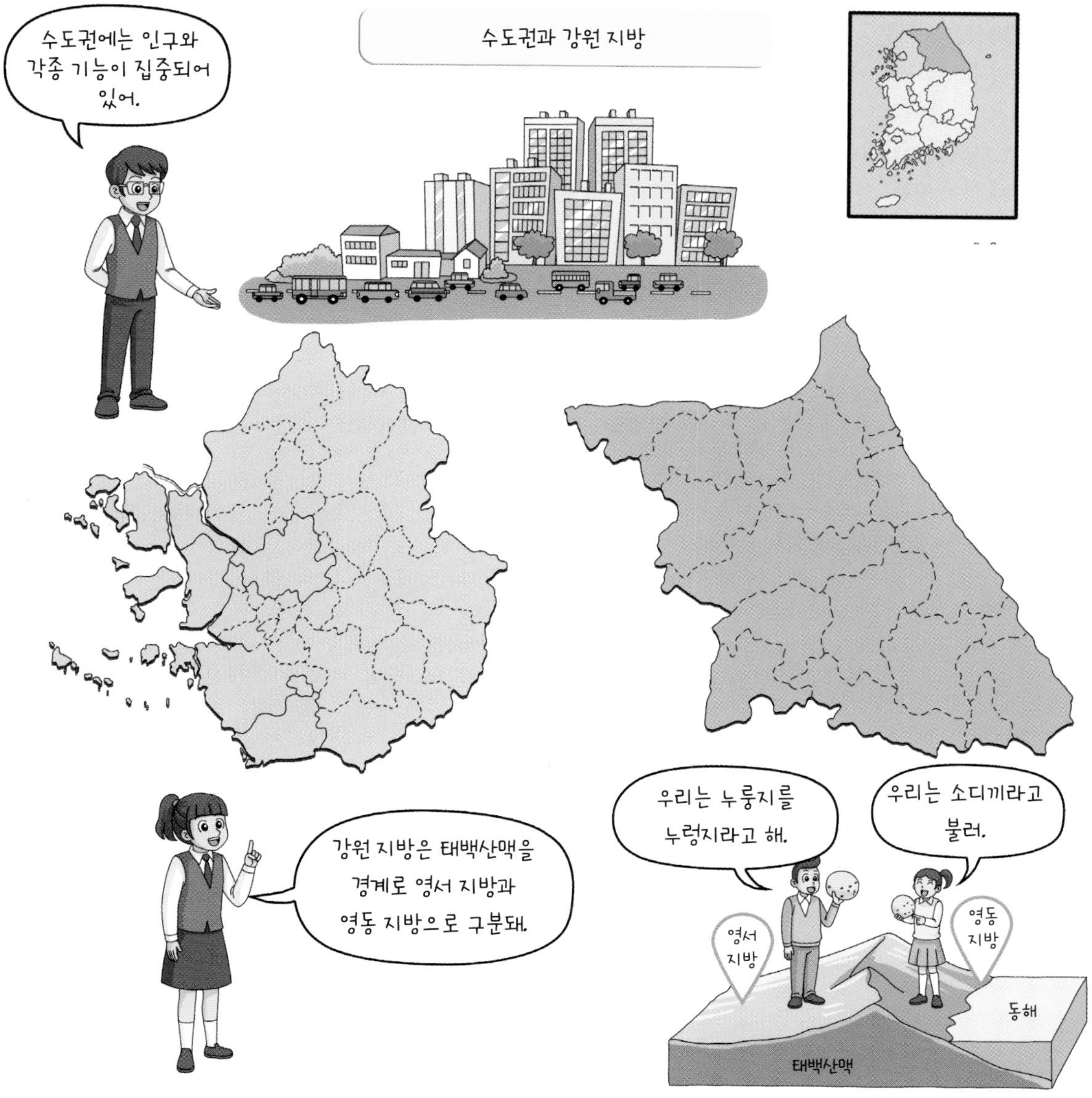

답 수도권

4일 교과서 핵심 정리 ①

개념 1 지역의 의미와 지역 구분

지역	지리적 특성이 다른 곳과 구별되는 일정한 공간 범위
지역성	다른 지역과 구분되는 그 지역의 고유한 특성

1 지역 구분의 유형

동질 지역	특정한 지리적 현상이 동일하게 나타나는 공간 범위 예) 기후 지역, 문화 지역 등
❶	하나의 중심지와 그 중심 기능이 영향을 미치는 공간 범위 예) 통근·통학권, 상권 등
점이 지대	서로 인접한 두 지역의 특성이 함께 섞여 나타나는 지역 → 지역 간 경계에서 나타남.

❶ 기능 지역

2 우리나라의 지역 구분

(1) 전통적 지역 구분(주로 산줄기, 고개, 대하천 등의 지형지물을 기준으로 구분함.): 관북, 관서, 관동(영동, 영서), 해서, 경기, 호서, 호남, 영남 지방

(2) 위치에 따른 일반적 구분: 북부 지방(휴전선 북쪽), ❷ (수도권, 강원권, 충청권), 남부 지방(호남권, 영남권, 제주권)

(3) 행정 구역에 따른 구분: 1개 특별시(서울), 6개 광역시(부산, 대구, 인천, 광주, 대전, 울산), 1개 특별자치시(세종), 8개 도(경기, 강원, 충북, 충남, 전북, 전남, 경북, 경남), 1개 특별자치도(제주)

❷ 중부 지방

개념 2 북한 지역의 특성과 통일 국토의 미래

1 북한의 자연환경

지형	• 전체 면적의 약 80%가 산지, 해발 고도 2,000m 이상의 험준한 산지 발달 • 두만강을 제외한 대하천은 주로 ❸ 로 유입 → 큰 평야는 주로 서해안에 발달
기후	• 기온의 연교차가 큼(대륙성 기후), 동해안이 동위도의 서해안보다 겨울 기온이 높음. • 지형과 풍향의 영향으로 강수량의 지역 차가 큼. → 다우지(강원도 동해안의 원산 일대, 청천강 중·상류 등), 소우지(대동강 하류, 관북 해안 지역 등)

❸ 황해

2 북한의 인문 환경

인구	• 2017년 기준 약 2,500만 명(남한 인구수의 절반 수준임.), 경제난으로 출산율이 저하되어 인구 증가율이 둔화됨. • 농업·공업이 발달한 ❹ 지역과 좁은 동해안 평야 지역을 따라 인구 집중
도시	서부 평야 지대(평양, 남포 등)와 동해 연안(함흥, 청진, 원산 등)에 주로 분포
자원	지하자원 풍부(석회석, 무연탄, 철광석 등), 전체 에너지 자원의 소비량에서 ❺ 이 가장 높은 비율을 차지함, 높고 험준한 산지가 발달해 있어 ❻ 발전에 유리함.
교통	❼ 교통 중심, 도로와 해운은 철도 수송 연계를 위한 보조적 역할 담당
산업	군수 산업과 연계된 기계, 금속 등 중공업 중심 → 산업 구조의 불균형 발생

❹ 서부 평야
❺ 석탄
❻ 수력
❼ 철도

3 북한의 주요 개방 지역

나선 경제특구	중국, 러시아와 인접한 북한 최초의 개방 지역(1991년) → 외국 자본 투자 부진
신의주 특별 행정구	홍콩식 경제 개발을 위해 지정(2002년) → 중국과의 마찰로 사업 중단
금강산 관광 지구	관광객 유치 목적으로 조성(2002년) → 2008년 이후 잠정 중단
❽	남한의 자본·기술과 북한의 노동력이 결합(2002년) → 2016년 이후 잠정 중단

❽ 개성 공업 지구

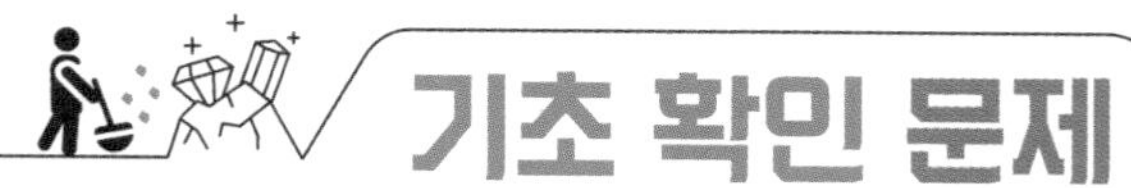

기초 확인 문제

정답과 해설 68쪽

1 빈칸에 들어갈 알맞은 말을 쓰시오.

(1) (　　　)은/는 특정한 지리적 현상이 동일하게 나타나는 공간 범위이다.

(2) (　　　)은/는 하나의 중심지와 그 중심 기능이 영향을 미치는 공간 범위이다.

2 표는 우리나라의 전통적인 지역 구분을 나타낸 것이다. 지도를 보고 빈칸에 들어갈 지역의 명칭을 쓰시오.

(국토지리정보원, 2014)

구분	행정 구역	구분 경계 및 위치
(1) (　　　)	함경도	철령관의 북쪽
관서 지방	평안도	철령관의 서쪽
관동 지방	강원도	철령관의 동쪽
해서 지방	황해도	한양을 기준으로 바다(경기만) 건너 지역
(2) (　　　)	경기도	도읍지인 한양을 둘러싸고 있는 곳
호서 지방	충청도	금강(호강) 상류의 서쪽 또는 제천 의림지의 서쪽
(3) (　　　)	전라도	금강(호강)의 남쪽 또는 김제 벽골제의 남쪽
(4) (　　　)	경상도	조령(문경 새재)의 남쪽

3 북한의 다우지와 소우지를 바르게 연결하시오.

(1) 다우지 •　　• ㉠ 대동강 하류, 관북 해안 지역

(2) 소우지 •　　• ㉡ 동해안의 원산 일대, 청천강 중·상류

4 괄호 안의 내용 중 알맞은 말을 골라 ○표 하시오.

(1) 북한은 산지 분포의 영향으로 대하천이 주로 (동해, 황해)로 유입한다.

(2) 북한은 인구의 약 40% 이상이 농업과 공업이 발달한 (북부 내륙, 서부 평야) 지역에 거주하고 있다.

(3) 북한의 전체 에너지 자원 소비량에서 (석유, 석탄)이 가장 높은 비율을 차지한다.

(4) 북한의 교통 체계는 (도로, 철도) 교통 중심이다.

5 다음 설명에 해당하는 북한의 개방 지역을 〈보기〉에서 골라 기호를 쓰시오.

보기

ㄱ. 나선 경제특구　　ㄴ. 개성 공업 지구
ㄷ. 금강산 관광 지구　　ㄹ. 신의주 특별 행정구

(1) 관광객 유치 목적으로 조성 (　　　)

(2) 홍콩식 경제 개발을 위해 지정 (　　　)

(3) 중국, 러시아와 인접한 북한 최초의 개방 지역 (　　　)

(4) 남한의 기술과 자본, 북한의 노동력이 결합한 공단 (　　　)

4일

4일 교과서 핵심 정리 ②

개념 3 인구와 기능이 집중된 수도권 → 공간 범위: 서울특별시, 인천광역시, 경기도

1 수도권의 특성 인구 및 각종 기능(정치 · 경제 · 행정 · 교육 · 문화) 집중, 교통망의 결절지

인구 — 면적은 우리나라 전체의 약 12%에 불과하지만, 전체 인구의 절반가량(약 2,500만 명)이 거주함.

2 수도권의 산업 공간 구조 변화

제조업 발달	1960년대 서울을 중심으로 경공업 발달 → 1980년대 이후 인천, 경기로 제조업 분산
탈공업화	1990년대 이후 2차 산업 비율은 감소하고, ❶ ( ) 산업 비율은 증가함.
지식 기반 산업 성장	• 2000년대 이후 지식 기반 산업, 생산자 서비스업 성장 • 공간적 분화: 지식 기반 서비스업은 ❷ ( ), 지식 기반 제조업은 경기에 입지

3 수도권의 문제점과 해결 방안

집적 불이익 — 각종 기능이 한정된 장소에 모이면서 발생하는 불이익 예) 생활 기반 시설 부족, 지가 상승, 교통 체증, 환경 오염 등

문제점	❸ ( ) 발생, 국토 공간의 불균형에 따른 지역 간 갈등 발생
해결 방안	• 인구와 기능의 집중 억제: 과밀 부담금 제도, 수도권 공장 총량제 등 • 인구 및 기능의 분산: 수도권 정비 계획, 비수도권에 혁신 도시 · 기업 도시 조성 등

수도권 정비 계획 — 수도권에 과도하게 집중된 인구와 산업을 적정하게 배치하여 균형 있게 발전시키려는 계획 → 다핵 연계형 공간 구조로 전환

예) 수도권은 서울특별시 · 인천광역시 · 경기도로 구성되며, 서울을 중심으로 대도시권을 이룬다.

개념 4 태백산맥으로 나뉘는 강원 지방

1 영서 지방과 영동 지방의 특성

구분	❹ ( )	❺ ( )
지형	• 산지의 경사가 완만한 편 • 고위 평탄면, 침식 분지 발달	• 급경사의 산지, 좁은 해안 평야 발달 • 하천의 유로가 짧고, 경사가 급함.
기후	• 영동 지방보다 기온의 연교차가 큼. • 여름철 남서 기류의 영향으로 강수량 많음.	• 영서 지방보다 겨울철 기온이 온화함. • 겨울철 북동 기류의 영향으로 강설량 많음.
방언	수도권(경기도)과 유사	북부 동해안 및 영남 동해안 지역과 유사
주민 생활	• 산지가 많아 ❻ ( ) 비율이 높음. → 옥수수, 감자 등을 이용한 음식 발달 • 고랭지 농업, 목축업 발달	• 동해와 접해 있음. → 오징어, 명태 등 해산물을 이용한 음식 발달 • 반농 반어촌, 관광 산업 발달

2 강원 지방의 변화

(1) 산업 구조의 변화

① 고위 평탄면을 활용한 ❼ ( ) · 목축업 발달, 풍부한 임산 및 수산 자원

② 산업화 과정에서 풍부한 지하자원을 토대로 우리나라 최대의 광업 지역으로 성장 → 1980년대 이후 에너지 소비 구조 변화, ❽ ( )(1989년)으로 쇠퇴

(2) 새로운 성장 방향

① 관광 산업 육성: 자연환경을 이용한 생태 및 휴양 관광, 폐광 지역을 관광 자원으로 활용

자연환경 — 고랭지 농목업 경관, 석회 동굴 등의 카르스트 지형, 동해안의 해안 지형 등을 활용

② 도시별 전략 산업 육성: 춘천(바이오), 원주(의료), 강릉(해양 · 신소재)

예) 강원 지방은 남북 방향으로 발달한 태백산맥을 경계로 영동 지방과 영서 지방으로 구분된다.

❶ 3차
❷ 서울
❸ 집적 불이익
❹ 영서 지방, ❺ 영동 지방
❻ 밭농사
❼ 고랭지 농업
❽ 석탄 산업 합리화 정책

6 수도권을 구성하는 지역의 특징을 바르게 연결하시오.

(1) 서울특별시 •	• ㉠	수도권에서 면적과 인구 규모가 가장 큼.
(2) 인천광역시 •	• ㉡	국제 항만과 국제공항이 있는 국제 물류의 중심지
(3) 경기도 •	• ㉢	우리나라의 수도, 정치·경제·사회·문화의 중심지

7 빈칸에 들어갈 알맞은 말을 쓰시오.

(1) 수도권에서는 2차 산업 비율이 감소하고, 3차 산업 비율이 증가하는 (   ) 현상이 나타나고 있다.

(2) 고급 인력과 최신 정보 확보 및 관련 업체와의 협력을 필요로 하는 지식 기반 (   )은/는 주로 서울에, 상대적으로 넓은 부지가 필요한 지식 기반 (   )은/는 주로 경기에 분포한다.

8 다음 설명에 해당하는 수도권 문제 해결을 위한 제도 및 계획을 〈보기〉에서 골라 기호를 쓰시오.

보기

ㄱ. 과밀 부담금 제도　　ㄴ. 수도권 정비 계획

ㄷ. 수도권 공장 총량제

(1) 수도권 공장 면적의 총량을 설정하고, 기준을 초과할 경우 공장의 신·증설을 막는 제도 (   )

(2) 수도권에 과도하게 집중된 인구와 산업을 적정하게 배치하여 균형 있게 발전시키려는 계획 (   )

(3) 인구 집중을 유발하는 일정 규모 이상의 상업·업무 시설을 신·증축할 때 부담금을 부과하는 제도 (   )

9 다음 자료를 보고, 괄호 안의 내용 중 알맞은 말을 골라 ○표 하시오.

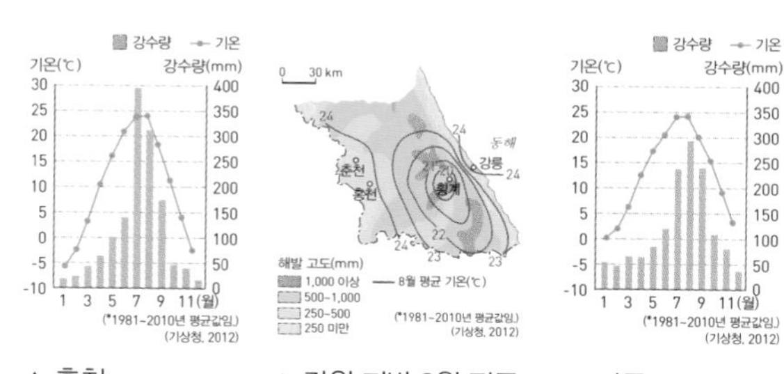

▲ 홍천　▲ 강원 지방 8월 평균 기온과 해발 고도　▲ 강릉

(1) 홍천은 (영동, 영서) 지방, 강릉은 (영동, 영서) 지방에 속한다.

(2) 내륙에 위치한 홍천은 해안에 위치한 강릉보다 기온의 연교차가 (크다, 작다).

(3) 태백산맥과 동해의 영향으로 강릉은 홍천보다 겨울철 기온이 (높다, 낮다).

(4) 겨울철 북동 기류의 영향으로 강릉은 홍천보다 겨울철 강수량이 (많다, 적다).

10 ㉠에 해당하는 정책을 쓰시오.

> 강원 지방은 풍부한 지하자원을 바탕으로 산업화 과정에서 우리나라 최대의 광업 지역으로 성장하였다. 하지만 1989년 시행된 (㉠) 정책으로 탄광 대다수가 폐광되어 인구가 감소하고 지역 경제가 침체되었다. 이러한 문제를 극복하기 위해 최근 농업, 임업, 광업 중심의 산업 구조를 관광 산업 중심으로 전환하여 지역 경제를 활성화하려는 노력이 이루어지고 있다.

(   ) 정책

내신 기출 베스트

대표 예제 1 지역 구분의 유형

(가), (나) 지역 구분의 유형에 대한 설명으로 옳은 것은?

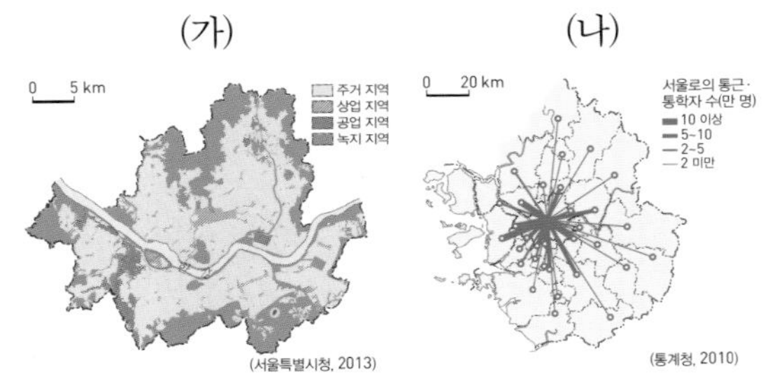

① (가)는 기능 지역, (나)는 동질 지역에 해당한다.
② (가)의 사례로 문화권, (나)의 사례로 상권을 들 수 있다.
③ (가)는 (나)보다 교통 발달의 영향을 크게 받는다.
④ (가)는 (나)보다 지역 간 기능적 관계가 중요하다.
⑤ (나)는 (가)보다 지역 내 동질성이 크게 작용하였다.

개념 가이드

❶ [ ] 은 특정한 지리적 현상이 동일하게 나타나는 공간 범위이고, ❷ [ ] 은 중심지와 주변 지역이 기능적으로 결합한 공간 범위이다.

답 ❶ 동질 지역 ❷ 기능 지역

대표 예제 2 북한의 지형과 기후

다음은 학생이 수업 시간에 학습한 내용을 정리한 것이다. ㉠~㉤ 중 옳지 않은 것은?

〈북한의 자연환경〉

1. 지형
   - 산지: 주로 북동부 지역에 분포 … ㉠
   - 하천: 대하천은 주로 황해로 유입 … ㉡
   - 평야: 동해안을 따라 대규모 평야 발달 … ㉢
2. 기후
   - 기온의 연교차가 큰 대륙성 기후가 나타남. … ㉣
   - 대동강 하류 지역은 소우지에 해당함. … ㉤

① ㉠ ② ㉡ ③ ㉢ ④ ㉣ ⑤ ㉤

개념 가이드

북한에서 ❸ [ ] 지역은 고도가 높고 험준한 산지가 많은 반면, ❹ [ ] 지역은 평야가 발달하였다.

답 ❸ 북동부 ❹ 남서부

대표 예제 3 북한의 전력 생산

지도는 북한의 주요 발전소 설비 용량을 나타낸 것이다. (가), (나)에 해당하는 발전 양식으로 옳은 것은?

	(가)	(나)
①	수력	화력
②	수력	원자력
③	화력	수력
④	화력	원자력
⑤	원자력	수력

개념 가이드

북한은 높은 산지가 많고 급경사 사면에서 큰 낙차를 얻을 수 있어 ❺ [ ] 발전 비율이 높다.

답 ❺ 수력

대표 예제 4 북한의 주요 개방 지역

(가), (나)에 해당하는 북한의 개방 지역을 지도의 A~D에서 고른 것은?

(가) 1991년에 지정된 북한 최초의 개방 지역
(나) 남한의 기술과 자본, 북한의 노동력이 결합한 공단

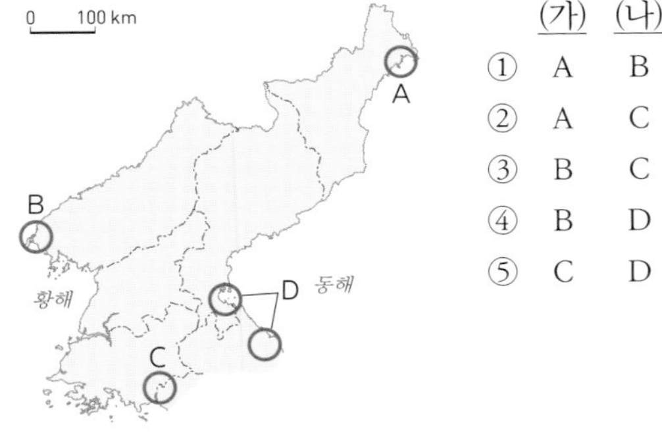

	(가)	(나)
①	A	B
②	A	C
③	B	C
④	B	D
⑤	C	D

개념 가이드

북한의 주요 개방 지역에는 나선 경제특구, 신의주 특별 행정구, 금강산 관광 지구, ❻ [ ] 가 있다.

답 ❻ 개성 공업 지구

정답과 해설 68쪽

4일

대표 예제 5 수도권의 인구 변화

그래프는 수도권의 인구 변화를 나타낸 것이다. 이에 대한 분석으로 옳지 않은 것은?

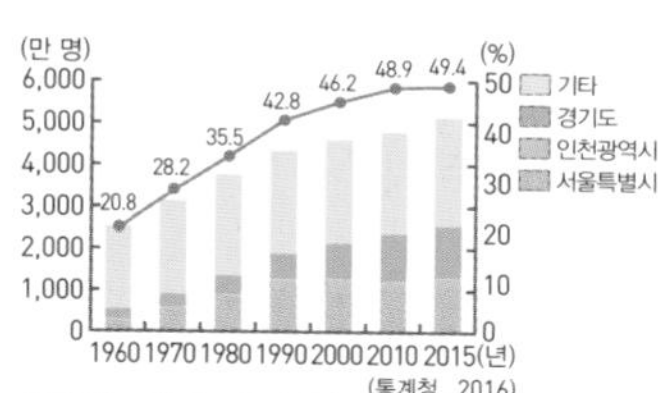

* 꺾은선 그래프는 우리나라 전체 인구에 대한 수도권 인구의 비중을 나타냄.

① 수도권의 인구는 지속적으로 증가하였다.
② 1990년 이후 서울의 인구는 정체되어 있다.
③ 경기도가 수도권의 인구 증가를 주도하고 있다.
④ 수도권 내 서울의 인구 비중은 지속적으로 증가하였다.
⑤ 우리나라 전체 인구에 대한 수도권 인구의 비중은 지속적으로 증가하였다.

개념 가이드

❼ [ ]의 면적은 우리나라 전체의 약 12%에 불과하지만, 전체 인구의 절반가량이 거주하고 있다.

답 ❼ 수도권

대표 예제 6 수도권의 산업 구조

그래프는 수도권의 산업 구조를 나타낸 것이다. A, B에 해당하는 지역을 쓰시오.

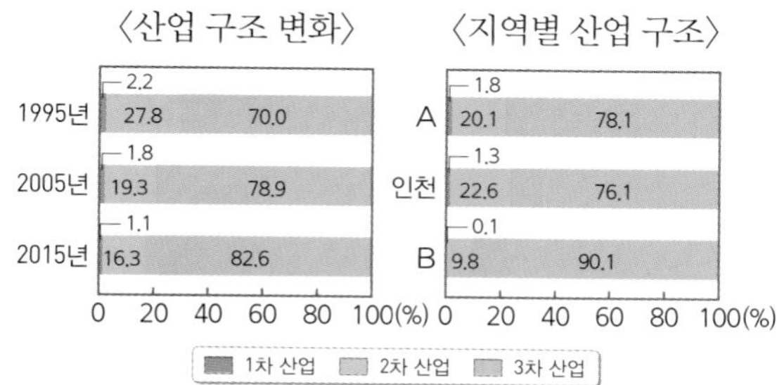

* 2015년 산업별 취업자 기준 (통계청, 2016)

A: ( ), B: ( )

개념 가이드

수도권에서는 2차 산업 비율이 감소하고, 3차 산업 비율이 증가하는 ❽ [ ] 현상이 나타나고 있다.

답 ❽ 탈공업화

대표 예제 7 영서 지방과 영동 지방의 특성

(가), (나) 지방에 대한 설명으로 옳은 것은?

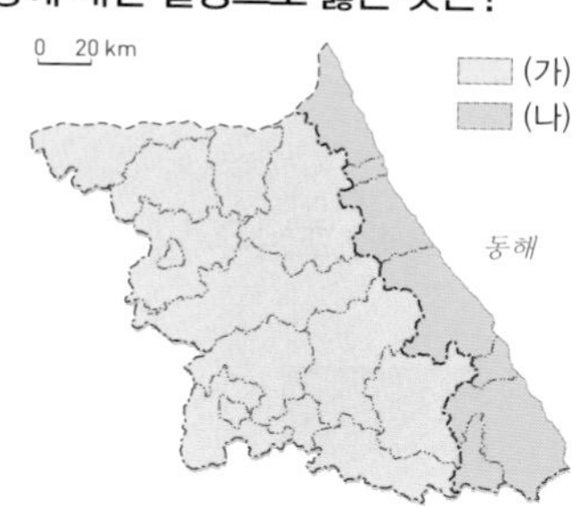

① (가) 지방은 고위 평탄면과 침식 분지가 발달하였다.
② (나) 지방은 수도권과 유사한 방언이 나타난다.
③ (가) 지방은 (나) 지방보다 겨울철 기온이 온화하다.
④ (나) 지방은 (가) 지방보다 하천의 유로가 길고, 경사가 완만하다.
⑤ (나) 지방은 (가) 지방보다 밭농사 비율이 높아 옥수수, 감자 등을 이용한 음식이 발달하였다.

개념 가이드

강원 지방은 ❾ [ ]을 경계로 영서 지방과 영동 지방으로 구분된다.

답 ❾ 태백산맥

대표 예제 8 태백시의 산업별 종사자 비율 변화

그래프는 강원도 태백시의 산업별 종사자 비율 변화를 나타낸 것이다. (가)에 해당하는 산업을 쓰시오.

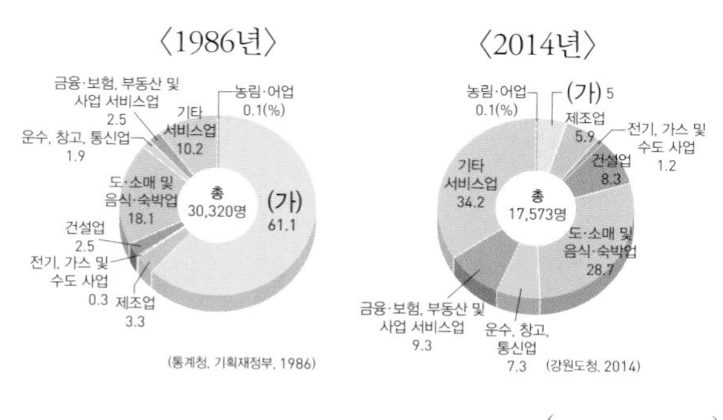

( )

개념 가이드

강원 지방은 산업화 과정에서 풍부한 지하자원을 토대로 우리나라 최대의 ❿ [ ] 지역으로 성장하였다.

답 ❿ 광업

5 일

Ⅶ-5. 빠르게 성장하는 충청 지방 ~8. 세계적인 관광 중심지 제주특별자치도

Quiz (충청 지방, 호남 지방)은 최근 수도권의 다양한 기능이 이전하면서 빠르게 성장하는 지역이다.

답 충청 지방

배울 내용

❶ 빠르게 성장하는 충청 지방
❷ 다양한 산업이 함께 발전하는 호남 지방
❸ 공업과 함께 발달한 영남 지방
❹ 세계적인 관광 중심지 제주특별자치도

Quiz (영남 지방, 제주도)은/는 수도권과 함께 우리나라의 산업화를 주도해 온 주요 공업 지역이다.

영남 지방과 제주도

답 영남 지방

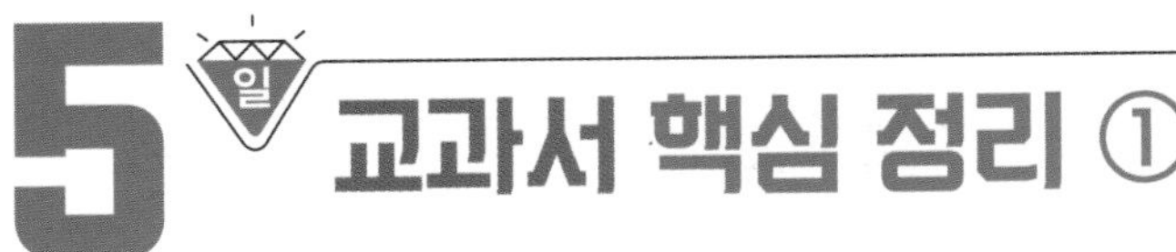

5일 교과서 핵심 정리 ①

개념 1 빠르게 성장하는 충청 지방 → 공간 범위: 대전광역시, 세종특별자치시, 충청북도, 충청남도

1 충청 지방의 특성

(1) 과거 남한강과 금강을 이용한 내륙 수운 발달 → 현재 고속 국도 및 고속 철도 개통, 수도권 전철 연장 등으로 교통과 물류의 중심지로 성장

(2) 최근 교통 발달과 수도권 과밀화에 따른 분산 정책의 시행으로 ❶ [   ]의 기능 이전

2 충청 지방의 산업과 도시 변화

(1) 공업 발달 → 발달 요인: 수도권 공장 총량제 시행에 따른 수도권 공업의 이전, 교통 발달에 따른 수도권으로의 접근성 향상

중화학 공업	❷ [ ](석유 화학 공업), 당진(제철 공업), 아산(자동차 공업)
첨단 산업	❸ [ ](오송 생명 과학 단지, 오창 과학 산업 단지), 대전(대덕 연구 개발 특구)

(2) 도시 성장

❹ [ ]	국토 균형 발전과 중앙 행정 기능 분담을 위해 출범한 행정 중심 복합 도시
내포 신도시	충남 홍성·예산 일대에 조성, 충청남도의 지방 행정 기능(도청, 도의회 등) 이전
기업 도시	충주(지식 기반형 기업 도시), 태안(관광 레저형 기업 도시)
혁신 도시	충북 진천·음성(정부 기관 이전 및 산·학·연·관의 협력을 바탕으로 성장)

예 충청 지방은 최근 수도권의 다양한 기능이 이전하면서 빠르게 성장하는 지역이다.

❶ 수도권

❷ 서산

❸ 청주

❹ 세종특별자치시

개념 2 다양한 산업이 함께 발전하는 호남 지방 → 공간 범위: 광주광역시, 전라북도, 전라남도

1 호남 지방의 농지 개간과 간척 사업

일제 강점기	쌀을 수탈하기 위한 수리 시설 확충, 저습지와 갯벌 개간 → 농경지 확장
1960년대 이후	정부와 민간 주도의 대규모 간척 사업 추진 → 농경지 확장, 산업 단지 조성 예 부안군 계화도(대규모 농지 확보), ❺ [ ](우리나라 최대의 간척 사업) 등

2 호남 지방의 산업 구조 변화

농업	우리나라 최대의 곡창 지대(호남평야(김제·만경평야), 나주평야), 국내 쌀 생산량의 약 1/3 차지 → 1차 산업 비율이 높음.
공업	• 1970년대: 여수 석유 화학 산업 단지, 이리(현재 익산) 수출 자유 지역 조성 • 1980년대: ❻ [ ] 제철소 건설 • 1990년대: 중국과의 교역 확대를 위해 군산 산업 단지, 대불 산업 단지 조성
관광 산업	자연환경과 전통문화를 활용한 관광 자원을 바탕으로 지역 경쟁력 확보 예 지역 축제(❼ [ ] 지평선 축제, 보성 다향 대축제, 순천만 갈대 축제 등), 슬로 시티
발전 방향	• 신산업 육성: ❽ [ ]의 광(光) 산업, 전주의 첨단 부품 소재 산업 • 경제 자유 구역(새만금, 광양만 일대), 혁신 도시(전주·완주, 나주 일대) 지정

예 호남 지방은 자연환경과 전통문화를 활용한 관광 자원을 바탕으로 지역 경쟁력을 확보하고 있다.

❺ 새만금

❻ 광양

❼ 김제

❽ 광주

기초 확인 문제

정답과 해설 70쪽

1 빈칸에 들어갈 알맞은 말을 쓰시오.

(1) 충청 지방은 (   ), 세종특별자치시, 충청북도, 충청남도를 포함하는 지역이다.

(2) 충청 지방은 (   )의 다양한 기능이 이전해 오면서 산업 구조가 고도화되고 있다.

(3) 국토의 균형 발전과 수도권 기능 분산을 위해 충청북도 진천·음성군에는 (   ) 도시, 태안군과 충주시에는 (   ) 도시가 조성되고 있다.

2 ㉠에 해당하는 충청 지방의 신도시를 쓰시오.

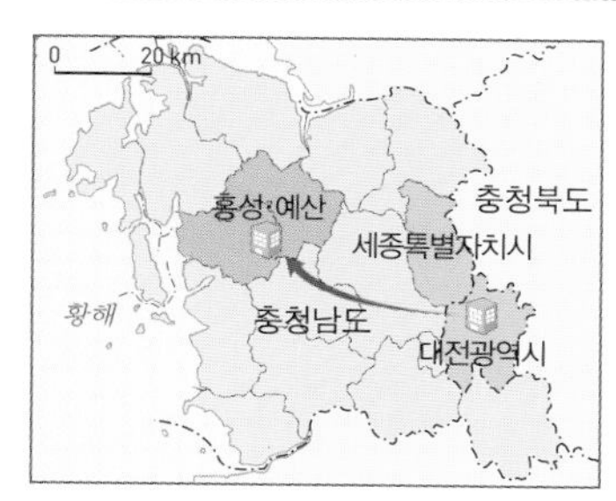

충청남도청은 대전이 광역시로 승격한 이후에도 계속 대전에 위치하여 행정 업무의 효율성이 떨어지고 주민들이 불편을 겪었다. 이에 충청남도 홍성군 홍북면과 예산군 삽교읍 일대에 (㉠)를 조성하고 2012년 12월 도청을 이전하였다.

(   )

3 괄호 안의 내용 중 알맞은 말을 골라 ○표 하시오.

(1) 호남 지방은 다른 지역에 비해 (1차, 2차) 산업의 비율이 높은 편이다.

(2) 호남 지방의 전주·완주, 나주 일대는 (기업 도시, 혁신 도시)로 지정되어 지역 개발을 선도하고 있다.

4 각 지역 축제가 열리는 호남 지방의 지역을 바르게 연결하시오.

(1) 나비 축제 •   • ㉠ 김제

(2) 다향 대축제 •   • ㉡ 보성

(3) 지평선 축제 •   • ㉢ 함평

5 다음 설명에 해당하는 도시를 〈보기〉에서 골라 기호를 쓰시오.

보기

ㄱ. 광양   ㄴ. 광주   ㄷ. 서산
ㄹ. 세종   ㅁ. 전주   ㅂ. 청주

(1) 충청 지방의 서해안 지역에 위치하며, 석유 화학 공업이 크게 발달하였다. (   )

(2) 충청 지방의 내륙에 위치하며, 오송 생명 과학 단지와 오창 과학 산업 단지가 조성되고 있다. (   )

(3) 충청 지방에 속한 특별자치시이며, 중앙 행정 기능 분담을 위해 출범한 행정 중심 복합 도시이다. (   )

(4) 과거 한적한 반농 반어촌이었으나 1980년대 제철소가 건설되면서 제철 공업이 발달한 호남 지방의 도시이다. (   )

(5) 호남 지방에 속한 광역시이며, 최근 친환경 녹색 산업으로 주목받는 광(光) 산업을 전략적으로 육성하고 있다. (   )

(6) 판소리와 한지 공예 등 전통 체험을 할 수 있으며, 슬로 시티로 지정된 한옥 마을이 있는 호남 지방의 도시이다. (   )

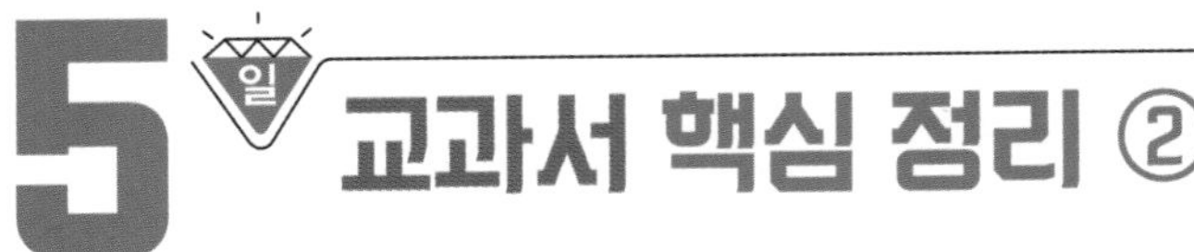

5일 교과서 핵심 정리 ②

개념 3 공업과 함께 발달한 영남 지방 → 공간 범위: 부산광역시, 대구광역시, 울산광역시, 경상북도, 경상남도

1 영남 지방의 산업 분포

농업	과수 농업(북부 내륙 지역), 시설 원예 농업(낙동강 하구의 삼각주, 대도시 근교) 발달
공업	• 영남 내륙 공업 지역: 풍부한 노동력, 편리한 도로 및 철도 교통 → 경공업 발달 예 대구(섬유), 구미(전자) • ❶ [ ]: 항만 발달, 정부의 중화학 공업 육성 정책 → 우리나라 최대의 중화학 공업 지역 예 울산(석유 화학, 자동차, 조선), 포항(제철), 창원(기계), 거제(조선)

❶ 남동 임해 공업 지역

2 영남 지방의 인구 분포

공업 발달이 미약한 경상북도 북부와 경상남도 서부 지역은 인구 감소와 고령화 현상 발생

(1) 대도시인 부산, 대구와 공업 도시로 성장한 울산, 창원, 포항, 구미 등지에 많이 분포함.

(2) 1990년대 이후 부산, 대구의 교외화 현상 → 김해, 양산 및 경산 등 위성 도시의 인구 증가

부산의 위성 도시 (김해, 양산) / 대구의 위성 도시 (경산)

3 영남 지방의 주요 도시

❷ [ ]	우리나라 제2의 도시, 우리나라 최대 무역항, 영상·국제 물류·금융 산업 중심
대구	쇠퇴하는 섬유 산업의 첨단화 도모, 고부가 가치 산업 육성(첨단 의료 복합 단지 조성)
울산	자동차, 조선, 석유 화학 공업을 기반으로 첨단 산업 육성
❸ [ ]	2010년 마산·진해와 통합, 경상남도 도청 소재지, 기계 공업 단지
❹ [ ]	유네스코 세계 문화유산(하회 마을), 경상북도 도청 소재지
경주	유네스코 세계 문화유산(석굴암과 불국사, 경주 역사 유적 지구, 양동 마을)

❷ 부산

❸ 창원

❹ 안동

예 영남 지방은 수도권과 함께 우리나라의 산업화를 주도해 온 주요 공업 지역이다.

개념 4 세계적인 관광 중심지 제주특별자치도

1 제주도의 자연환경 → 유네스코 생물권 보전 지역(2002년), 세계 자연 유산(2007년), 세계 지질 공원(2010년)으로 등재됨.

기후	저위도에 위치, 난류의 영향 → 기온의 연교차가 작고 겨울이 온화한 해양성 기후
지형	신생대 화산 활동으로 형성된 화산섬 → 한라산, 기생 화산(오름), 주상 절리, 용암 동굴

한라산: 전체적으로 순상 화산, 정상부는 종상 화산이며 정상에는 화구호인 백록담이 있음.

2 제주도의 독특한 문화

전통 취락	지표가 현무암으로 덮여 있어 하천 발달 미약 → 해안가 ❺ [ ]에 취락 발달
농업	지표수 부족으로 ❻ [ ]·과수 농업 발달 → 잡곡과 해산물을 활용한 음식 발달
전통 가옥	강한 바람에 대비하기 위해 돌담을 쌓고, 나지막한 지붕에 그물 모양으로 줄을 엮음.

❺ 용천대

❻ 밭농사

3 제주도의 산업 발달 1차 산업과 관광 산업 위주의 ❼ [ ] 산업을 중심으로 발달함.

❼ 3차

4 제주도의 발전 노력 국제 자유 도시(2002년) 및 ❽ [ ](2006년) 지정, 마이스(MICE) 산업 등 고부가 가치 관광 산업 확충

❽ 제주특별자치도

예 제주도는 다양한 화산 지형과 독특한 문화를 바탕으로 세계적인 관광지로 발전하고 있다.

마이스(MICE) 산업: 기관 및 기업 등의 회의(Meetings), 포상 여행(Incentives), 국제회의(Conventions), 전시(Exhibitions)의 약자로, 이것을 유치하고 진행하는 것과 관련된 산업

정답과 해설 70쪽

6 괄호 안의 내용 중 알맞은 말을 골라 ◯표 하시오.

(1) 영남 지방은 낙동강 하구 삼각주와 대도시 근교 지역에 (과수 농업, 시설 원예 농업)이 발달하였다.

(2) 영남 지방은 1960년대 노동력이 풍부한 부산, 대구를 중심으로 (경공업, 중화학 공업)이 발달하였다.

(3) (남동 임해, 영남 내륙) 공업 지역은 풍부한 노동력과 편리한 교통을 바탕으로 섬유 및 전자 공업이 발달하였다.

7 각 도시의 주요 발달 공업을 바르게 연결하시오.

(1) 거제 • • ㉠ 기계 공업

(2) 울산 • • ㉡ 제철 공업

(3) 창원 • • ㉢ 조선 공업

(4) 포항 • • ㉣ 자동차 · 조선 · 석유 화학 공업

8 다음 설명에 해당하는 영남 지방의 도시를 〈보기〉에서 골라 기호를 쓰시오.

보기

ㄱ. 경산 ㄴ. 경주
ㄷ. 부산 ㄹ. 안동

(1) 1990년대 이후 대구의 인구와 기능이 분산되어 인구가 증가하고 있는 위성 도시이다. ( )

(2) 유교 문화와 전통문화가 잘 보존된 지역이며, 세계 문화유산으로 등재된 하회 마을이 있다. ( )

(3) 신라의 수도였으며, 세계 문화유산으로 등재된 불국사와 석굴암, 양동 마을 등이 있다. ( )

(4) 우리나라 제2의 도시로, 최근 영상 · 국제 물류 · 금융 산업 중심으로 산업 구조가 변화하고 있다. ( )

9 빈칸에 들어갈 알맞은 말을 쓰시오.

(1) 우리나라에서 가장 큰 섬인 제주도는 남해상에 위치하고 난류의 영향을 받아 기온의 연교차가 작고 겨울이 온화한 ( ) 기후가 나타난다.

(2) 제주도는 신생대 ( ) 활동으로 형성되었다.

(3) 제주도는 지표의 대부분이 다공질의 ( )(으)로 덮여 있어 하천 발달이 미약하다.

(4) 제주도는 2002년에 국제 자유 도시로 지정되었고, 2006년에는 ( )(으)로 새롭게 출범하였다.

(5) 제주도는 다채로운 자연환경을 바탕으로 유네스코 생물권 보전 지역(2002년), ( )(2007년), 세계 지질 공원(2010년)으로 등재되었다.

(6) ( ) 산업은 기업 회의(Meetings), 포상 관광(Incentives), 국제회의(Conventions), 전시회(Exhibitions) 등을 총망라하는 종합 관광 산업이다.

10 다음 빈칸에 공통적으로 들어갈 산업을 쓰시오.

• 제주도의 산업은 1차 산업과 ( ) 산업 위주의 3차 산업을 중심으로 발달하였다.
• 제주도는 아름다운 자연환경, 독특한 섬 문화를 바탕으로 ( ) 산업이 발전하였다.
• 최근에는 단순한 휴양 관광을 넘어 마이스 산업, 게임 산업 등 고부가 가치를 창출하는 ( ) 산업으로의 변화를 추구하고 있다.

( ) 산업

내신 기출 베스트

대표 예제 1 충청 지방의 특성

충청 지방의 특성에 대한 옳은 설명을 <보기>에서 고른 것은?

보기

ㄱ. 수도권과 남부 지방을 잇는 중심부에 위치한다.
ㄴ. 과거에는 낙동강을 이용한 내륙 수운이 발달하였다.
ㄷ. 1900년대 초 경부선과 호남선 철도가 개통되면서 대전을 중심으로 성장하였다.
ㄹ. 고속 철도 개통, 수도권 전철 연장으로 수도권과 인접한 지역의 인구가 감소하고 있다.

① ㄱ, ㄴ ② ㄱ, ㄷ ③ ㄴ, ㄷ
④ ㄴ, ㄹ ⑤ ㄷ, ㄹ

개념 가이드

충청 지방은 주요 고속 국도 및 고속 철도, 수도권 전철 등 다양한 교통로가 집중되는 ❶ [ ] 교통의 요충지이다.

답 ❶ 육상

대표 예제 2 충청 지방의 인구 증감

지도는 충청 지방의 인구 증감을 나타낸 것이다. 이에 대한 설명으로 옳지 않은 것은?

(* 2000년 청원군 인구는 청주시에 포함하여 계산함. / * 세종특별자치시는 2000년 연기군 대비 인구 증감을 계산함.)

① 세종특별자치시의 인구 증가율이 가장 높다.
② 영남권과 인접한 지역은 인구가 대체로 감소하였다.
③ 충청 지방의 인구 분포는 교통 발달의 영향을 받았다.
④ 중화학 공업이 발달한 지역은 인구가 대체로 감소하였다.
⑤ 수도권과 인접한 지역은 호남권과 인접한 지역보다 인구 증가율이 높다.

개념 가이드

충청 지방의 인구는 주요 교통로가 지나가거나 산업이 발달한 지역에서 많이 ❷ [ ] 하였다.

답 ❷ 증가

대표 예제 3 호남 지방의 산업 구조

교사의 질문에 바르게 답한 학생을 고른 것은?

교사: 호남 지방의 산업 특징에 대해 발표해 볼까요?
갑: 수도권보다 산업화가 빠르게 진행되었습니다.
을: 전국 평균에 비해 1차 산업 생산액 비중이 낮습니다.
병: 균형 발전을 위한 정부 지원을 바탕으로 제조업의 비중이 증가하고 있습니다.
정: 자연환경과 전통문화를 활용한 관광 산업을 발전시키면서 지역 경쟁력을 확보하고 있습니다.

① 갑, 을 ② 갑, 병 ③ 을, 병
④ 을, 정 ⑤ 병, 정

개념 가이드

호남 지방은 우리나라의 대표적인 농업 지역으로, 다른 지역에 비해 ❸ [ ] 산업의 비중이 높다.

답 ❸ 1차

대표 예제 4 호남 지방 주요 지역의 특징

(가), (나) 지역을 지도의 A~D에서 고른 것은?

(가) 호남평야의 벽골제에서 황금빛 들판과 지평선을 볼 수 있다.
(나) 지리적 표시제 제1호로 등록된 녹차 생산지이며, 녹차를 주제로 한 축제도 개최되고 있다.

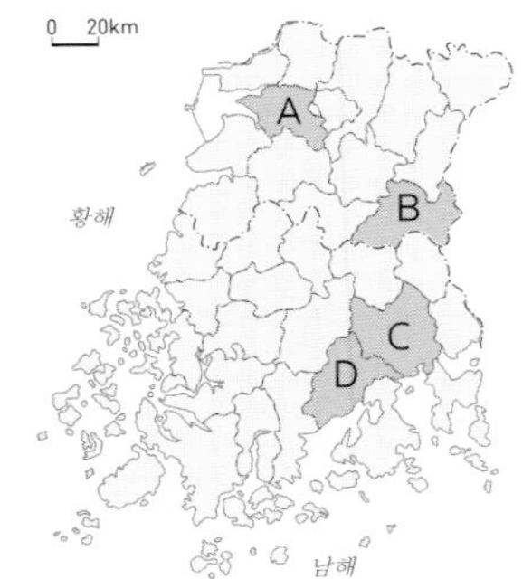

	(가)	(나)
①	A	B
②	A	D
③	B	D
④	C	B
⑤	D	C

개념 가이드

❹ [ ] 지평선 축제, ❺ [ ] 다향 대축제, 순창 장류 축제 등은 호남 지방의 자연과 전통문화를 활용한 지역 축제들이다.

답 ❹ 김제 ❺ 보성

대표 예제 5 영남 지방 주요 지역의 특징

다음 글의 (가)에 들어갈 지역을 지도의 A~E에서 고른 것은?

> 1990년대 이후 부산과 대구의 교외화 현상이 진행되면서 ___(가)___ 으로 인구와 기능이 분산되고 있다.

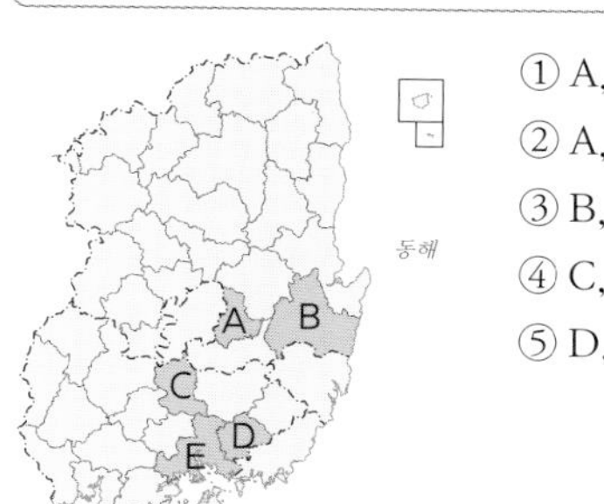

① A, B
② A, D
③ B, C
④ C, E
⑤ D, E

개념 가이드

1990년대 이후 부산, 대구의 교외화 현상으로 ❻ ______ 와 양산, ❼ ______ 등이 도시로 성장하였다.

답 ❻ 김해 ❼ 경산

대표 예제 6 영남 지방 주요 도시의 제조업 특징

그래프는 영남 지방 주요 도시의 제조업 업종별 출하액 비중을 나타낸 것이다. (가)~(다) 지역으로 옳은 것은?

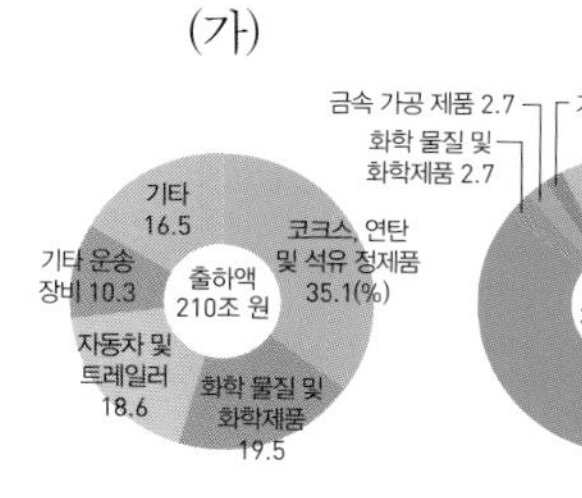

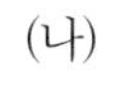

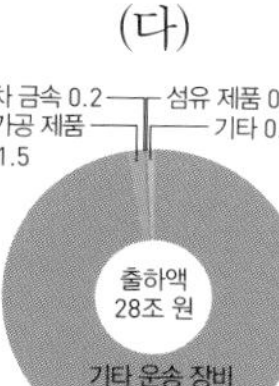

	(가)	(나)	(다)
①	거제	울산	포항
②	거제	포항	울산
③	울산	거제	포항
④	울산	포항	거제
⑤	포항	울산	거제

개념 가이드

포항은 ❽ ______ 공업, 울산은 조선·자동차·❾ ______ 공업, 거제는 ❿ ______ 공업이 대표적으로 발달하였다.

답 ❽ 제철 ❾ 석유 화학 ❿ 조선

대표 예제 7 세계적인 관광지로 발전하는 제주도

다음 자료의 (가)에 들어갈 용어로 옳은 것은?

> 제주도의 거문오름과 그 주변의 용암 동굴계는 화산 활동의 흔적이 잘 남아있을 뿐 아니라 독특한 식생 분포가 나타나 2007년에 우리나라 최초로 ___(가)___ 으로 지정되었다.

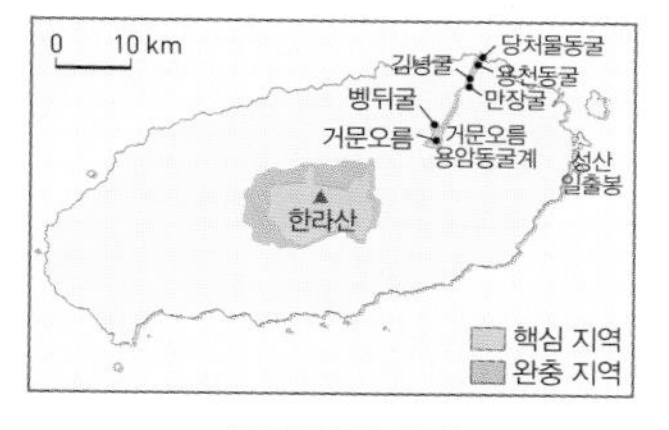

① 세계 문화유산
② 세계 기록 유산
③ 세계 자연 유산
④ 세계 지질 공원
⑤ 생물권 보전 지역

개념 가이드

⓫ ______ 는 유네스코 생물권 보전 지역, 세계 자연 유산, 세계 지질 공원으로 등재되었다.

답 ⓫ 제주도

대표 예제 8 제주도의 자연환경

다음 글의 밑줄 친 ㉠~㉤에 대한 설명으로 옳지 않은 것은?

> ㉠ 제주도의 섬 중앙부에는 한라산이 있으며, 산중턱이나 기슭에는 ㉡ 기생 화산이 형성되어 있다. 이 밖에도 ㉢ 용암 동굴, 주상 절리 등의 독특한 지형이 분포한다. 한편, ㉣ 기온의 연교차가 작고 겨울이 온화하며, 이러한 기후 특성으로 저지대에 난대성 식물이 분포한다. 제주도는 ㉤ 빗물이 지하로 잘 스며들어 비가 내릴 때에만 하천에 물이 흐른다.

① ㉠ – 신생대 화산 활동으로 형성된 화산섬이다.
② ㉡ – 제주도에서는 '오름', '악' 등으로 불린다.
③ ㉢ – 현무암질 용암의 열하 분출로 형성되었다.
④ ㉣ – 우리나라 남쪽에 위치하고 주변에 난류가 흐르기 때문이다.
⑤ ㉤ – 지표수가 부족하여 대부분 밭농사가 이루어진다.

개념 가이드

제주도는 ⓬ ______ 화산 활동으로 형성된 화산섬으로 기생 화산, 용암 동굴, 주상 절리 등 다양한 화산 지형이 분포한다.

답 ⓬ 신생대

누구나 100점 테스트 1회

1 표는 우리나라의 국토 종합 개발 계획을 나타낸 것이다. (가)~(다)에 들어갈 개발 방식으로 옳은 것은?

구분	제1차 국토 종합 개발 계획	제2차 국토 종합 개발 계획	제3차 국토 종합 개발 계획
개발 방식	(가)	(나)	(다)
기본 목표	사회 간접 자본 확충	인구의 지방 정착 유도	지방 분산형 국토 골격 형성

	(가)	(나)	(다)
①	광역 개발	균형 개발	성장 거점 개발
②	균형 개발	광역 개발	성장 거점 개발
③	균형 개발	성장 거점 개발	광역 개발
④	성장 거점 개발	광역 개발	균형 개발
⑤	성장 거점 개발	균형 개발	광역 개발

2 지도는 우리나라 주요 발전 설비의 분포를 나타낸 것이다. (가)~(다) 발전 양식에 대한 설명으로 옳은 것은? (단, (가)~(다)는 수력, 화력, 원자력 발전 중 하나임.)

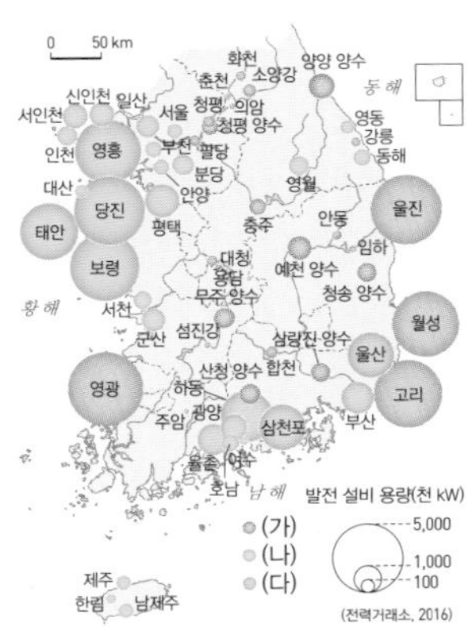

① (가)는 전력 소비가 많은 곳에 주로 입지한다.
② (나)는 송전 비용이 비싸고 안정적인 전력 생산이 어렵다.
③ (다)는 냉각수 공급에 유리한 해안 지역에 주로 입지한다.
④ (가)는 (나)보다 발전소의 입지가 자유로운 편이다.
⑤ (나)는 (다)보다 발전 시 대기 오염 물질 배출량이 적다.

3 그래프는 우리나라의 작물별 경지 면적 변화를 나타낸 것이다. 이에 대한 분석으로 옳지 <u>않은</u> 것은? (단, (가), (나)는 쌀과 맥류 중 하나임.)

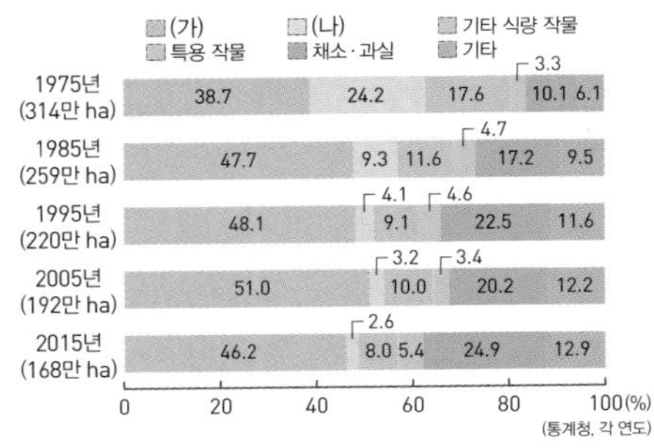

① 총 경지 면적이 감소하고 있다.
② 2015년에는 1975년보다 식량 작물의 재배 비율이 높다.
③ 2015년에는 1975년보다 채소·과실 등 상품 작물의 재배 비율이 높다.
④ (가)는 (나)보다 자급률이 높다.
⑤ (나)는 주로 (가)의 그루갈이 작물로 재배된다.

4 그래프는 기업 규모별 공업 구조를 나타낸 것이다. 이를 통해 알 수 있는 우리나라 공업의 특징으로 가장 적절한 것은?

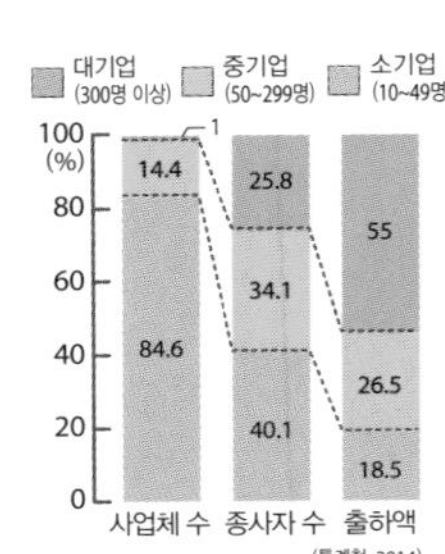

① 공업의 이중 구조
② 공업 구조의 고도화
③ 공업의 지역적 편재
④ 기업의 공간적 분업
⑤ 원료의 높은 해외 의존도

5 다음 빈칸에 공통으로 들어갈 용어를 쓰시오.

• (　　　)은/는 상점을 유지하는 데 필요한 최소한의 수요를 말한다.
• 상점이 유지되기 위해서는 (　　　)보다 재화의 도달 범위가 넓거나 같아야 한다.

(　　　　　)

6 지도는 수요자 유형에 따라 분류한 서비스업의 지역별 분포를 나타낸 것이다. (가), (나)에 대한 옳은 설명만을 〈보기〉에서 있는 대로 고른 것은?

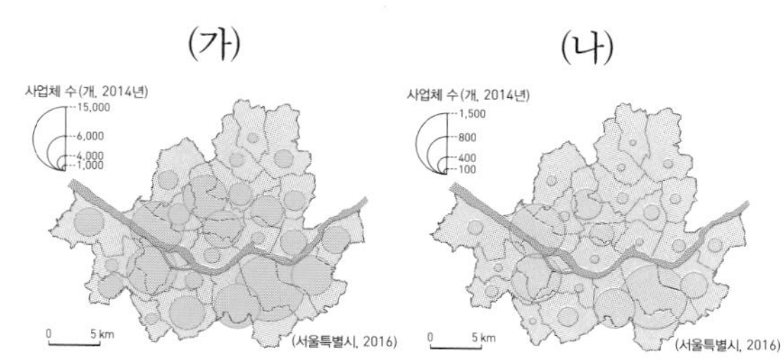

보기

ㄱ. (가)는 음식업, 숙박업, 도·소매업 등이 해당된다.
ㄴ. (나)는 기업을 주요 대상으로 한다.
ㄷ. (가)는 (나)보다 업체당 종사자 수가 많다.
ㄹ. (나)는 (가)보다 수도권의 집중도가 높게 나타난다.

① ㄱ, ㄴ ② ㄱ, ㄷ ③ ㄴ, ㄹ
④ ㄱ, ㄴ, ㄹ ⑤ ㄴ, ㄷ, ㄹ

7 그래프는 교통수단별 국내 여객 및 화물 수송 분담률 변화를 나타낸 것이다. A~D 교통수단으로 옳은 것은?

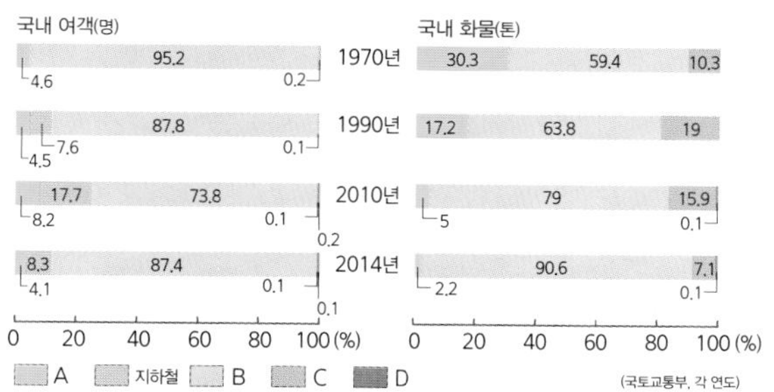

	A	B	C	D
①	도로	철도	항공	해운
②	철도	도로	해운	항공
③	철도	해운	도로	항공
④	항공	도로	해운	철도
⑤	해운	철도	항공	도로

8 표는 우리나라의 시기별 인구 이동을 정리한 것이다. ㉠~㉤ 중 옳지 않은 것은?

시기	특징	
일제 강점기	광공업이 발달한 북부 지방으로 이동	… ㉠
광복 이후	일본·중국 등지에서 해외 동포 귀국	… ㉡
6·25 전쟁	피난민들이 남부 지방으로 이동	… ㉢
1960~1980년대	대도시의 인구 과밀화로 대도시에서 농촌으로 이동	… ㉣
1990년대 이후	교외화 현상이 발생하여 대도시에서 주변 위성 도시로 이동	… ㉤

① ㉠ ② ㉡ ③ ㉢ ④ ㉣ ⑤ ㉤

9 그래프는 우리나라의 시기별 인구 구조를 나타낸 것이다. (가) 시기와 비교한 (나) 시기의 상대적 특징을 그림의 A~E에서 고른 것은?

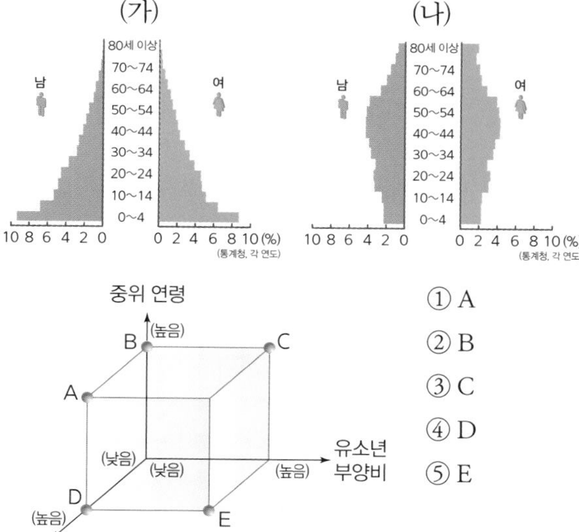

① A
② B
③ C
④ D
⑤ E

10 빈칸에 들어갈 알맞은 말을 쓰시오.

(   )은/는 가족 구성원 중 서로 다른 국적, 인종, 문화를 가진 사람들이 포함된 가정으로, 우리나라에서도 국제결혼이 증가하면서 그 수가 증가하고 있다.

(   )

누구나 100점 테스트 2회

1 다음 글의 ㉠~㉤에 대한 설명으로 옳지 않은 것은?

> ㉠ 지역이란 지리적 특성이 다른 곳과 구별되는 일정한 공간적 범위를 의미하며, 하나의 지역은 다른 지역과 구별되는 고유한 특성인 ㉡ 지역성을 갖는다. 지역은 다양한 방법으로 구분할 수 있는데, 크게 ㉢ 동질 지역과 ㉣ 기능 지역으로 구분할 수 있다. 지역은 행정 구역의 경계와 같이 명확하게 선으로 구분되기도 하지만 그 경계가 불분명하여 ㉤ 인접한 두 지역의 특성이 뒤섞여 있는 경우가 많다.

① ㉠은 다양한 자연환경과 인문 환경으로 구성된다.
② ㉡은 시간의 흐름, 지역 간 상호 작용 등에 따라 변화한다.
③ ㉢의 사례로 기후 지역, 농업 지역을 들 수 있다.
④ ㉣의 범위는 고정되어 있어 변하지 않는다.
⑤ ㉤과 같은 지역을 점이 지대라고 한다.

2 (가), (나)에 해당하는 지역을 지도의 A~D에서 고른 것은?

> (가) 조선 시대 행정 구역을 기준으로 함경도를 중심으로 하는 지역이며, 철령관의 북쪽 지역을 의미한다.
> (나) 충청도를 중심으로 하는 지역이며, 금강(호강) 상류의 서쪽 또는 제천 의림지의 서쪽 지역을 의미한다.

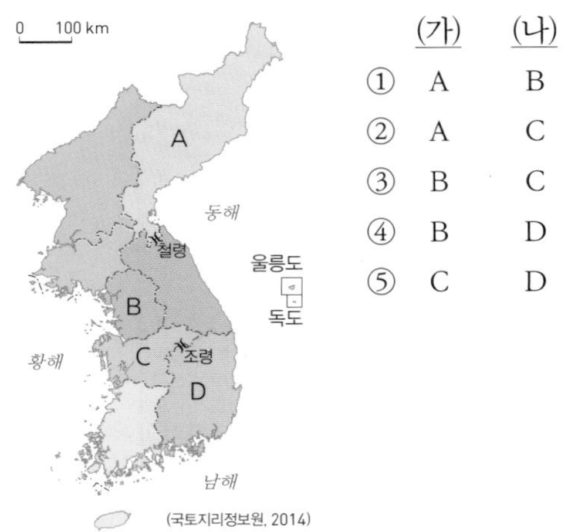

	(가)	(나)
①	A	B
②	A	C
③	B	C
④	B	D
⑤	C	D

3 지도는 북한의 지형과 인구 분포를 나타낸 것이다. 이에 대한 설명으로 옳은 것은?

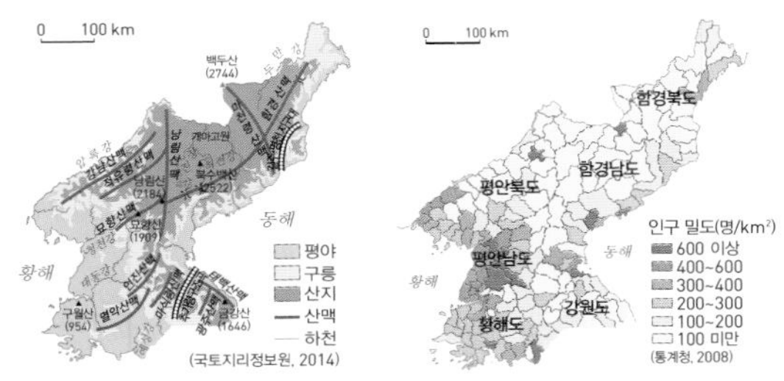

① 산지는 주로 남서부 지역을 중심으로 분포한다.
② 황해보다 동해로 유입하는 하천의 유로가 길다.
③ 동해로 유입하는 하천 하류에 큰 평야가 분포한다.
④ 관북 지방은 관서 지방보다 인구 밀도가 높게 나타난다.
⑤ 동해안 일대는 좁은 해안 평야 지역을 따라 인구가 집중되어 있다.

4 그래프는 수도권의 제조업 사업체 수 변화를 나타낸 것이다. (가)~(다)에 해당하는 지역으로 옳은 것은?

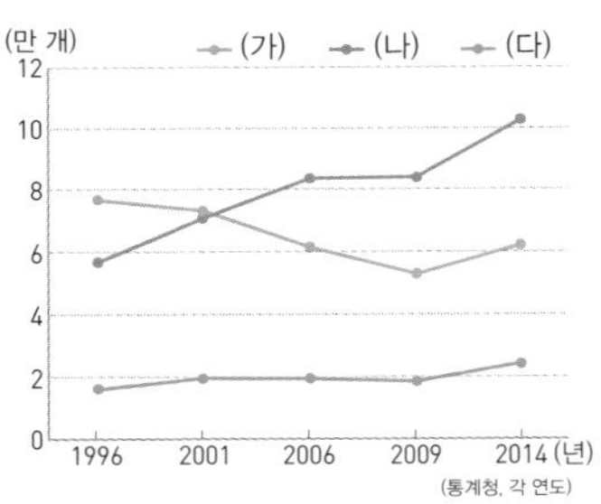

	(가)	(나)	(다)
①	경기	서울	인천
②	경기	인천	서울
③	서울	경기	인천
④	서울	인천	경기
⑤	인천	경기	서울

5 강원 지방을 영서 지방과 영동 지방으로 나누는 경계가 되는 산맥을 쓰시오.

(　　　　　)

6 다음은 한국지리 수업의 한 장면이다. 교사의 질문에 바르게 답한 학생을 고른 것은?

> 교사: 다음은 강원도 홍천과 강릉의 기후 그래프입니다. (가), (나) 지역의 특징을 비교하여 발표해 볼까요?
>
> 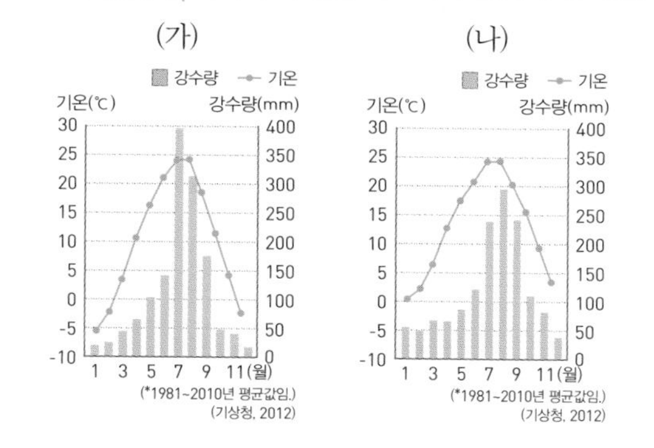
>
>
> 갑: (가)는 내륙, (나)는 해안에 위치합니다.
> 을: (가)는 (나)보다 기온의 연교차가 큽니다.
> 병: (가)는 (나)보다 겨울 강수량이 많습니다.
> 정: (나)는 (가)보다 여름철 강수 집중률이 높습니다.

① 갑, 을 ② 갑, 병 ③ 을, 병
④ 을, 정 ⑤ 병, 정

7 자료를 통해 추론할 수 있는 충청 지방의 변화 모습으로 가장 적절한 것은?

> 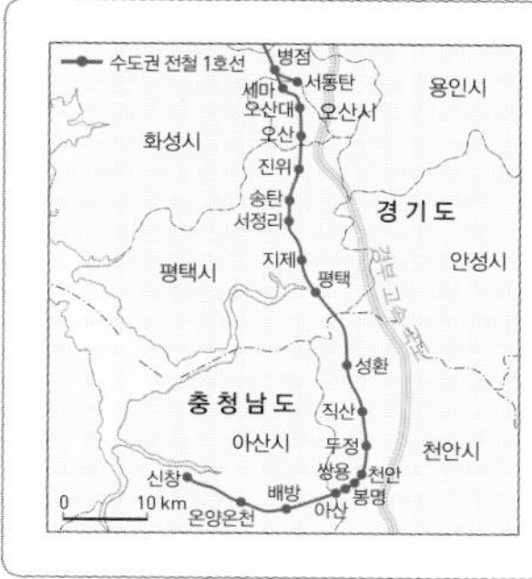
>
>
> 수도권 전철 1호선은 2005년 충청남도 천안역까지 연장 개통되면서 수도권과 충청 지방을 연결하게 되었으며, 2008년에는 아산시 신창역까지 연장되었다.

① 충청 지방 내 지역 격차가 완화되었다.
② 수도권과 인접한 지역의 인구가 증가하였다.
③ 수도권으로의 통근·통학 인구가 감소하였다.
④ 충청 지방의 공공 기관이 수도권으로 이전하였다.
⑤ 충청 지방의 제조업체 대부분이 수도권으로 이전하였다.

8 (가), (나) 축제가 열리는 지역을 지도의 A~D에서 고른 것은?

(가) (나)

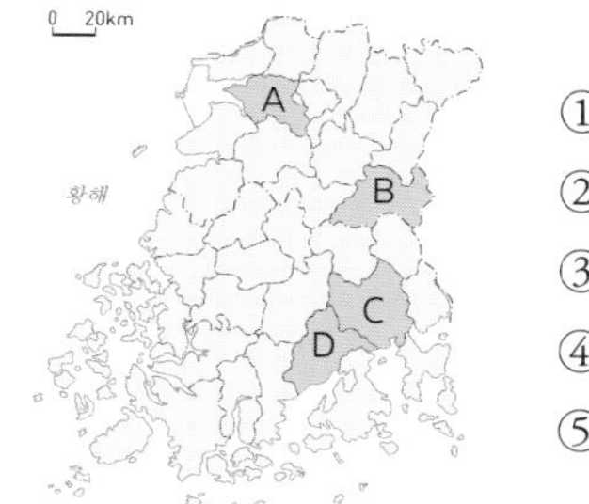

	(가)	(나)
①	A	B
②	A	D
③	C	B
④	C	D
⑤	D	A

9 지도의 A~E 지역에 대한 탐구 주제로 옳지 않은 것은?

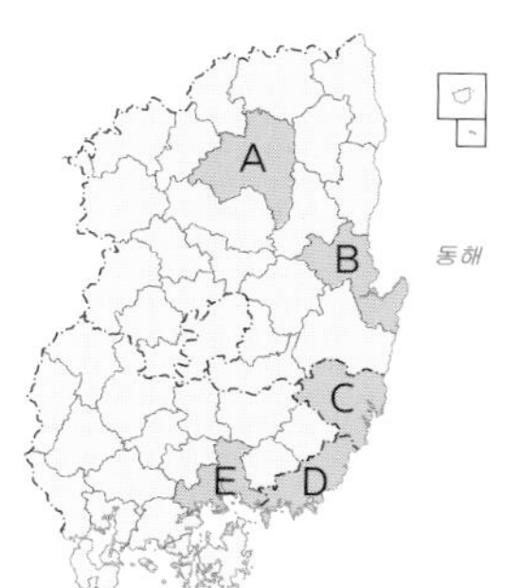

① A - 국제 탈춤 페스티벌 개최와 외국인 관광객 유치 실태
② B - 대규모 제철소 입지가 도시 성장에 미친 영향
③ C - 섬유 공업의 발달과 쇠퇴에 따른 산업 구조 변화
④ D - 교외화 현상에 따른 인구 변화
⑤ E - 마산·진해와의 통합에 따른 지역 변화

10 제주도에 대한 설명으로 옳은 것은?

① 밭농사보다 논농사의 비율이 높다.
② 강수량이 많아 하천의 유량이 많다.
③ 기온의 연교차가 큰 대륙성 기후가 나타난다.
④ 관광 산업이 발달하여 3차 산업 종사자 비율이 높다.
⑤ 기반암의 용식 작용으로 형성된 지형이 많이 분포한다.

6일

서술형·사고력 테스트

1 그림은 지역 개발 방식을 나타낸 것이다. 이를 보고 물음에 답하시오.

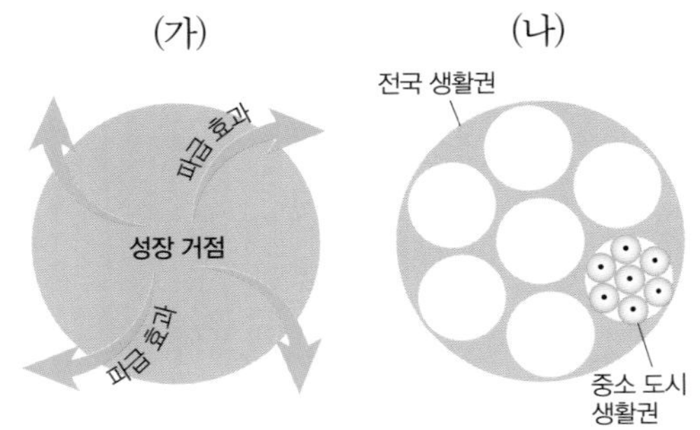

(1) (가), (나) 개발 방식의 명칭을 쓰시오.

(2) (나)와 비교한 (가) 개발 방식의 상대적 특징을 제시된 조건을 토대로 서술하시오.

> **조건**
> • 투자의 효율성 • 지역 주민 참여도
> • 지역 간 성장 격차

2 다음 내용과 관련 있는 자원의 특성을 서술하시오.

> 석유는 개발하고 이용할 기술이 발달하지 않았던 과거에는 자연물에 불과하였으나, 오늘날에는 없어서는 안 될 중요한 자원이 되었다.

3 그래프를 보고, 경지 면적과 경지 이용률이 감소하고 있음에도 농가 호당 경지 면적이 증가하는 이유를 서술하시오.

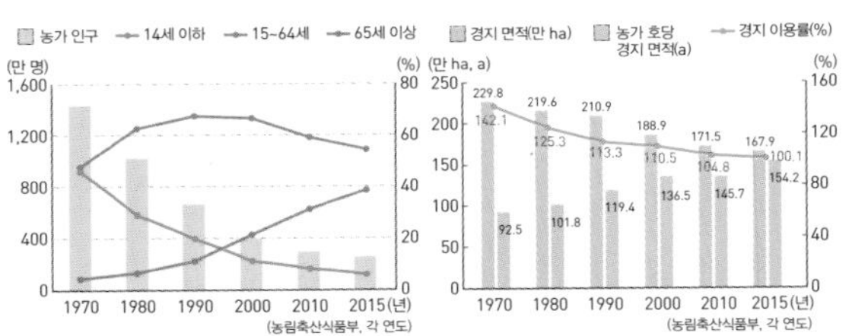

▲ 농가 인구 및 연령별 농가 인구 구성비의 변화 ▲ 경지 면적과 경지 이용률의 변화

4 지도는 주요 공업의 지역별 종사자 수 비율과 시·도별 생산액을 나타낸 것이다. 이를 보고 물음에 답하시오. (단, (가), (나)는 섬유 공업과 자동차 공업 중 하나임.)

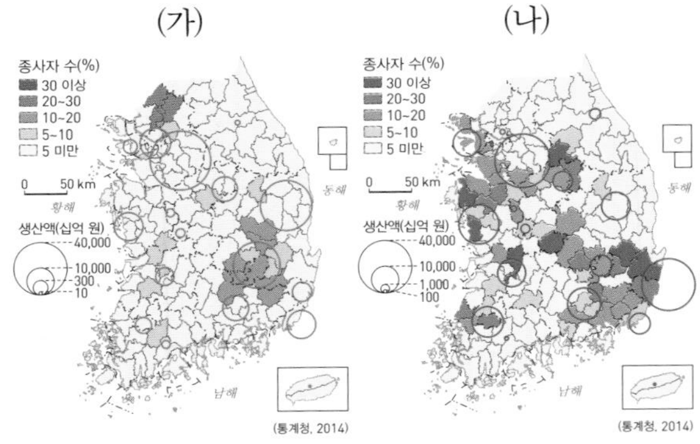

(1) (가), (나) 공업의 명칭을 쓰시오.

(2) (가), (나) 공업의 입지 특성을 서술하시오.

5 그래프는 우리나라의 산업별 종사자 비중 변화를 나타낸 것이다. 1990년대 이후 우리나라 산업 구조의 특징을 제시된 용어를 모두 사용하여 서술하시오.

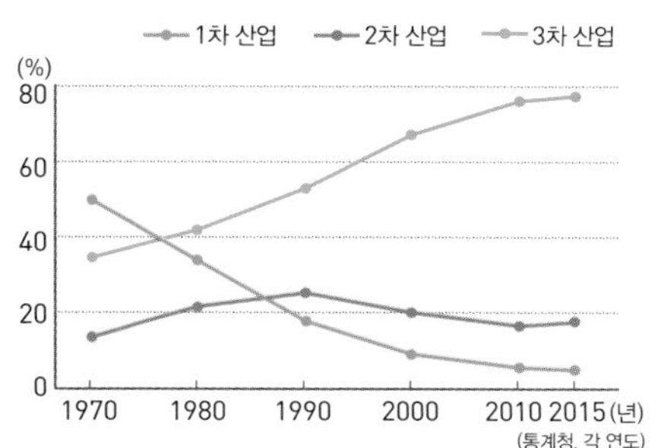

• 탈공업화 • 지식 • 정보

6 그래프는 우리나라의 합계 출산율 및 출생아 수의 변화를 나타낸 것이다. 이를 보고 물음에 답하시오.

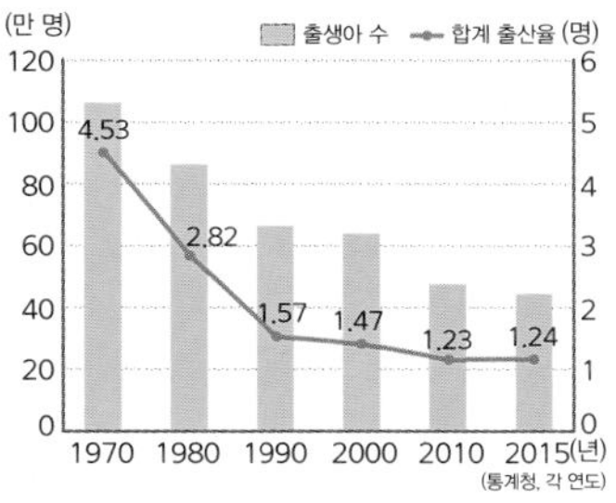

(1) 위 그래프를 통해 파악할 수 있는 인구 문제를 쓰시오.

(2) (1)의 인구 문제에 대한 대책을 두 가지 서술하시오.

7 그래프는 수도권의 지식 기반 산업 종사자 수와 지역별 비중을 나타낸 것이다. 이를 보고 수도권 내 지식 기반 산업의 분포 특징을 제시된 용어를 모두 사용하여 서술하시오.

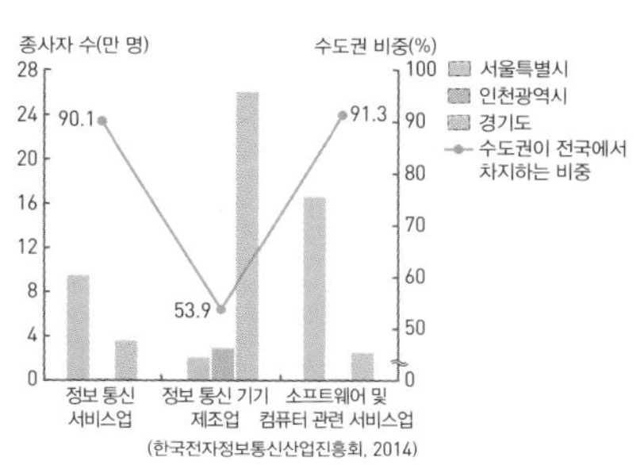

• 지식 기반 제조업 • 지식 기반 서비스업

8 지도는 영남 지방의 산업 단지 분포를 나타낸 것이다. 이를 보고 물음에 답하시오.

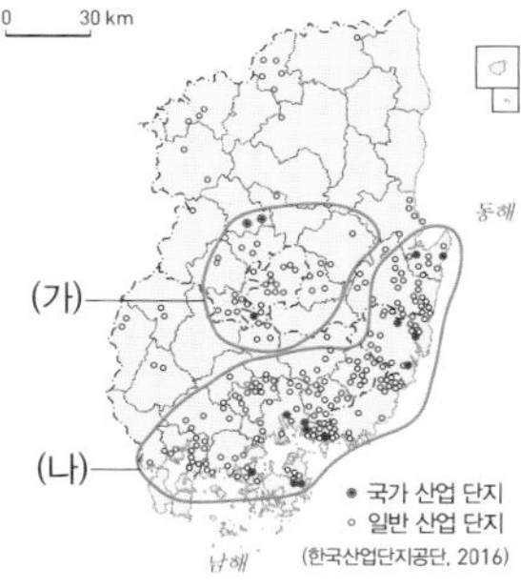

(1) (가), (나) 공업 지역의 명칭을 쓰시오.

(2) (나) 공업 지역의 입지 요인과 특징을 서술하시오.

9 다음은 한국지리 퀴즈의 일부이다. 이를 보고 물음에 답하시오.

※ (가)~(라)에 해당하는 지역을 지도의 A~E에서 찾아 하나씩 지운 후 남은 지역의 지역명을 쓰시오.

(가) 수도권 전철의 연장 개통으로 수도권으로의 통근·통학 인구가 증가하였다.

(나) 지식 기반형 기업 도시로 선정되어 국가 균형 발전에 중요한 역할을 담당한다.

(다) 산·학·연의 협력을 바탕으로 혁신 여건과 수준 높은 주거 환경을 갖춘 혁신 도시이다.

(라) 우리말로 한밭, 즉 넓은 들판이라는 의미의 한자식 표현으로 지명에서 당시 이 지역이 한가로운 농촌이었음을 알 수 있다.

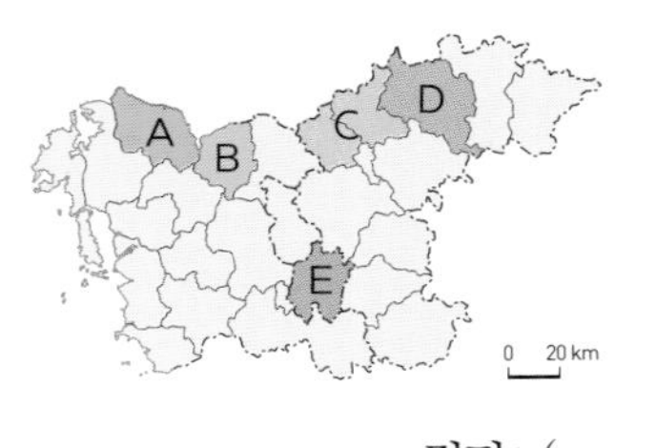

정답: (   )

(1) 위 퀴즈의 정답을 쓰시오.

(2) (1)에서 쓴 지역에서 출하액 비율이 가장 높은 공업의 입지 유형으로 옳은 것은?

① 노동 지향형 공업 ② 시장 지향형 공업
③ 원료 지향형 공업 ④ 집적 지향형 공업
⑤ 적환지 지향형 공업

10 다음 자료는 모둠별로 만든 여행 상품의 일부이다. 이를 보고 물음에 답하시오.

〈대중교통을 타고 떠나는 ◇◇ 여행〉

• 여행 일정

첫째 날	08:00 ○○역에서 모임. 09:00 △△행 ㉠ 고속 철도 탑승 11:00 △△역 도착 후 ㉡ 버스 타고 □□ 해변으로 이동 12:00 점심 식사 후 △△ 시내 개별 관광
둘째 날	08:00 △△항에서 모임. 09:00 ◇◇행 ㉢ 여객선 탑승
⋮	⋮

• △△ 지역에서 가 볼 만한 여행지

석호 주변의 산책로를 따라 걸어 보세요.

기차역 바로 옆에 펼쳐진 바다를 감상해 보세요.

(1) ㉠~㉢에 해당하는 교통수단을 그래프의 A~C에서 고른 것은?

〈교통수단별 운송비 구조〉

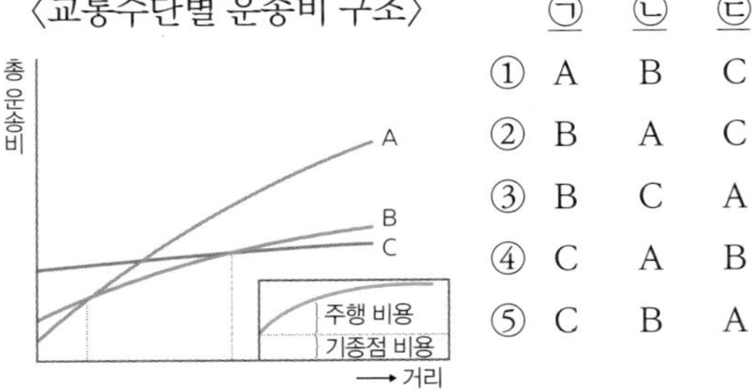

	㉠	㉡	㉢
①	A	B	C
②	B	A	C
③	B	C	A
④	C	A	B
⑤	C	B	A

(2) ㉠ 교통수단의 특징을 두 가지 서술하시오.

정답과 해설 74쪽

11 (가), (나)는 인구 현상이 담긴 대중가요 가사의 일부이다. 이를 보고 물음에 답하시오.

(가)

조용필, 「꿈」

화려한 도시를 그리며 찾아왔네.
그곳은 춥고도 험한 곳.
여기저기 헤매다 초라한 문턱에서.
뜨거운 눈물을 먹는다.
머나먼 길을 찾아 여기에.
꿈을 찾아 여기에.

(나)

이애란, 「백세 인생」

육십 세에 저세상에서 날 데리러 오거든.
아직은 젊어서 못 간다고 전해라.
칠십 세에 저세상에서 날 데리러 오거든.
할 일이 아직 남아 못 간다고 전해라.
팔십 세에 저세상에서 날 데리러 오거든.
아직은 쓸 만해서 못 간다고 전해라.

(1) (가)와 관련된 인구 현상을 쓰시오.

____

(2) (나)와 관련된 인구 현상의 주된 원인으로 적절한 것을 〈보기〉에서 고른 것은?

보기
ㄱ. 사망률 감소　ㄴ. 기대 수명 연장
ㄷ. 초혼 연령 상승　ㄹ. 자녀 양육비 부담 증가

① ㄱ, ㄴ　② ㄱ, ㄷ　③ ㄴ, ㄷ
④ ㄴ, ㄹ　⑤ ㄷ, ㄹ

12 다음 자료는 학생이 가족 여행 후 누리 소통망(SNS)에 올린 게시물의 일부이다. 여행 지역을 지도의 A~D에서 순서대로 고른 것은?

〈1일 차〉

GEO_chunjae

#한옥 마을 #슬로 시티

〈2일 차〉

GEO_chunjae

#평야 #지평선 #쌀

〈3일 차〉

GEO_chunjae

#녹차 아이스크림 #녹차

〈4일 차〉

GEO_chunjae

#습지 #갈대 #일몰 명소

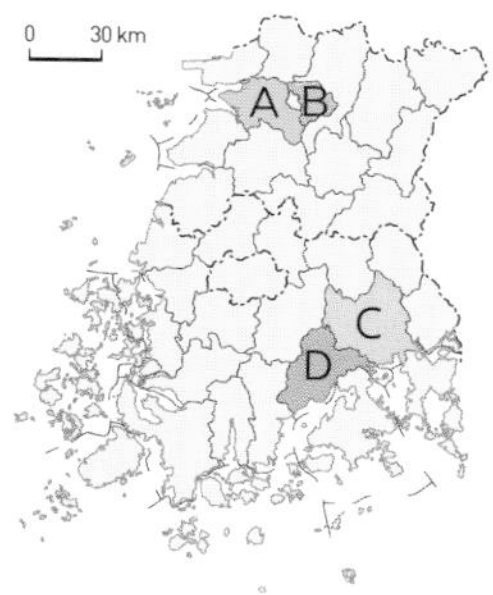

① A-B-C-D　② B-A-D-C
③ B-D-C-A　④ C-A-D-B
⑤ D-C-B-A

6일

7일 학교 시험 기본 테스트 1회

1 다음은 한국지리 수업의 한 장면이다. 교사의 질문에 대한 학생들의 대답으로 옳은 것은?

① 갑: 혁신 도시와 기업 도시를 육성하였습니다.
② 을: 신산업 지대를 조성하고, 지방 도시를 육성하였습니다.
③ 병: 남동 임해 지역에 대규모 공업 단지를 조성하였습니다.
④ 정: 수도권 공장의 신축을 제한하는 제도를 실시하였습니다.
⑤ 무: 지방의 주요 도시와 배후 지역을 포함한 지역 생활권을 조성하였습니다.

2 그림은 재생 가능성에 따른 자원의 분류를 나타낸 것이다. (가), (나)에 해당하는 자원으로 옳은 것은?

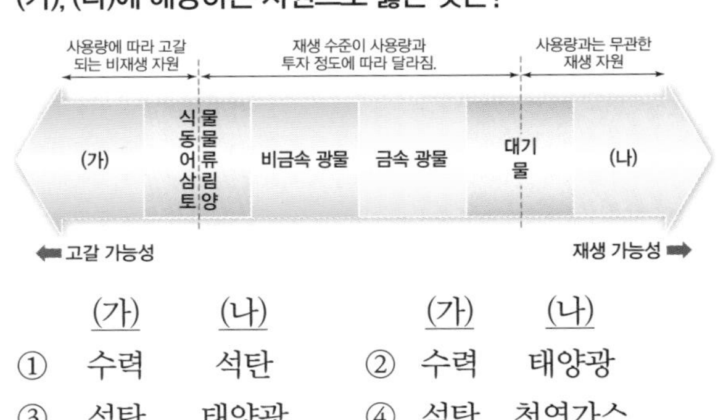

	(가)	(나)		(가)	(나)
①	수력	석탄	②	수력	태양광
③	석탄	태양광	④	석탄	천연가스
⑤	태양광	천연가스			

3 지도는 우리나라의 신·재생 에너지 발전소 분포를 나타낸 것이다. A~C에 대한 설명으로 옳지 않은 것은? (단, A~C는 조력, 풍력, 태양광 중 하나임.)

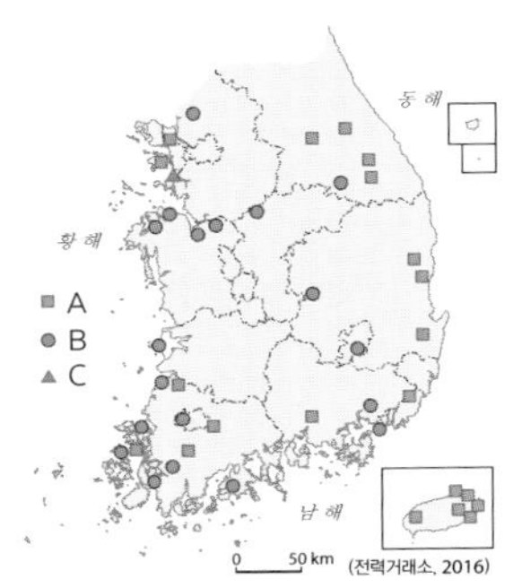

① B는 일조량이 풍부한 지역에서 발전 잠재력이 높다.
② C 발전소는 조차가 큰 해안에 주로 입지한다.
③ A는 B보다 발전 시 소음 발생량이 적다.
④ B는 C보다 발전 시 기상 조건의 제약을 많이 받는다.
⑤ A~C는 화석 에너지보다 환경 오염 부담이 적다.

4 그래프는 주요 곡물의 자급률 변화를 나타낸 것이다. 이러한 변화를 가져온 원인으로 가장 적절한 것은?

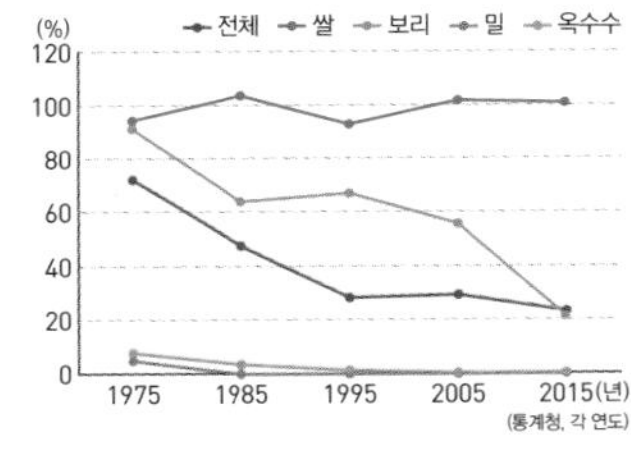

① 로컬푸드 운동
② 농산물 시장 개방
③ 농업 경영의 다각화
④ 농산물 브랜드화 추진
⑤ 친환경 농산물 생산 확대

5 (가)~(다)를 우리나라 공업의 발달 과정에 맞게 순서대로 나열하시오.

(가) 대도시를 중심으로 노동 집약적 경공업 발달
(나) 수도권을 중심으로 기술·지식 집약적 첨단 산업 발달
(다) 남동 임해 지역을 중심으로 자본·기술 집약적 중화학 공업 발달

( )

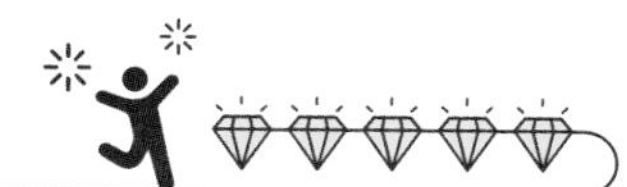

정답과 해설 76쪽

6 (가), (나) 공업에 대한 옳은 설명을 〈보기〉에서 고른 것은? (단, (가), (나)는 1차 금속 공업과 자동차 공업 중 하나임.)

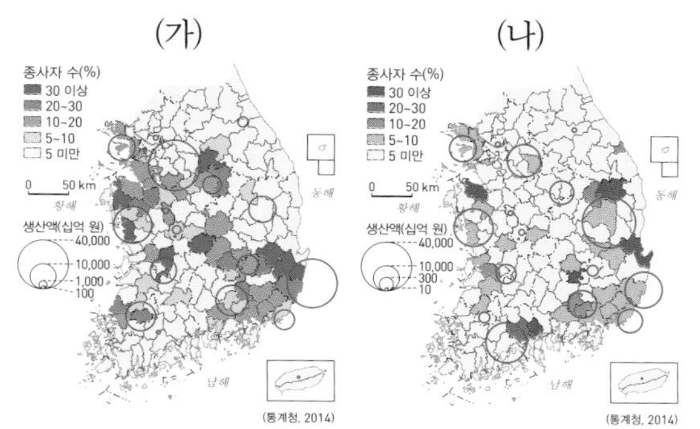

보기

ㄱ. (가)는 1960년대 우리나라 공업화를 주도하였다.
ㄴ. (나)는 대량의 원료를 수입하는 적환지 지향 공업이다.
ㄷ. (가)는 (나)에서 생산된 제품을 주요 재료로 이용한다.
ㄹ. (가), (나) 모두 타 산업에 기초 원료를 제공하는 소재 산업이다.

① ㄱ, ㄴ ② ㄱ, ㄷ ③ ㄴ, ㄷ
④ ㄴ, ㄹ ⑤ ㄷ, ㄹ

7 그림은 상거래 유형을 간략하게 나타낸 것이다. (나)와 비교한 (가)의 상대적 특징을 그림의 A~E에서 고른 것은?

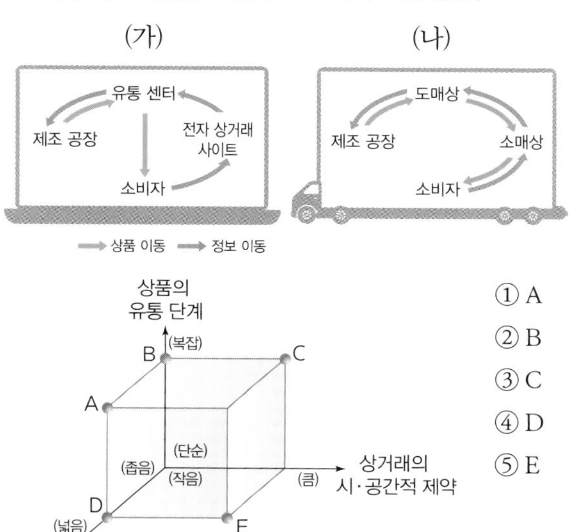

① A
② B
③ C
④ D
⑤ E

8 그림은 세 교통수단의 특성을 나타낸 것이다. (가)~(다)에 대한 설명으로 옳지 않은 것은? (단, (가)~(다)는 도로, 철도, 해운 중 하나임.)

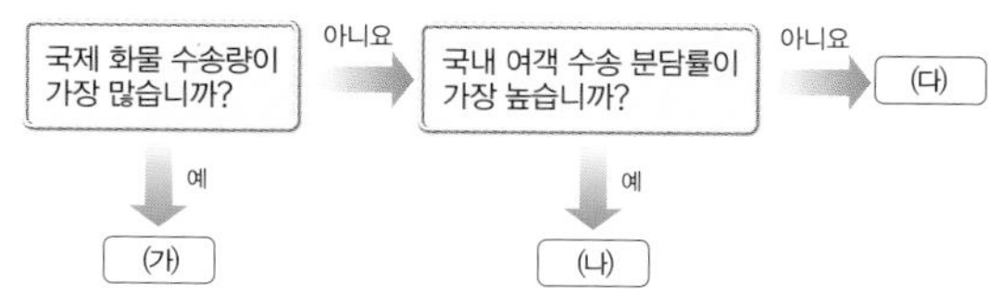

① (가)는 (나)보다 대량 화물의 장거리 수송에 유리하다.
② (나)는 (가)보다 국내 화물 수송 분담률이 높다.
③ (나)는 (다)보다 문전 연결성이 우수하다.
④ (다)는 (나)보다 지형적 제약이 크다.
⑤ 기종점 비용은 (다) > (나) > (가) 순으로 비싸다.

9 지도는 시기별 우리나라 인구 이동을 나타낸 것이다. 이에 대한 옳은 설명만을 〈보기〉에서 있는 대로 고른 것은?

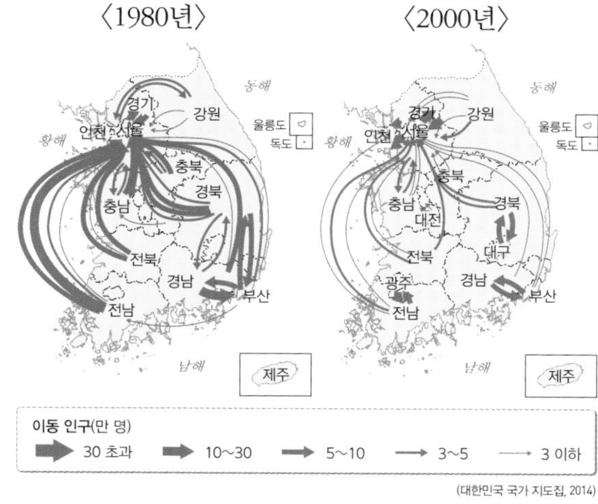

보기

ㄱ. 1980년은 2000년보다 전체 인구 이동량이 많다.
ㄴ. 1980년은 2000년보다 수도권 내 인구 이동이 활발하다.
ㄷ. 2000년은 1980년보다 대도시와 주변 지역 간의 인구 이동이 활발하다.
ㄹ. 1980년에는 이촌 향도 현상, 2000년에는 교외화 현상이 나타났다.

① ㄱ, ㄴ ② ㄱ, ㄷ ③ ㄴ, ㄹ
④ ㄱ, ㄷ, ㄹ ⑤ ㄴ, ㄷ, ㄹ

7일

7일 학교 시험 기본 테스트 1회

[10~11] 그래프는 우리나라 두 지역의 인구 구조 변화를 나타낸 것이다. 이를 보고 물음에 답하시오. (단, (가), (나)는 충남 아산시와 경북 의성군 중 하나임.)

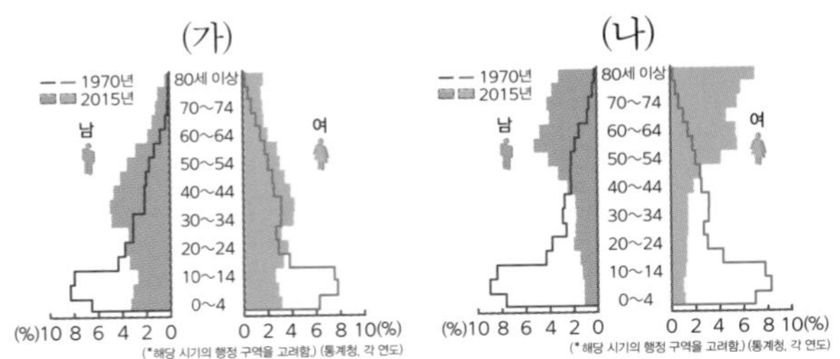

10 (가), (나)에 해당하는 지역을 쓰시오.

(가): ( ), (나): ( )

11 (가) 지역보다 (나) 지역에서 수치가 높게 나타나는 지표를 <보기>에서 고른 것은?

보기

ㄱ. 총 부양비　　ㄴ. 노령화 지수
ㄷ. 유소년층 인구 비중　　ㄹ. 2·3차 산업 종사자 비중

① ㄱ, ㄴ　② ㄱ, ㄷ　③ ㄴ, ㄷ
④ ㄴ, ㄹ　⑤ ㄷ, ㄹ

12 다음은 지속 가능한 다문화 사회를 만들기 위한 방안에 대한 학생들의 대화이다. 대화의 내용이 옳은 학생만을 있는 대로 고른 것은?

① 갑, 을　② 갑, 병　③ 병, 정
④ 갑, 을, 정　⑤ 을, 병, 정

13 (가)에 해당하는 용어를 쓰시오.

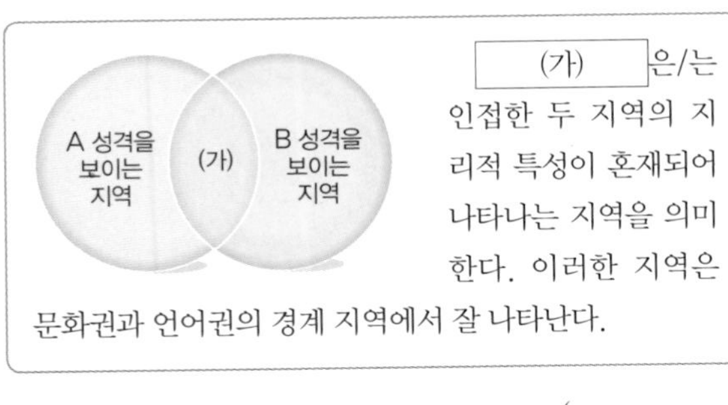

(가) 은/는 인접한 두 지역의 지리적 특성이 혼재되어 나타나는 지역을 의미한다. 이러한 지역은 문화권과 언어권의 경계 지역에서 잘 나타난다.

( )

14 지도는 북한의 연평균 기온과 연 강수량 분포를 나타낸 것이다. 이에 대한 설명으로 옳지 않은 것은?

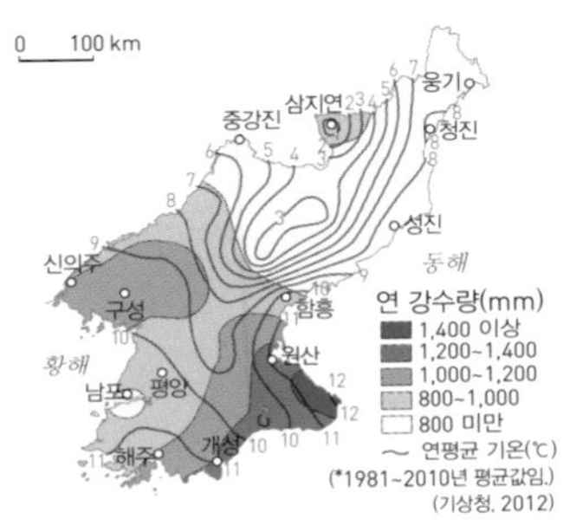

① 청진은 중강진보다 연평균 기온이 높다.
② 북부 내륙으로 갈수록 연평균 기온이 대체로 낮아진다.
③ 남포 일대는 지형의 영향으로 연 강수량이 적은 편이다.
④ 청천강 중·상류와 동해안의 원산 일대는 다우지를 이룬다.
⑤ 서해안은 비슷한 위도의 동해안 지역보다 연평균 기온이 높다.

15 (가) 지역에 대한 설명으로 옳지 않은 것은?

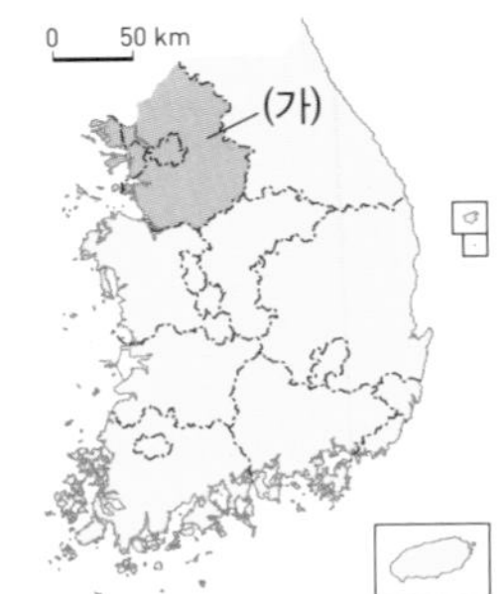

① 2차 산업 비중이 증가하고 있다.
② 우리나라의 수도를 포함하는 지역이다.
③ 서울을 중심으로 대도시권을 형성하고 있다.
④ 우리나라 총인구의 절반 가량이 집중되어 있다.
⑤ 우리나라 정치·경제·문화의 중심지 역할을 하고 있다.

16 (가), (나)에 해당하는 지역을 지도의 A~E에서 고른 것은?

(가) 북한강과 소양강의 합류 지점, 호반의 도시, 침식 분지, 바이오 산업
(나) 고위 평탄면, 고랭지 농업, 양 떼 목장, 풍력 발전, 2018 동계 올림픽 개최지

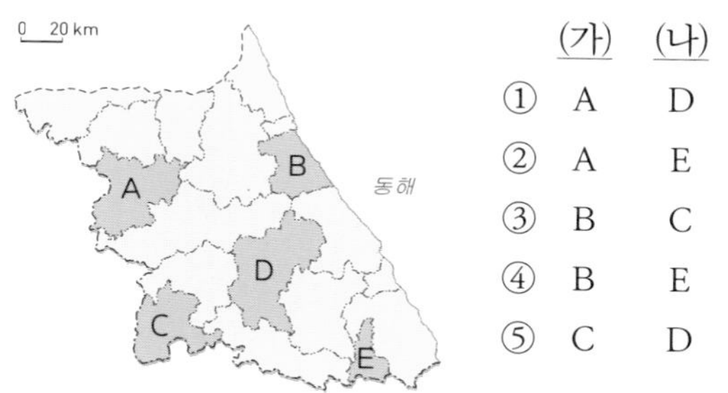

	(가)	(나)
①	A	D
②	A	E
③	B	C
④	B	E
⑤	C	D

17 지도의 A~E 지역에 대한 설명으로 옳지 않은 것은?

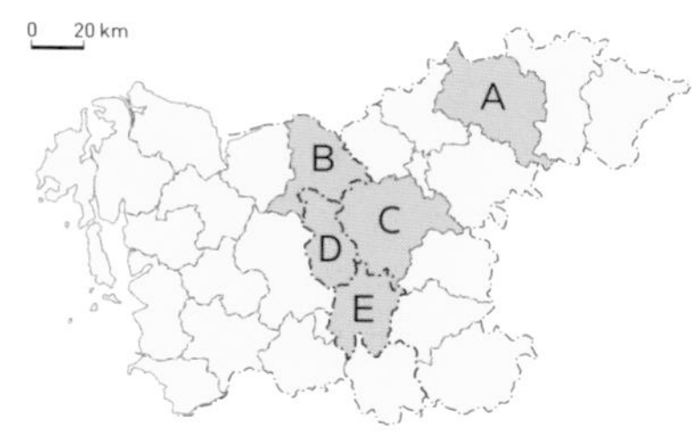

① A – 충청 지방 최대의 석유 화학 단지가 조성되어 있다.
② B – 수도권 전철 노선이 연결된 곳이다.
③ C – 오송 생명 과학 단지가 조성되어 있다.
④ D – 중앙 행정 기능을 분담하기 위해 조성된 도시이다.
⑤ E – 대덕 연구 단지를 중심으로 첨단 산업이 발달하였다.

18 다음 빈칸에 들어갈 지역의 명칭을 쓰시오.

(　　　) 지역은 군산–김제–부안을 연결하는 세계 최장 길이의 방조제를 세우고, 그 안에 간척 토지와 호소를 건설하는 우리나라 최대의 간척 사업이 진행 중이다. 간척된 땅은 농업, 관광·레저, 산업 연구, 국제 협력, 도시 용지 등으로 다양하게 활용될 예정이다.

(　　　　)

19 그래프는 영남 지방 주요 도시의 제조업 업종별 출하액 비중을 나타낸 것이다. A~C 공업에 대한 설명으로 옳은 것은? (단, A~C는 1차 금속, 기타 운송 장비, 화학 물질 및 화학 제품 공업 중 하나임.)

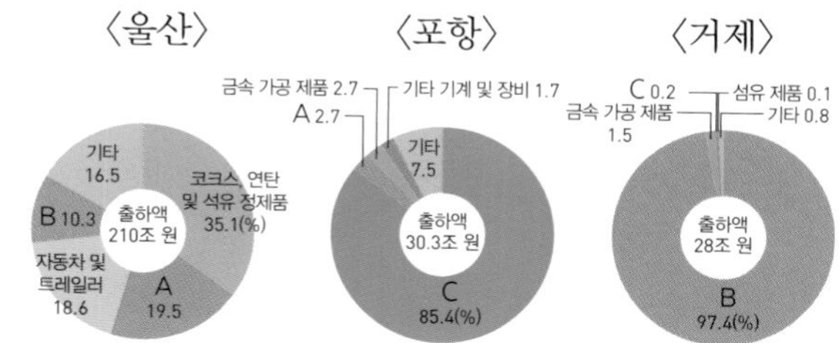

① A는 노동 집약적인 경공업이다.
② A는 많은 부품을 조립하여 완제품을 생산하는 조립형 공업이다.
③ B는 1960년대 우리나라 공업화를 주도하였다.
④ C는 대량의 원료를 수입하는 적환지 지향형 공업이다.
⑤ C는 한 가지 원료에서 다양한 제품을 생산하는 계열화된 공업이다.

20 밑줄 친 ㉠의 사례로 옳지 않은 것은?

> OO신문　　　　OOOO년 OO월 OO일
>
> **세계적인 관광지로 도약하기 위한 제주도의 발전 방안**
>
> 제주도는 관광 산업이 꾸준히 성장하면서 국내외 많은 관광객이 찾고 있다. 그러나 개발 과정에서 환경 훼손, 수익의 도외 유출 등의 문제가 발생하여 우려의 목소리도 높아지고 있다. 제주도는 이러한 문제점을 해결하고 세계적인 관광지로 도약하기 위한 ㉠ 다양한 발전 전략을 마련하고 있다.

① 마이스 산업 등 고부가 가치 관광 산업을 확충한다.
② 올레길 탐방, 오름 트레킹 등 생태 관광 상품을 개발한다.
③ 지역 주민이 경제적 이익을 얻을 수 있는 지역 특화 상품을 개발한다.
④ 해녀, 돌담, 방언 등을 활용한 제주 고유의 문화적 콘텐츠를 개발한다.
⑤ 외부 자본을 적극적으로 끌어들여 대단위 관광객을 유치하는 관광 시스템을 구축한다.

학교 시험 기본 테스트 2회

1 그래프는 도시 재개발 방식을 비교한 것이다. (가), (나)에 들어갈 항목으로 옳은 것은?

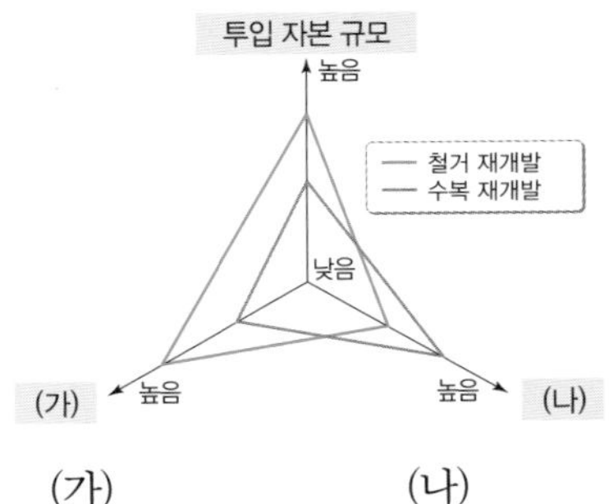

	(가)	(나)
①	건물 고층화 정도	원거주민의 이주율
②	건물 고층화 정도	기존 건물 활용도
③	원거주민의 이주율	건물 고층화 정도
④	기존 건물 활용도	건물 고층화 정도
⑤	기존 건물 활용도	원거주민의 이주율

2 ㉠에 들어갈 내용으로 가장 적절한 것은?

> 1960년대부터 추진되어 온 국토 개발로 인하여 공업화된 지역이나 도시 지역에서 환경 오염이 발생하여 인근 지역으로 확산되는 결과가 나타났다. (㉠)은/는 이러한 오염 물질의 지역 간 이동으로 인해 개발 사업의 경제적 수혜 지역과 환경 오염의 부담 지역이 일치하지 않을 때 발생한다. 환경 오염에 대한 대처 능력도 지역 간, 계층 간 차이가 있어 (㉠)이/가 더욱 심화될 수도 있다.

① 역류 효과 ② 파급 효과
③ 공간 불평등 ④ 환경 불평등
⑤ 젠트리피케이션

3 그래프는 우리나라의 1차 에너지원별 소비 구조 변화를 나타낸 것이다. A~E에 대한 설명으로 옳지 않은 것은? (단, A~E는 석유, 석탄, 수력, 원자력, 천연가스 중 하나임.)

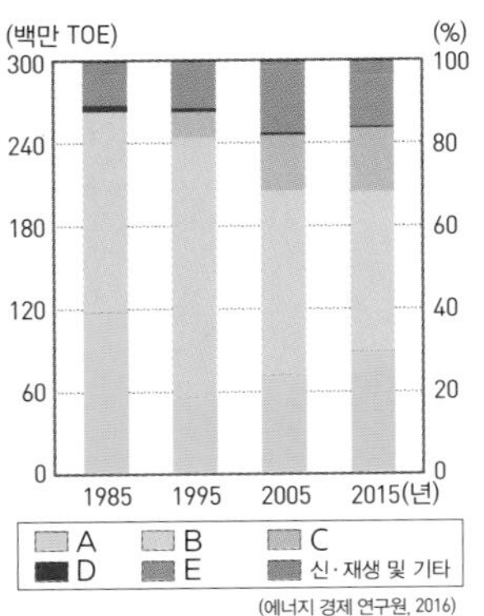

① A는 사용함에 따라 고갈되는 자원이다.
② B는 주로 화학 공업의 원료 및 수송용 연료로 이용된다.
③ C는 울산 앞바다에서 소량 생산되고 있다.
④ D는 재생 가능한 자원에 해당한다.
⑤ E는 주로 화력 발전의 에너지원으로 이용된다.

4 다음에서 설명하는 제도를 쓰시오.

> 농산물 및 그 가공품의 명성, 품질, 특성 등이 해당 지역의 지리적 특성에서 기인하는 경우 생산지의 이름을 상표권으로 인정해 주는 제도이다. 대표적인 품목으로 보성 녹차, 이천 쌀, 충주 사과, 횡성 한우 고기 등이 있다.

( )

5 다음 설명에 해당하는 공업 지역으로 옳은 것은?

> 수도권과 인접하고 교통이 편리하여 수도권에서 분산되는 공업이 입지하면서 빠르게 성장하고 있다.

① 충청 공업 지역 ② 호남 공업 지역
③ 태백산 공업 지역 ④ 남동 임해 공업 지역
⑤ 영남 내륙 공업 지역

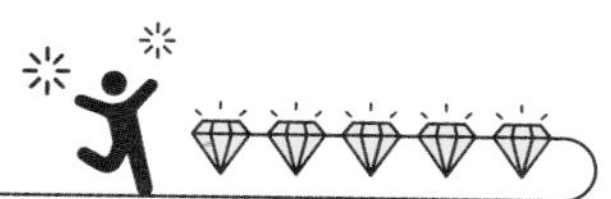

6 그래프는 공업의 지역별 비중을 나타낸 것이다. 이에 대한 설명으로 옳지 않은 것은?

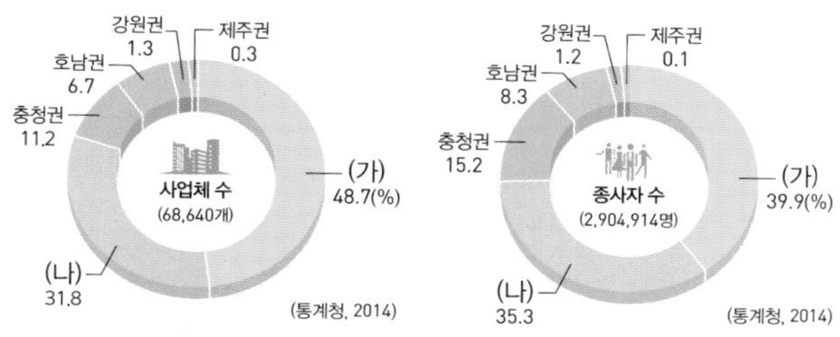

① 공업의 지역적 편재가 나타나고 있음을 알 수 있다.
② (가)는 수도권, (나)는 영남권이다.
③ (가)는 (나)보다 사업체당 종사자 수가 많다.
④ (나)는 (가)보다 중화학 공업의 발달이 두드러진다.
⑤ (가), (나) 모두 과도한 집중으로 집적 불이익이 나타나고 있다.

7 그래프의 (가)~(다) 소매 업태에 대한 옳은 설명을 〈보기〉에서 고른 것은? (단, (가)~(다)는 백화점, 편의점, 무점포 상점 중 하나임.)

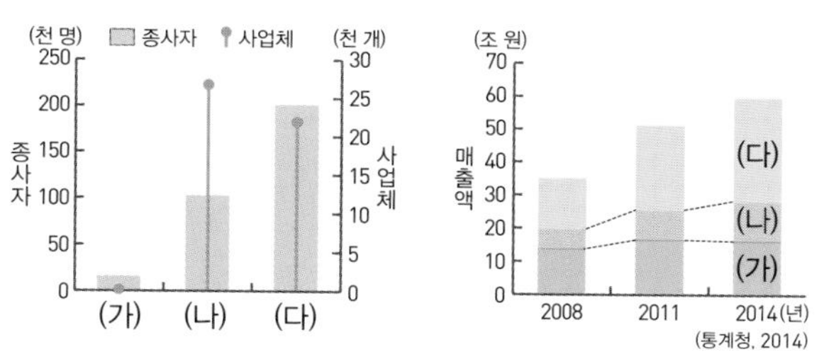

보기

ㄱ. (가)는 (나)보다 사업체당 종사자 수가 많다.
ㄴ. (나)는 (다)보다 소비자와의 대면 접촉 빈도가 높다.
ㄷ. (다)는 (가)보다 입지 제약이 크다.
ㄹ. 재화의 도달 범위는 (다) > (나) > (가) 순으로 넓다.

① ㄱ, ㄴ ② ㄱ, ㄷ ③ ㄴ, ㄷ
④ ㄴ, ㄹ ⑤ ㄷ, ㄹ

8 지도는 수요자 유형에 따라 분류한 시·도별 서비스업 종사자 수를 나타낸 것이다. (가), (나)에 대한 설명으로 옳은 것은?

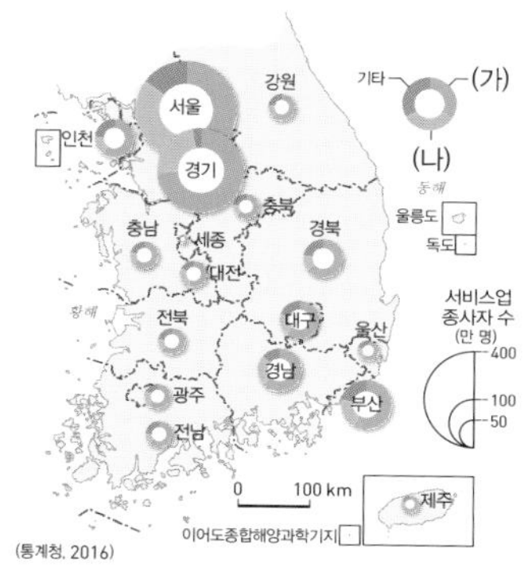

① (가)는 생산자 서비스업, (나)는 소비자 서비스업이다.
② (가)는 (나)보다 지역적 편재성이 높다.
③ (가)는 (나)보다 사업체의 평균 규모가 크다.
④ (나)는 (가)보다 기업과의 거래 비중이 높다.
⑤ 소비자 서비스업 종사자 수는 영남권이 수도권보다 많다.

[9~10] 다음 인구 변천 모형을 보고 물음에 답하시오.

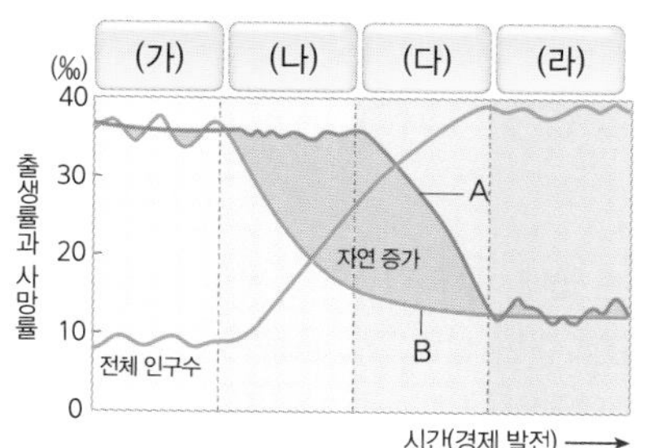

9 A, B에 해당하는 인구 지표를 쓰시오.

A: ( ), B: ( )

10 (가)~(라) 단계별 특징으로 옳지 않은 것은?

① (가) 단계에서는 피라미드형 인구 구조가 나타난다.
② (나) 단계에서는 의료 기술 발달로 사망률이 낮아진다.
③ (다) 단계에서는 출생률이 급감하여 인구의 자연적 감소가 나타난다.
④ (나) 단계는 (라) 단계보다 인구 성장률이 높다.
⑤ (라) 단계는 (가) 단계보다 노년층 인구 비율이 높다.

11 다음은 사이버 학습 장면의 일부이다. 답글이 옳은 학생을 고른 것은?

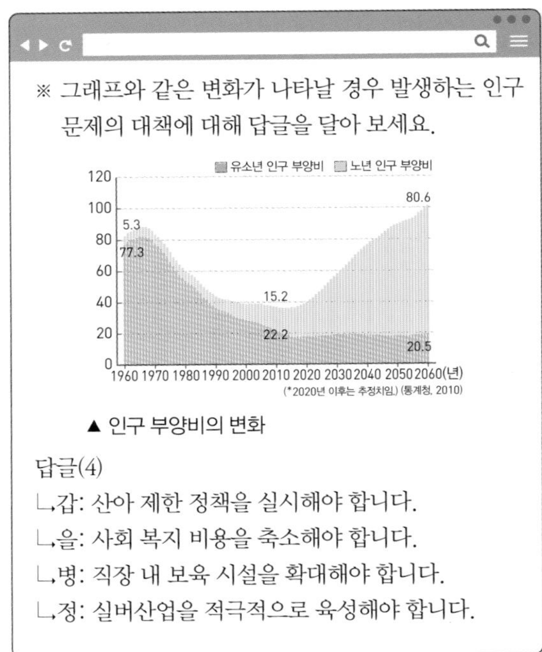

▲ 인구 부양비의 변화

답글(4)
↳갑: 산아 제한 정책을 실시해야 합니다.
↳을: 사회 복지 비용을 축소해야 합니다.
↳병: 직장 내 보육 시설을 확대해야 합니다.
↳정: 실버산업을 적극적으로 육성해야 합니다.

① 갑, 을　② 갑, 병　③ 을, 병
④ 을, 정　⑤ 병, 정

12 그래프는 국내 체류 외국인의 유형별 비율을 나타낸 것이다. (가), (나)에 대한 설명으로 옳은 것은? (단, (가), (나)는 결혼 이민자, 외국인 근로자 중 하나임.)

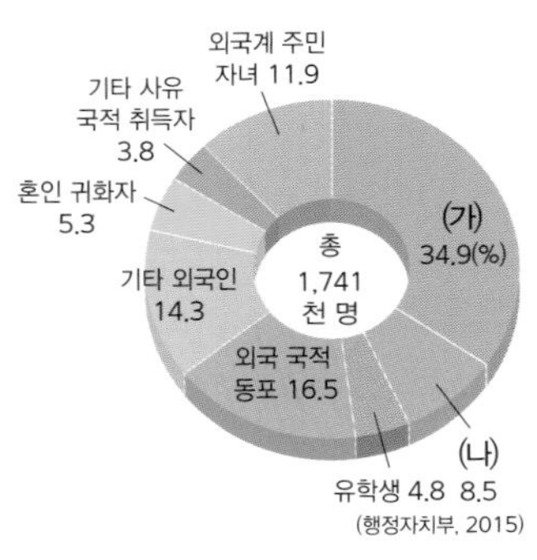

① (가)는 남성보다 여성이 많다.
② (가)는 단순 기능 인력보다 전문 기술 인력의 비율이 높다.
③ (나)는 도시보다 촌락에 거주하는 경우가 많다.
④ (나)는 개발 도상국보다 선진국 출신이 많다.
⑤ (가), (나)의 유입으로 다문화 사회가 형성되고 있다.

13 전통적 지역 구분에 대한 설명으로 옳지 않은 것은?

① 호남 지방은 금강의 남쪽 지역이라는 의미이다.
② 철령관을 기준으로 관북·관서·관동 지방으로 구분된다.
③ 관동 지방은 조령을 기준으로 영서 지방과 영동 지방으로 구분된다.
④ 해서 지방은 한양을 기준으로 바다(경기만) 건너 지역이라는 의미이다.
⑤ 주로 고개, 산줄기, 대하천 등의 자연적 요소를 기준으로 지역을 구분하였다.

14 다음 글은 북한의 교통 체계에 대한 설명이다. ㉠에 해당하는 교통수단을 쓰시오.

북한의 주요 교통망은 서해안 평야 지대와 동해안을 따라 발달하였으며, 지형의 영향으로 동서 간의 교통로 연결은 미약한 편이다. 북한은 (㉠) 수송이 주축을 이루고 도로, 하천 및 해상 수송은 (㉠) 수송과의 연계를 위한 보조적 역할을 담당하고 있다.

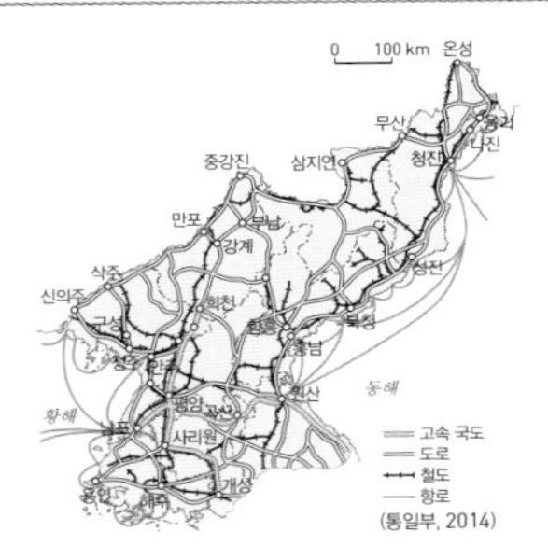

▲ 북한의 교통망

(　　　　)

15 다음과 같은 수도권의 문제점을 해결하기 위한 방안으로 옳지 않은 것은?

- 인구와 기능의 지나친 집중으로 집적 불이익이 발생함.
- 수도권과 비수도권 간의 격차가 심화되면서 지역 간 갈등이 발생하는 등 사회적 비용이 증가함.

① 과밀 부담금 제도 실시
② 수도권 공장 총량 제도 실시
③ 다핵 연계형 공간 구조로 전환
④ 서울 중심의 방사형 교통 체계 구축
⑤ 비수도권 지역에 기업 도시 및 혁신 도시 조성

16 그래프는 강원도 태백시의 산업별 종사자 비율 변화를 나타낸 것이다. 이에 대한 옳은 설명을 <보기>에서 고른 것은?

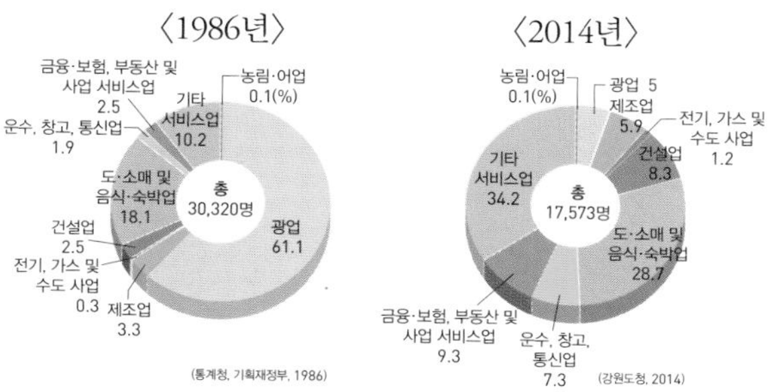

보기

ㄱ. 광업이 쇠퇴하면서 인구가 유입되었다.
ㄴ. 관광 산업 중심의 산업 구조로 변화하고 있다.
ㄷ. 2014년은 1986년보다 총 종사자 수가 많다.
ㄹ. 2014년은 1986년보다 서비스업 종사자 비율이 높다.

① ㄱ, ㄴ ② ㄱ, ㄷ ③ ㄴ, ㄷ
④ ㄴ, ㄹ ⑤ ㄷ, ㄹ

17 지도는 충청 지방의 제조업 출하액을 나타낸 것이다. 이에 대한 설명으로 옳지 않은 것은?

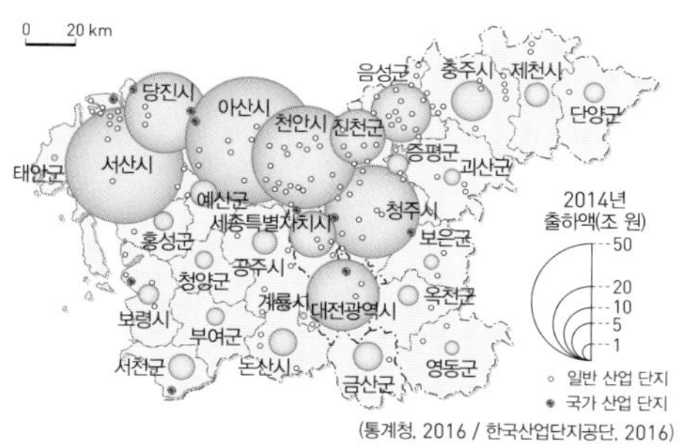

① 충청 지방 내 제조업 발달 격차가 크다.
② 산업 단지는 충청 지방 북부 지역이 남부 지역보다 많다.
③ 대전광역시는 세종특별자치시보다 제조업 출하액이 많다.
④ 제조업 출하액 20조 원 이상인 도시는 충청북도가 충청남도보다 많다.
⑤ 수도권과 인접한 지역이 영남권과 인접한 지역보다 제조업 출하액이 대체로 많다.

18 그래프는 호남 지방 주요 도시의 공업 구조를 나타낸 것이다. (가)~(다)에 해당하는 도시로 옳은 것은?

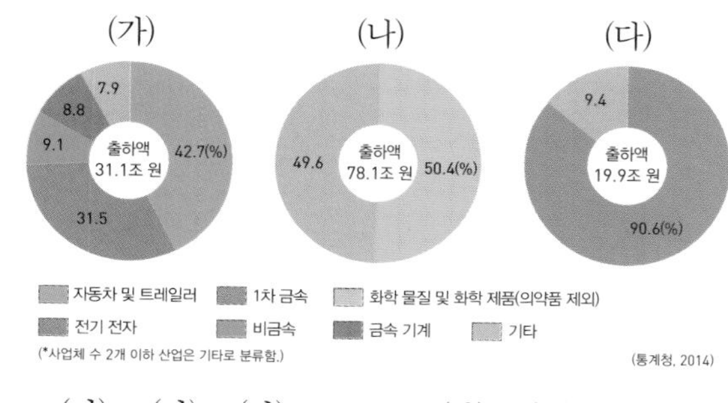

	(가)	(나)	(다)
①	광양	광주	여수
②	광양	여수	광주
③	광주	광양	여수
④	광주	여수	광양
⑤	여수	광양	광주

19 교사의 질문에 바르게 답한 학생을 고른 것은?

영남 내륙 공업 지역과 비교한 남동 임해 공업 지역의 상대적 특징을 발표해 볼까요?

갑: 공업 발달의 시기가 이릅니다.
을: 섬유 공업의 출하액이 많습니다.
병: 중화학 공업의 비중이 높습니다.
정: 원료의 수입과 제품의 수출에 유리합니다.

① 갑, 을 ② 갑, 병 ③ 을, 병
④ 을, 정 ⑤ 병, 정

20 다음 제시된 내용과 관련 있는 지역을 쓰시오.

특별자치도, 화산섬, 오름, 돌담, 올레길, 해녀 문화

( )

Memo

7일 끝!

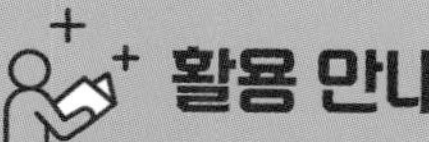

활용 안내

- 정답 박스로 빠르게 정답 확인하기!
- 정답과 오답의 이유, 한 번 더 짚고 넘어가기!
- 서술형 답안의 평가 요소는 직접 체크해 보며, 주관식 문제 꼼꼼히 대비하기!

7일 끝! 정답과 해설

1일 기초 확인 문제 9, 11쪽

1 (1) 철거 (2) 보존 (3) 수복 (4) 크고, 낮다 (5) 높다 **2** (1) ㄴ, ㄷ, ㅁ, ㅇ, ㅊ (2) ㄱ, ㄹ, ㅂ, ㅅ, ㅈ **3** 역류 효과 **4** (1) ㉡ (2) ㉠ (3) ㉣ (4) ㉢ **5** (1) 수도권 (2) 환경 **6** (1) ㄴ (2) ㄷ (3) ㄱ **7** 석회석 **8** (1) 석유 (2) 천연가스 (3) 화력 (4) 원자력 **9** (1) ㉡ (2) ㉢ (3) ㉠ **10** (1) 감소 (2) 감소 (3) 높은 (4) 감소

1일 내신 기출 베스트 12~13쪽

1 ② **2** ② **3** ④ **4** ③ **5** ② **6** ④ **7** ① **8** ③

1 도시 재개발 방식

(가)는 기존 건물과 시설을 완전히 철거하고 새로운 시설물로 대체하는 철거 재개발의 사례이다. (나)는 기존 골격을 유지하면서 필요한 부분만 수리·개조하여 보완하는 수복 재개발의 사례이다.

2 지역 개발 방식

㉠은 성장 거점 개발 방식, ㉡은 균형 개발 방식이다.

선택지 바로 보기

① ㉠은 주로 선진국에서 채택하는 방식이다. (×)
→ 성장 거점 개발은 주로 개발 도상국에서, 균형 개발은 주로 선진국에서 채택하는 방식임.

② ㉡은 지방 자치 단체와 지역 주민의 주도로 이루어진다. (○)
→ 균형 개발은 지방 자치 단체 및 지역 주민, 성장 거점 개발은 중앙 정부의 주도로 이루어짐.

③ ㉠은 상향식 개발, ㉡은 하향식 개발 방식이다. (×)
→ 성장 거점 개발은 주로 하향식 개발, 균형 개발은 주로 상향식 개발 방식으로 추진됨.

④ ㉠은 ㉡보다 지역 주민의 참여도가 높다. (×)
→ 균형 개발이 성장 거점 개발보다 지역 주민의 참여도가 높음.

⑤ ㉡은 ㉠보다 투자의 효율성이 높다. (×)
→ 성장 거점 개발은 균형 개발보다 투자의 효율성이 높음.

3 우리나라의 국토 개발

제3차 국토 종합 개발 계획에서는 신산업 지대를 조성하고 지방 도시를 육성하여 지방 분산형 국토 골격을 형성하기 위한 균형 개발을 시행하였다.

오답 피하기

ㄱ. 제2차 국토 종합 개발 계획에서는 인구 및 산업의 지방 분산을 유도하기 위해 광역 개발을 추진하였다. ㄷ. 제1차 국토 종합 개발 계획에서는 대규모 공업 기반을 구축하는 데 초점을 맞추면서 수도권과 남동 임해 지역을 중심으로 성장 거점 개발을 추진하였다.

4 국토 개발에 따른 공간 불평등

우리나라는 1960년대 이후 수도권을 중심으로 성장 위주의 국토 개발이 이루어지면서 수도권과 비수도권, 도시와 농촌 간의 공간 불평등 문제가 발생하였다. ㉢ 노동력 부족, 생활 기반 시설 부족 등은 급속한 산업화·도시화가 진행되면서 농촌에서 청장년층 인구가 유출됨에 따라 나타나는 문제이다. 수도권에서는 다양한 기능과 인구의 과도한 집중으로 지가 상승, 주택 부족, 교통 혼잡, 환경 오염 등의 집적 불이익이 발생하고 있다.

더 알아보기 + 혁신 도시와 기업 도시

공간 불평등 문제를 해결하기 위해 중앙 정부는 지방 중소 도시에 대한 지원을 강화하고 혁신 도시·기업 도시 건설 등을 통해 중소 도시의 성장을 유도하기도 한다.

혁신 도시	공공 기관의 지방 이전과 기업, 학교, 연구소의 협력으로 지역의 성장 거점 지역에 조성되는 미래형 도시
기업 도시	민간 기업이 주도하여 지역을 개발함에 따라 특정 산업을 중심으로 주거, 교육, 의료, 문화 등의 자족적 복합 기능을 고루 갖춘 도시

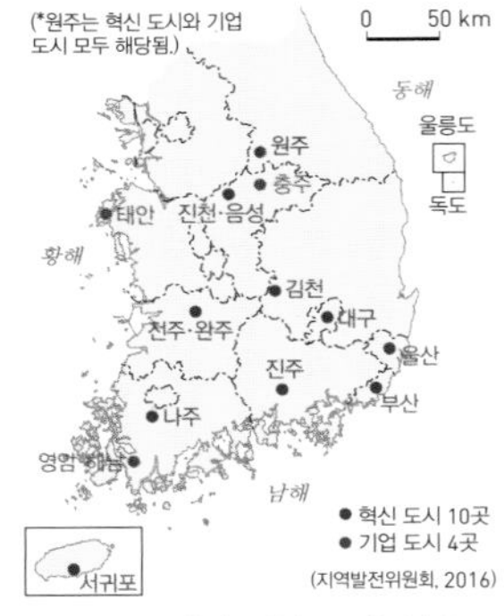

▲ 혁신 도시와 기업 도시의 분포

5 광물 자원의 분포와 이용

(가)는 철광석, (나)는 석회석, (다)는 고령토이다. ㄱ. 철광석은 대부분 북한 지역에 매장되어 있으며, 남한에서도 강원도 양양과 홍천 등에 소량 매장되어 있다. ㄷ. 고령토는 주로 하동, 산청을 비롯한 경상남도 서부 지역에 분포한다.

오답 피하기

ㄴ. 석회석은 주로 고생대 조선계 지층에 매장되어 있다. 주로 고생대 평안계 지층에 매장되어 있는 자원은 무연탄이다. ㄹ. 철광석은 금속 광물이고, 석회석과 고령토는 비금속 광물이다.

6 우리나라의 1차 에너지원별 소비량 변화

우리나라의 1차 에너지원별 소비량은 석유＞석탄＞천연가스＞원자력＞신·재생 에너지 및 기타＞수력 순으로 많다. 따라서 A는 천연가스, B는 석유, C는 석탄이다.

선택지 바로 보기

① A는 주로 산업용·발전용으로 이용된다. (×)
→ 석탄(역청탄)에 대한 설명임. 천연가스는 주로 가정용으로 이용됨.

② B는 주로 고생대 평안 누층군에 매장되어 있다. (×)
→ 석탄(무연탄)에 대한 설명임. 석유는 신생대 제3기층 배사 구조에 주로 매장되어 있음.

③ C는 냉동 액화 기술 및 수송 기술의 발달로 소비량이 급증하였다. (×)
→ 천연가스에 대한 설명임.

④ A는 B보다 연소 시 대기 오염 물질을 적게 배출한다. (○)
→ 천연가스는 석유보다 연소 시 대기 오염 물질의 배출량이 적음.

⑤ A~C 모두 전량 수입에 의존하고 있다. (×)
→ 석탄 중 역청탄은 국내에서 생산되지 않아 전량 수입하고 있음.

7 우리나라 주요 발전 설비의 분포

(가)는 한강과 낙동강 등 큰 하천을 따라 입지해 있으므로 수력이고, (나)는 지역별 발전 설비 용량이 가장 많으므로 화력이다. (다)는 경북(울진, 월성), 부산(고리), 전남(영광)에 입지해 있으므로 원자력이다.

8 경지 면적과 경지 이용률의 변화

우리나라는 산업화 이후 제조업과 서비스업을 중심으로 경제가 빠르게 성장하면서 농업의 비중이 급격히 줄어들었다. 이 과정에서 농촌의 청장년층이 도시로 빠져나가는 이촌 향도 현상이 발생하여 농가 인구가 급격히 감소하였다. 또한 토지 이용 측면에서 농경지가 주택, 공장 등으로 전환되면서 경지 면적이 감소하였으며, 휴경지 증가 및 그루갈이 감소로 경지 이용률이 낮아지고 있다. 그러나 경지 면적의 감소율보다 농가 수의 감소율이 더 크기 때문에 농가 호당 경지 면적은 오히려 증가하였다.

2일 기초 확인 문제 17, 19쪽

1 (1) 노동 집약적 (2) 남동 임해 지역 (3) 탈공업화
2 (1) ㄴ (2) ㄷ (3) ㄱ **3** (1) ㉣ (2) ㉠ (3) ㉢ (4) ㉡ (5) ㉤
4 (1) A (2) F (3) E (4) B (5) D (6) C **5** 공간적 분업
6 (1) 최소 요구치, 재화의 도달 범위 (2) 주행 비용, 기종점 비용
7 (1) ㄹ (2) ㄱ (3) ㄷ (4) ㄴ **8** (1) 생산자 (2) 소비자 (3) 생산자
9 지식 기반 **10** (1) B (2) A (3) C

2일 내신 기출 베스트 20~21쪽

1 ② **2** ① **3** ② **4** ⑤ **5** ④ **6** ⑤ **7** ④ **8** ⑤

1 우리나라 공업의 특징

그래프를 보면 노동 집약적인 섬유 공업의 종사자 비중은 감소하고, 중화학 공업인 기계·조립 금속 공업의 종사자 비중은 증가하고 있다. 이를 통해 우리나라는 노동 집약적 경공업 중심에서 자본 집약적 중화학 공업, 기술·지식 집약적 첨단 산업 중심으로 공업 구조가 고도화되고 있음을 알 수 있다.

2 공업의 입지 유형

지도를 보면 경기, 경북, 대구 등지에서 종사자 수 비율과 생산액이 높게 나타나므로 섬유 공업임을 알 수 있다. 섬유 공업은 대표적인 노동 지향형 공업으로 제품 생산비에서 노동비가 차지하는 비중이 높다.

자료 분석 + 섬유 공업의 입지

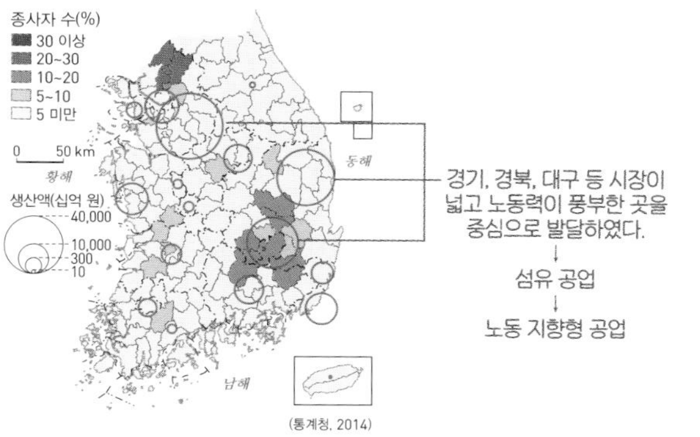

(통계청, 2014)

3 우리나라의 주요 공업 지역

(가)는 우리나라 최대의 종합 공업 지역인 수도권 공업 지역, (나)는 우리나라 최대의 중화학 공업 지역인 남동 임해 공업 지역에 대한 설명이다. 지도의 A는 수도권 공업 지역, B는 태백산 공업 지역, C는 충청 공업 지역, D는 영남 내륙 공업 지역, E는

정답

호남 공업 지역, F는 남동 임해 공업 지역이다. 따라서 (가)는 A, (나)는 F이다.

4 기업 조직의 성장과 공간적 분업

기업이 성장함에 따라 규모가 확대되면서 관리 및 경영, 연구, 생산 기능 등의 각 기능에 따라 입지가 다양하게 분리되었다. 경영·관리 기능을 맡은 본사는 핵심 지역에 남아 있으며, 연구 개발 기능은 고급 연구 인력이 풍부한 지역으로 이전한다. 생산 기능은 저렴한 노동력 확보에 유리하고 지가가 저렴한 지방이나 해외로 이전한다.

더 알아보기 + 다국적 기업으로의 성장 과정

단일 공장 기업 → 국내 시장 침투 → 다국적 기업

무역 장벽 / 본국 / 핵심 지구 / 해외 / 해외

■ 본사·모공장
● 제조공장
● 영업소
▲ 판매 대리점

(경제 지리학, 2011)

교통·통신 기술이 발달하고 경제 활동이 세계화되면서 기업 경영 활동의 공간적 범위가 확대되었다. 기업 활동 초기에는 관리 및 경영, 연구, 생산 기능이 한 장소에 입지하는 단일 공장 중심이었으나, 규모가 확대되면서 기능에 따라 입지가 다양하게 분리되었다. 이러한 과정에서 일부 기업은 다국적 기업으로 성장하기도 한다.

5 상설 시장의 형성 과정

정기 시장은 정기적으로 열리는 시장이고, 상설 시장은 한 장소에서 열리는 시장이다. 상설 시장이 형성되기 위해서는 재화의 도달 범위가 최소 요구치보다 넓거나 같아야 한다. 교통이 발달하면 재화의 도달 범위가 넓어지고, 인구가 증가하거나 생활 수준이 향상되면 최소 요구치가 작아진다.

자료 분석 + 상설 시장의 형성 과정

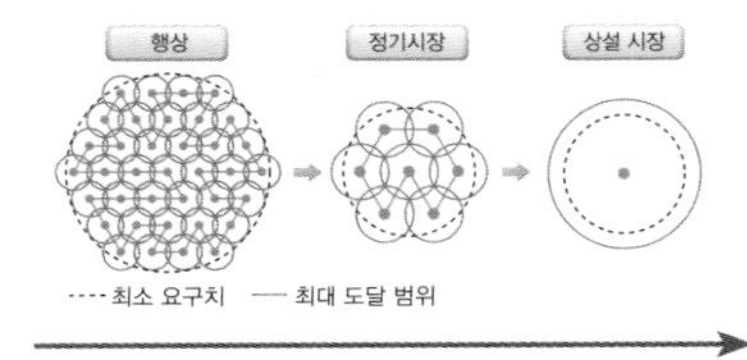

최소 요구치는 작아지고, 재화의 도달 범위는 넓어졌다.
↑
교통 발달, 인구 증가, 소득 수준 향상

6 편의점과 백화점의 특징

지도에 나타난 소매 업태의 분포에서 상점의 분포 개수가 적은 (가)는 백화점, 상점의 분포 개수가 많은 (나)는 편의점이다. 편의점은 백화점에 비해 최소 요구치는 작고 재화의 도달 범위는 좁으며, 판매 상품의 종류는 적고 소비자의 이용 빈도는 높다. ④ 업체당 1일 평균 매출액은 일상생활 용품을 소량 판매하는 편의점보다 주로 고급 상품을 판매하는 백화점이 많다.

7 소비자 서비스업과 생산자 서비스업

(가)는 소비자 서비스업, (나)는 생산자 서비스업이다. ㄴ. 생산자 서비스업은 기업과의 접근성이 우수하고 정보 획득에 유리한 대도시의 도심 및 부도심과 같은 핵심 지역에 집중적으로 입지한다. ㄹ. 탈공업화 사회에서는 서비스업이 세분화·전문화되면서 부가 가치가 높은 생산자 서비스업의 성장이 두드러진다.

오답 피하기

ㄱ. 생산자 서비스업에 해당한다. 소비자 서비스업의 사례로는 도·소매업, 음식업, 숙박업 등이 있다. ㄷ. 생산자 서비스업은 소비자 서비스업보다 지식 집약적인 성격이 강하다.

8 교통수단별 특징

기종점 비용은 해운>철도>도로 순으로 높고, 주행 비용 증가율은 도로>철도>해운 순으로 높다. 따라서 A는 도로, B는 철도, C는 해운이다.

선택지 바로 보기

① A는 B보다 정시성과 안전성이 우수하다. (×)
→ 도로는 기동성과 문전 연결성이 우수하고, 철도는 정시성과 안전성이 우수함.

② A는 C보다 장거리 수송에 유리하다. (×)
→ 도로는 해운보다 주행 비용 증가율이 높으므로 장거리 수송에 불리함.

③ B는 C보다 운행 시 기상 조건의 제약이 크다. (×)
→ 레일 위를 운행하는 철도는 지형적 제약이 큰 편이며, 바다 위를 운행하는 해운은 기상 조건의 제약이 큼.

④ C는 A보다 기종점 비용이 저렴하다. (×)
→ 해운은 도로보다 기종점 비용이 비쌈.

⑤ C는 B보다 주행 비용 증가율이 낮다. (○)
→ 주행 비용 증가율은 도로>철도>해운 순으로 높음.

3일 기초 확인 문제 25, 27쪽

1 (1) 사회·경제적 (2) 남서부 (3) 이촌 향도 **2** (1) ㄴ (2) ㄹ (3) ㄱ (4) ㄷ **3** (1) ㉣ (2) ㉠ (3) ㉡ (4) ㉢ **4** (1) 사망률 (2) 출산 붐 (3) 산아 제한 (4) 출산 장려 **5** (1) 피라미드형 (2) 종형 **6** (1) ㉡ (2) ㉠ (3) ㉢ **7** (1) 저출산 (2) 고령화 (3) 고령화, 고령 **8** (1) ㄱ, ㄹ (2) ㄴ, ㄷ **9** (1) 유소년층 (2) 노년층 (3) 노년층 **10** (1) 수도권 (2) 촌락, 도시 (3) 문화 상대주의적

3일 내신 기출 베스트 28~29쪽

1 ② **2** 3 **3** ④ **4** ⑤ **5** ② **6** ③ **7** ① **8** ④

1 우리나라의 인구 분포

우리나라는 1960년대 이전까지 인구 대부분이 1차 산업에 종사하여 자연적 요인이 인구 분포에 많은 영향을 주었다. 1960년대 이후 산업화와 도시화가 진행되면서 이촌 향도 현상이 나타나 개발이 집중된 수도권과 영남권의 대도시로 인구가 집중하였다. 1990년대 이후 대도시가 과밀화되면서 교외화 현상으로 인해 대도시 주변 위성 도시의 인구가 증가하였다. ② 우리나라는 1960년대 이전까지 기후가 온화하고 평야가 발달하여 벼농사에 유리한 남서부 지역에 인구가 주로 분포하였다. 반면 춥고 산지가 많은 북동부 지역은 인구 밀도가 낮았다.

자료 분석 + 우리나라의 시기별 인구 밀도

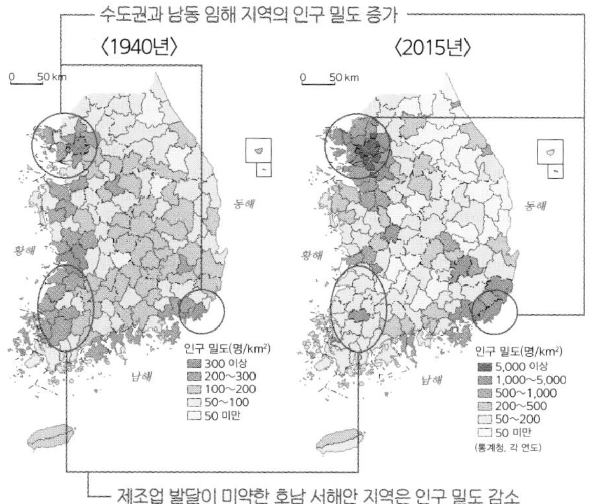

2 인구 변천 모형

인구 변천 모형은 사회·경제적 발전 과정에서 나타나는 자연적 증감(출생, 사망)에 의한 인구 변화를 네 단계로 구분하여 나타낸 것이다. 자녀에 대한 가치관 변화, 가족계획 등으로 출생률이 감소하는 단계는 제3단계이다. 제3단계는 제2단계에 비해 인구 증가율이 둔화되지만 여전히 출생률이 사망률보다 높아 인구가 증가하므로 후기 확장기라고도 한다.

더 알아보기 + 인구 변천 모형의 단계별 특성

제1단계 (고위 정체기)	출생률과 사망률이 모두 높아 인구 성장률이 낮은 다산 다사(多産多死)의 단계
제2단계 (초기 확장기)	의학 발달, 경제 발전 등으로 사망률이 급감하여 인구가 급증하는 다산 감사(多産減死)의 단계
제3단계 (후기 확장기)	자녀에 대한 가치관 변화, 가족계획 등으로 출생률이 낮아지는 감산 소사(減産少死)의 단계
제4단계 (저위 정체기)	출생률과 사망률이 낮은 수준으로 안정되는 소산 소사(少産少死)의 단계, 노년 인구 비율 증가

3 우리나라의 인구 성장

우리나라는 6·25 전쟁으로 사망률이 급증하면서 인구 증가율이 낮아졌으며(나), 전쟁 이후에는 출산 붐 현상이 나타나 출산율이 급증하였다(가). 1960~1990년대는 산아 제한 정책을 추진하면서 출생률이 급감하였으며, 2000년대 이후에는 출산율이 지나치게 감소하여 출산 장려 정책을 실시하고 있다.

오답 피하기

ㄷ. 인구의 자연 증가율은 출생률에서 사망률을 뺀 값이다. (가) 시기는 전쟁 이후 출산 붐이 나타난 시기로 출산율이 급증하여 인구의 자연 증가율이 급증한 시기이다.

4 우리나라의 인구 구조 변화

연령별 인구 구조는 출생과 사망, 전입과 전출로 결정된다. 인구의 전입이 활발한 지역에서는 청장년층 인구 비율이 높은 경향이 나타나며, 인구 전출이 활발한 지역에서는 노년층 인구 비율이 상대적으로 높게 나타난다. 성별 인구 구조는 성비를 통해 파악하는데, 출생 시에는 대체로 남초 현상이 나타나서 성비가 높다.

선택지 바로 보기

① 노년층으로 갈수록 ~~남초~~(여초) 현상이 나타나며 성비가 ~~높다~~(낮다). (×)

② 대도시, 관광 도시, 촌락은 주로 ~~남초~~(여초) 현상이 나타난다. (×)

③ 중화학 공업 도시, 군사 도시는 주로 ~~여초~~(남초) 현상이 나타난다. (×)

④ 유소년층과 청장년층은 비율이 ~~증가~~(감소)하고, 노년층 비율은 ~~감소~~(증가)하고 있다. (×)

⑤ 유소년층과 청장년층은 도시에서, 노년층은 농어촌에서 비율이 높게 나타난다. (○)

→ 유소년층과 청장년층은 교육 기회와 일자리가 많은 도시에서, 노년층은 농어촌에서 비율이 높게 나타남.

5 저출산 현상의 원인

저출산 현상의 원인으로는 초혼 연령의 상승, 교육비를 비롯한 양육 비용의 증가, 여성의 사회 진출 확대, 결혼과 자녀에 대한 가치관의 변화, 고용 불안 등이 있다. ② 의학 기술의 발달과 생활 수준의 향상으로 사망률이 낮아지고 평균 기대 수명이 증가하는 것은 고령화 현상의 주된 원인이다.

6 연령별 인구 구성비 변화

우리나라는 유소년층 인구 비율은 감소하고, 노년층 인구 비율은 증가하고 있다.

선택지 바로 보기

① 중위 연령이 ~~낮아질~~(높아질) 것이다. (×)

② 노년 부양비가 ~~감소할~~(증가할) 것이다. (×)

③ 노령화 지수가 높아질 것이다. (○)
→ 노령화 지수는 유소년층 인구에 대한 노년층 인구의 비율임.

④ 생산 가능 인구가 ~~증가~~(감소)하여 노동 생산성이 ~~높아질~~(낮아질) 것이다. (×)

⑤ 사회 복지 비용 ~~감소~~(증가)로 국가 재정에 부담이 ~~완화될~~(가중될) 것이다. (×)

7 국내 체류 외국인의 증가

우리나라는 세계화의 영향으로 노동 시장이 개방되고, 국가 위상의 제고와 한류 열풍 강화로 외국인의 국내 취업과 유학, 국제결혼 등이 증가하였다. 그 결과 우리나라에 체류하는 외국인의 수도 증가하고 있다.

8 국내 체류 외국인의 분포

도시 지역보다 촌락 지역에서 수치가 높게 나타나는 것으로 보아 외국인 중 결혼 이민자 비율을 나타낸 것임을 알 수 있다. 촌락 지역에서는 결혼 적령기의 성비 불균형 현상이 나타나 결혼 이민자 비율이 높다.

오답 피하기

③, ⑤ 국내 체류 외국인의 대다수는 서울을 포함한 수도권과 도시 지역에 거주하고 있으며, 공업이 발달한 충청 지방과 영남 지방에도 많이 거주하고 있다.

4일 기초 확인 문제 33, 35쪽

1 (1) 동질 지역 (2) 기능 지역 **2** (1) 관북 지방 (2) 경기 지방 (3) 호남 지방 (4) 영남 지방 **3** (1) ㉡ (2) ㉠ **4** (1) 황해 (2) 서부 평야 (3) 석탄 (4) 철도 **5** (1) ㄷ (2) ㄹ (3) ㄱ (4) ㄴ **6** (1) ㉢ (2) ㉡ (3) ㉠ **7** (1) 탈공업화 (2) 서비스업, 제조업 **8** (1) ㄷ (2) ㄴ (3) ㄱ **9** (1) 영서, 영동 (2) 크다 (3) 높다 (4) 많다 **10** 석탄 산업 합리화

4일 내신 기출 베스트 36~37쪽

1 ② **2** ③ **3** ③ **4** ② **5** ④ **6** A: 경기, B: 서울 **7** ① **8** 광업

1 지역 구분의 유형

지역은 다양한 방법으로 구분할 수 있는데, 크게 동질 지역과 기능 지역으로 구분할 수 있다. (가)는 토지 이용이라는 동일한 지리적 현상이 나타나므로 동질 지역에 해당한다. (나)는 중심지인 서울과 주변 지역이 기능적으로 결합된 공간 범위를 나타내므로 기능 지역에 해당한다.

선택지 바로 보기

① (가)는 ~~기능 지역~~(동질 지역), (나)는 ~~동질 지역~~(기능 지역)에 해당한다. (×)

② (가)의 사례로 문화권, (나)의 사례로 상권을 들 수 있다. (○)
→ 동질 지역의 사례로는 문화권, 기후 지역 등이 있으며, 기능 지역의 사례로는 상권, 통근·통학권 등이 있음.

③ ~~(가)는 (나)보다~~((나)는 (가)보다) 교통 발달의 영향을 크게 받는다. (×)

④ ~~(가)는 (나)보다~~((나)는 (가)보다) 지역 간 기능적 관계가 중요하다. (×)

⑤ ~~(나)는 (가)보다~~((가)는 (나)보다) 지역 내 동질성이 크게 작용하였다. (×)

2 북한의 지형과 기후

북한은 남한에 비해 산지가 많으며, 특히 낭림산맥 북동쪽에는 마천령산맥과 함경산맥을 따라 높고 험준한 산들이 분포한다. 낭림산맥의 서남쪽으로 갈수록 산지의 해발 고도가 낮아진다. 이러한 산지의 영향으로 큰 하천들은 주로 황해로 유입된다. 북한은 위도가 높고 대륙의 영향을 많이 받아 기온의 연교차가 큰 대륙성 기후가 나타난다. 강수량은 대체로 남한에 비해 적은 편이며, 특히 지형 등의 영향으로 대동강 하류와 관북 지방의 강수량이 적다. 반면에 강원도 해안 지역과 청천강 중·상류 지역은 다우지에 해당한다. ㉢ 동해안 지역은 평야가 좁게 나타나며, 큰 평야는 서해안 지역에 주로 분포한다.

3 북한의 전력 생산

(가)는 하천을 따라 입지해 있으므로 수력이고, (나)는 전력 수요가 많은 평양 주변에 주로 분포하므로 화력이다. 북한의 전력 생산 구조는 크게 수력 발전과 화력 발전으로 나눌 수 있으며, 높은 산지가 많고 급경사 사면에서 큰 낙차를 얻을 수 있어 수력 발전 비율이 높다.

오답 피하기

북한에서는 원자력 발전이 이루어지지 않는다.

4 북한의 주요 개방 지역

(가)는 나선 경제특구, (나)는 개성 공업 지구에 대한 설명이다. 나선 경제특구는 유엔 개발 계획의 지원을 계기로 1991년 북한 최초의 경제특구로 지정되었으나, 제도적 미비와 사회 기반 시설의 부족 등으로 큰 성과를 거두지 못하였다. 개성 공업 지구는 남한의 자본과 기술, 북한의 노동력이 결합된 형태로 합작이 이루어졌으나, 2016년 남북 간 마찰이 심화되면서 전면 중단되었다. 지도의 A는 나선 경제특구, B는 신의주 특별 행정구, C는 개성 공업 지구, D는 금강산 관광 지구이다. 따라서 (가)는 A, (나)는 C이다.

5 수도권의 인구 변화

수도권은 서울특별시, 인천광역시, 경기도를 포함한 지역으로 수도권의 인구는 지속적으로 증가하였으며, 전국에서 차지하는 비중도 높아졌다. 서울은 1990년 이후 인구가 정체되어 있지만, 경기도는 인구가 꾸준히 증가하여 수도권의 인구 증가를 주도하고 있다.

자료 분석 + 수도권의 인구 변화

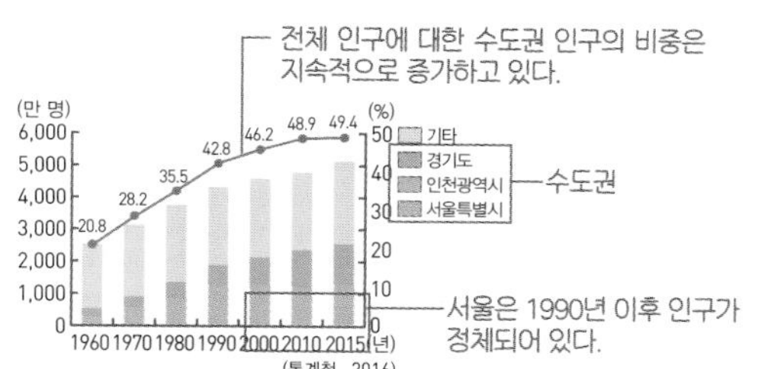

(통계청, 2016)

* 꺾은선 그래프는 우리나라 전체 인구에 대한 수도권 인구의 비중을 나타냄.

6 수도권의 산업 구조

수도권은 2차 산업 비율이 감소하고 3차 산업 비율이 증가하는 탈공업화가 진행되었다. 수도권은 서울, 인천, 경기로 구성되어 있으므로, A와 B는 서울과 경기 중 하나이다. A는 상대적으로 2차 산업 비율이 높으므로 경기이고, B는 3차 산업 비율이 가장 높으므로 서울이다.

7 영서 지방과 영동 지방의 특성

강원 지방은 남북으로 발달한 태백산맥을 경계로 영동 지방과 영서 지방으로 구분된다. 따라서 (가)는 영서 지방, (나)는 영동 지방이다. 과거 영동 지방과 영서 지방은 태백산맥을 가로지르는 대관령, 한계령 등의 높고 험한 고개를 넘어야 왕래할 수 있었다. 그 영향으로 영서와 영동 지방은 지역 간 교류가 어려워 언어, 음식, 가옥 등의 인문 환경이 다르게 나타난다.

선택지 바로 보기

① (가) 지방은 고위 평탄면과 침식 분지가 발달하였다. (○)
→ 태백산맥 서쪽에 위치한 영서 지방은 경사가 완만한 편이며, 고원과 침식 분지가 발달함.

② (나) 지방은 수도권과 유사한 방언이 나타난다. (×)
→ 영동 지방은 영서 지방보다 경상북도 동해안 및 북부 해안 지방과 교류가 활발하여 이들 지역과 언어가 비슷하게 나타남. 반면에 영서 지방은 한강을 따라 경기도와 교류가 활발하여 수도권과 비슷한 언어가 나타남.

③ (가) 지방은 (나) 지방보다 겨울철 기온이 온화하다. (×)
→ 영동 지방은 동해와 태백산맥의 영향으로 영서 지방에 비해 겨울철 기온이 온화함.

④ (나) 지방은 (가) 지방보다 하천의 유로가 길고, 경사가 완만하다. (×)
→ 영동 지방은 동서 폭이 좁고 영서 지방에 비해 급경사를 이루고 있으므로 대부분 하천의 유로가 짧고 경사가 급함.

⑤ (나) 지방은 (가) 지방보다 밭농사 비율이 높아 옥수수, 감자 등을 이용한 음식이 발달하였다. (×)
→ 영서 지방은 산지 지형의 영향으로 밭농사 비율이 높음. 영동 지방은 바다와 접해 있어 해산물을 이용한 음식이 발달함.

8 태백시의 산업별 종사자 비율 변화

강원 지방은 풍부한 지하자원을 토대로 산업화 과정에서 석탄, 석회석 등의 지하자원 개발이 활발히 이루어져 우리나라 최대의 광업 지역으로 성장하였다. 하지만 에너지 소비 구조의 변화로 석탄 소비가 감소하자 정부는 석탄 산업 합리화 정책을 추진하였고, 이로 인해 주요 석탄 생산지였던 태백시의 많은 광산이 폐광되면서 인구가 감소하고 지역 경제가 침체되었다. 이에 따라 광업 중심의 산업 구조가 관광 관련 산업 등 3차 산업 중심으로 바뀌었으며, 관광 산업을 활성화하기 위해 많은 노력을 기울이고 있다.

정답

5일 기초 확인 문제 41, 43쪽

1 (1) 대전광역시 (2) 수도권 (3) 혁신, 기업 **2** 내포 신도시 **3** (1) 1차 (2) 혁신 도시 **4** (1) ㉢ (2) ㉡ (3) ㉠ **5** (1) ㄷ (2) ㅂ (3) ㄹ (4) ㄱ (5) ㄴ (6) ㅁ **6** (1) 시설 원예 농업 (2) 경공업 (3) 영남 내륙 **7** (1) ㉢ (2) ㉣ (3) ㉠ (4) ㉡ **8** (1) ㄱ (2) ㄹ (3) ㄴ (4) ㄷ **9** (1) 해양성 (2) 화산 (3) 현무암 (4) 제주특별자치도 (5) 세계 자연 유산 (6) 마이스(MICE) **10** 관광

5일 내신 기출 베스트 44~45쪽

1 ② **2** ④ **3** ⑤ **4** ② **5** ② **6** ④ **7** ③ **8** ③

1 충청 지방의 특성

ㄱ. 충청 지방은 수도권과 남부 지방을 잇는 중심부에 위치하여 예로부터 각종 문물 교류가 활발한 교통의 요지였다. ㄷ. 1900년대 초 경부선, 호남선 철도가 개통되면서 대전을 중심으로 육상 교통의 중심지로 성장하였다.

오답 피하기

ㄴ. 조선 시대까지는 금강 유역의 강경, 공주 등이 내륙 수운의 중심지로 성장하였다. ㄹ. 2000년대 이후에는 고속 철도가 대전, 아산, 청주, 공주에 정차하고 수도권 전철이 천안과 아산까지 연장되면서 수도권과 인접한 지역의 인구가 증가하고 있다.

2 충청 지방의 인구 증감

충청 지방의 인구는 주요 교통로가 지나가는 천안, 아산, 세종과 산업이 발달한 당진, 서산, 아산 등에서 많이 증가하였다. 특히 중앙 행정 기능이 이전함에 따라 인구가 이동한 세종의 인구가 가장 많이 증가하였다. ④ 중화학 공업이 발달한 서산(석유 화학 공업), 당진(제철 공업), 아산(자동차 공업) 등에서 인구 증가가 두드러진다.

자료 분석 + 충청 지방의 인구 증감

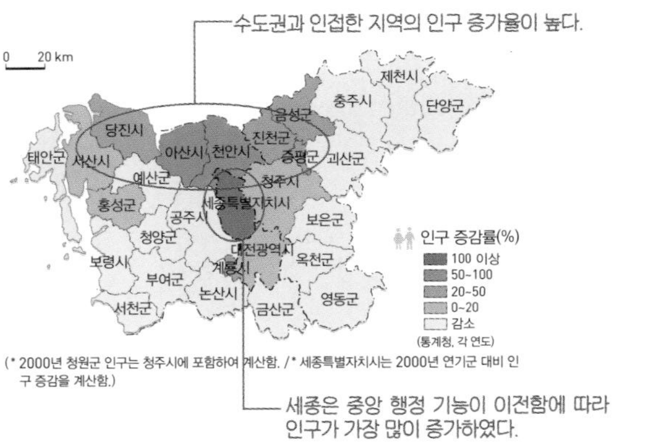

3 호남 지방의 산업 구조

병. 호남 지방은 균형 발전을 위한 정부의 지원을 바탕으로 제조업 및 첨단 산업 분야의 투자가 활발하게 이루어지고 있다. 정. 호남 지방은 잘 보존된 자연환경과 고유한 전통문화를 활용한 풍부한 관광 자원을 기반으로 관광 산업을 발전시키면서 지역 경쟁력을 확보하고 있다.

오답 피하기

갑, 을. 호남 지방은 다른 지역에 비해 1차 산업의 비중이 높은 반면 산업화는 더디게 진행되어 이촌 향도에 따른 인구 감소 문제를 겪기도 하였다.

4 호남 지방 주요 지역의 특징

(가)는 김제, (나)는 보성에 대한 설명이다. 지도의 A는 김제, B는 남원, C는 순천, D는 보성이다. 따라서 (가)는 A, (나)는 D이다.

오답 피하기

남원(B)은 춘향전의 배경이 된 곳으로 춘향제가 개최되고 있으며, 전통 공예품이나 목기로 유명하다. 순천(C)은 순천만이 2015년 대한민국 국가 정원 제1호로 지정되면서 전라남도의 대표 생태 관광지로 발돋움하였으며, 매년 순천만 갈대 축제가 개최되고 있다.

더 알아보기 + 호남 지방의 지역 축제

호남 지방은 과거부터 문학, 음악, 미술 등이 유입되는 통로였으며, 다양한 문화 자원이 조화를 이루는 예향으로 유명하다. 이를 활용한 여러 축제들이 개최되고 있으며, 전통 계승뿐만 아니라 지역 경제의 발전에도 이바지하고 있다.

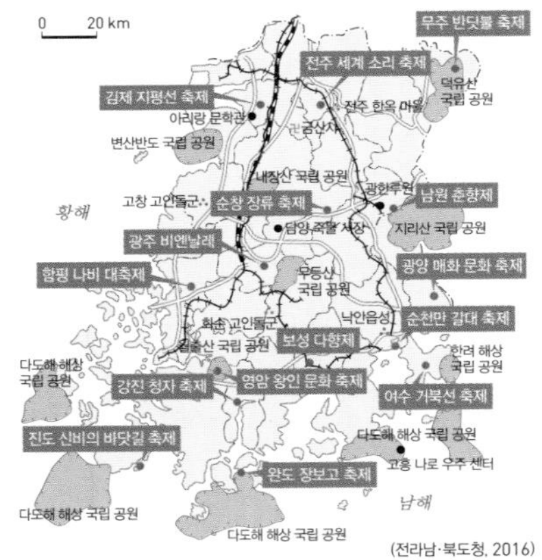

5 영남 지방 주요 지역의 특징

1990년대 이후 부산과 대구의 교외화 현상이 진행되면서 김해와 양산, 경산 등으로 인구와 기능이 분산되어 도시로 성장하였다. 지도의 A는 경산, B는 경주, C는 창녕, D는 김해, E는 창원이다.

6 영남 지방 주요 도시의 제조업 특징

(가)는 석유 화학·자동차·조선 공업이 발달한 울산, (나)는 제철 공업이 발달한 포항, (다)는 조선 공업이 발달한 거제이다.

자료 분석 + 울산, 포항, 거제의 제조업별 출하액

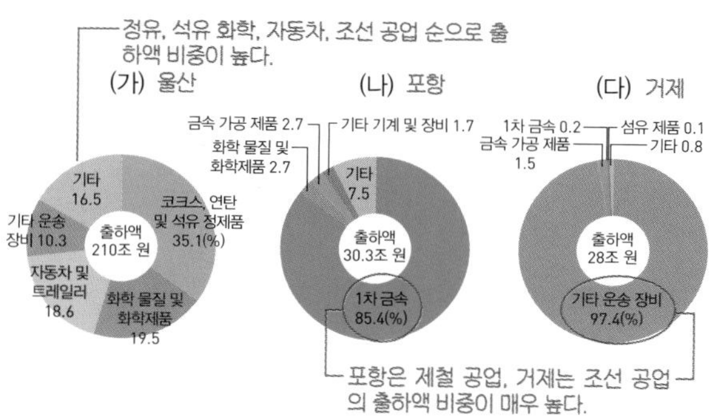

7 **세계적인 관광지로 발전하는 제주도**

제주도는 섬 전체가 화산 박물관이라고 불릴 만큼 다양하고 독특한 화산 지형으로 이루어져 있으며, 섬 중앙에 위치한 한라산의 해발 고도가 높아 식생도 다양하다. 이러한 자연 경관을 바탕으로 2002년에 생물권 보전 지역으로 승인, 2007년에 세계 자연 유산으로 등재, 2010년에 세계 지질 공원으로 인증되어 세계 유일의 유네스코 자연환경 3관왕으로 등극하였다.

더 알아보기 + 세계가 인정한 제주도의 자연환경

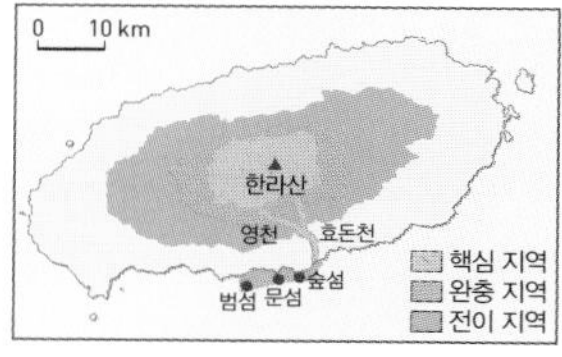

▲ 생물권 보전 지역

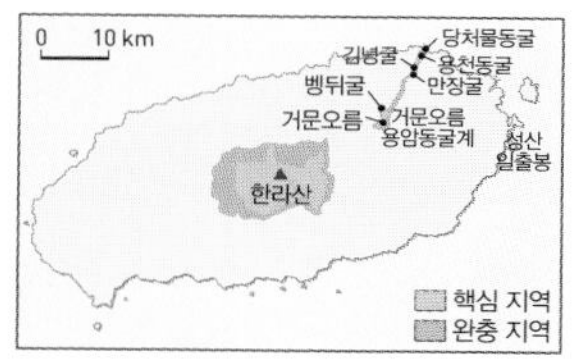

▲ 세계 자연 유산

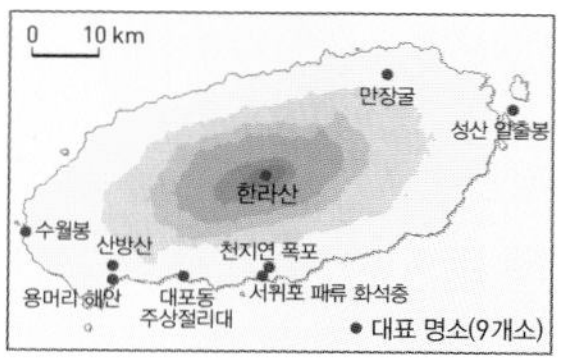

▲ 세계 지질 공원

8 **제주도의 자연환경**

③ ㉢ – 유동성이 큰 현무암질 용암이 열하 분출하여 형성된 지형은 용암 대지로 철원 일대에서 볼 수 있다. 용암 동굴은 유동성이 큰 현무암질 용암이 흐를 때, 공기에 노출된 바깥 부분은 굳고 안쪽 부분은 굳지 않고 사면을 타고 흘러내려 빈 공간이 생기면서 만들어진다.

6일 누구나 100점 테스트 1회 46~47쪽

1 ④ **2** ③ **3** ② **4** ① **5** 최소 요구치 **6** ④ **7** ②
8 ④ **9** ① **10** 다문화 가정

1 **우리나라의 국토 종합 개발 계획**

우리나라는 1970년대 제1차 국토 종합 개발 계획에서는 산업 기반 조성을 위해 수도권과 남동 임해 지역을 중심으로 성장 거점 개발을 추진하였다. 1980년대 제2차 국토 종합 개발 계획에서는 인구의 지방 정착을 유도하기 위해 광역 개발을 추진하였으며, 1990년대 제3차 국토 종합 개발 계획에서는 지방을 육성하고 수도권 집중을 억제하는 균형 개발을 추진하였다.

2 **우리나라 주요 발전 설비의 분포**

(가)는 수력 발전, (나)는 화력 발전, (다)는 원자력 발전이다.

선택지 바로 보기

① (가)는 전력 소비가 많은 곳에 주로 입지한다. (×)
→ 화력 발전에 대한 설명임. 수력 발전은 유량이 풍부하고 낙차가 큰 하천 중·상류 지역에 입지함.

② (나)는 송전 비용이 비싸고 안정적인 전력 생산이 어렵다. (×)
→ 수력 발전에 대한 설명임.

③ (다)는 냉각수 공급에 유리한 해안 지역에 주로 입지한다. (○)
→ 원자력 발전은 지반이 견고하고 냉각수 공급에 유리한 해안 지역에 주로 입지함.

④ (가)는 (나)보다 발전소의 입지가 자유로운 편이다. (×)
→ 수력 발전은 화력 발전보다 입지의 제약이 큼.

⑤ (나)는 (다)보다 발전 시 대기 오염 물질 배출량이 적다. (×)
→ 화력 발전은 화석 연료를 연소시켜 전기를 생산하므로 원자력 발전보다 발전 시 대기 오염 물질 배출량이 많음.

3 **우리나라의 작물별 경지 면적 변화**

(가)는 모든 시기에 재배 면적 비중이 가장 높으므로 쌀이고, (나)는 1975년 이후 재배 면적이 크게 감소하였으므로 맥류이다. 쌀은 식량 작물 중 자급률이 가장 높으며, 맥류는 주로 쌀의 그루갈이 작물로 재배된다. ② 식량 작물(쌀, 맥류, 기타 식량 작물)의 재배 면적 비율은 1975년에는 80.5 ha이고, 2015년에는 56.8 ha이다. 최근 식생활의 변화, 소득 수준의 향상으로 쌀, 보리 등 식량 작물의 소비량이 감소하고 있다.

4 **우리나라 공업의 특징**

기업 규모별 공업 구조를 보면 사업체 수는 중소기업이 대기업보다 많지만, 출하액 비중은 대기업이 중소기업보다 훨씬 높은 공업의 이중 구조가 나타난다.

정답

자료 분석 + 기업 규모별 공업 구조

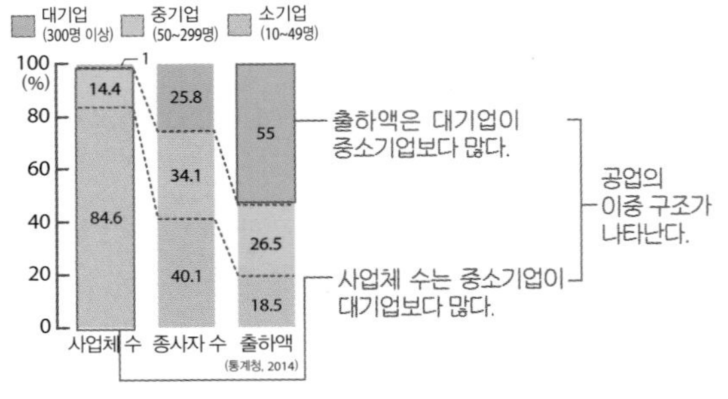

5 최소 요구치와 재화의 도달 범위

최소 요구치란 상점을 유지하는 데 필요한 최소한의 수요를 의미하며, 재화의 도달 범위란 중심 기능이 미치는 최대한의 거리 및 공간적 범위를 말한다. 상점이 운영되기 위해서는 재화의 도달 범위가 최소 요구치보다 같거나 넓어야 하며, 이는 상점의 규모나 상품의 구매 빈도 등에 따라 달라진다.

6 소비자 서비스업과 생산자 서비스업

(가)는 소비자 서비스업, (나)는 생산자 서비스업이다.

오답 피하기

ㄷ. 소비자 서비스업은 생산자 서비스업에 비해 업체 수와 종사자 수가 많지만, 업체당 종사자 수는 적다. 반면, 생산자 서비스업은 업체 수는 적지만 규모가 커 업체당 종사자 수가 많다.

자료 분석 + 서비스업의 분포

(가)

사업체 수(개, 2014년) 15,000 6,000 4,000 1,000

0 5 km (서울특별시, 2016)

소비자 서비스업은 인구 분포에 따라 분산 입지한다.

(나)

사업체 수(개, 2014년) 1,500 800 400 100

0 5 km (서울특별시, 2016)

생산자 서비스업은 기업과의 접근성이 우수하고 정보 획득에 유리한 대도시의 도심 및 부도심에 집중 입지한다.

7 교통수단별 수송 분담률 변화

국내 여객 수송 분담률(명 기준)은 도로 > 지하철 > 철도 > 항공 > 해운 순으로 높고, 국내 화물 수송 분담률(톤 기준)은 도로 > 해운 > 철도 > 항공 순으로 높다. 따라서 A는 철도, B는 도로, C는 해운, D는 항공이다.

더 알아보기 + 교통수단별 여객 및 화물 수송 분담률

국내	여객 수송(인 기준)	도로 > 지하철 > 철도 > 항공 > 해운
	여객 수송(인·km 기준)	도로 > 철도 > 지하철 > 항공 > 해운
	화물 수송(톤 기준)	도로 > 해운 > 철도 > 항공
국제	여객 수송	항공 > 해운(대부분 항공이 분담)
	화물 수송	해운 > 항공(대부분 해운이 분담)

8 우리나라의 인구 이동

ㄹ. 1960~1980년대에는 급격한 산업화·도시화의 영향으로 농촌에서 대도시, 공업 지역으로 인구가 이동하는 이촌 향도 현상이 뚜렷하게 나타났다.

9 우리나라의 인구 구조

우리나라는 1960년대 이전까지 높은 출생률과 사망률로 인해 유소년층 인구 비율이 높고 노년층으로 갈수록 인구 비율이 낮아지는 전형적인 피라미드형 인구 구조가 나타났다. 이후 산아 제한 중심의 가족계획 정책으로 출생률이 감소하고 평균 기대 수명이 높아지면서 사망률이 감소하여 종형 인구 구조로 변화하였다. (나) 시기는 (가) 시기보다 유소년층 인구 비율은 낮고 노년층 인구 비율은 높으므로 중위 연령이 높고, 노령화 지수가 높으며, 유소년 부양비가 낮다.

자료 분석 + 우리나라의 시기별 인구 구조

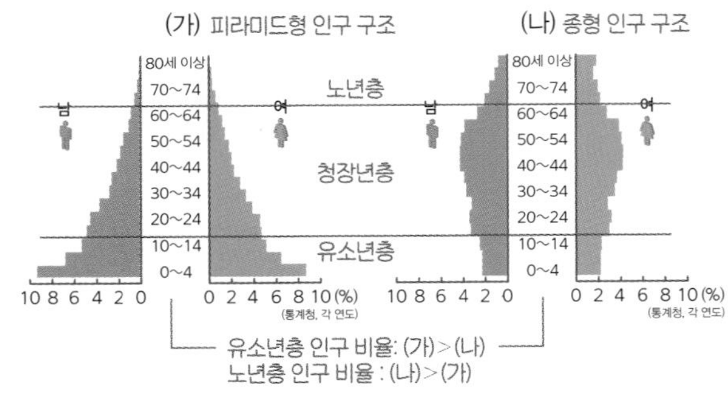

10 다문화 가정

다문화 가정은 다른 국적, 인종, 문화를 가진 사람들이 포함된 가정을 의미한다. 외국인 근로자의 유입이 늘고, 국제결혼이 증가함에 따라 다문화 가정도 점차 많아지고 있다.

6일 누구나 100점 테스트 2회 48~49쪽

1 ④ **2** ② **3** ⑤ **4** ③ **5** 태백산맥 **6** ① **7** ②
8 ④ **9** ③ **10** ④

1 지역의 의미와 지역성

④ 기능 지역은 고정된 것이 아니라 중심지와 주변 지역의 공간 관계에 따라 형성되기 때문에 그 범위는 교통·통신 발달 등에 의해 변화한다.

2 전통적인 지역 구분

(가)는 관북 지방, (나)는 호서 지방이다. 지도의 A는 관북 지방, B는 경기 지방, C는 호서 지방, D는 영남 지방이다. 따라서 (가)는 A, (나)는 C이다.

오답 피하기

경기 지방(B)은 도읍지인 한양을 둘러싸고 있는 곳으로 한양을 포함한 경기도를 의미한다. 영남 지방(D)은 경상도를 중심으로 하는 지역이며, 소백산맥을 경계로 조령(문경새재)의 남쪽 지역을 의미한다.

더 알아보기 + 전통적 지역 구분과 행정 구역 및 주요 도시

관북	함경도	함흥, 경성	경기	경기도	서울 부근
관서	평안도	평양, 안주	호서	충청도	충주, 청주
관동	강원도	강릉, 원주	호남	전라도	전주, 나주
해서	황해도	황주, 해주	영남	경상도	경주, 상주

3 북한의 지형과 인구 분포

북한의 서부 평야 지역은 넓은 평야와 상대적으로 온화한 기후, 풍부한 용수를 바탕으로 농업과 공업이 발달하여 인구의 40% 이상이 집중되어 있다. 반면에 산지가 널리 분포한 북동부 내륙 지역은 인구가 희박하다.

선택지 바로 보기

① 산지는 주로 남서부 지역을 중심으로 분포한다. (×)
북동부

② 황해보다 동해로 유입하는 하천의 유로가 길다. (×)
→ 동해 쪽으로 흐르는 하천은 두만강을 제외하면 대부분 유로가 짧고 경사가 급함.

③ 동해로 유입하는 하천 하류에 큰 평야가 분포한다. (×)
→ 동해안 지역은 평야가 좁게 나타나며, 큰 평야는 서해안 지역에 주로 분포함.

④ 관북 지방은 관서 지방보다 인구 밀도가 높게 나타난다. (×)
→ 산지가 발달한 관북 지방보다 평야가 발달한 관서 지방의 인구 밀도가 높음.

⑤ 동해안 일대는 해안 평야 지역을 따라 인구가 집중되어 있다. (○)
→ 동해안 일대는 좁은 해안 평야에 인구가 주로 분포함.

4 수도권의 제조업 사업체 수 변화

(가)는 제조업체 수가 감소하였으므로 서울, (나)는 서울의 제조업체가 이전하여 제조업체 수가 증가한 경기, (다)는 인천이다. 1960년대 이후 정부 주도의 공업 정책을 기반으로 서울을 중심으로 섬유, 봉제업 등의 경공업이 발달하였다. 이후 지가 상승, 환경 오염, 교통 혼잡 등의 문제로 인하여 인천·경기 지역으로 공장이 이전하기 시작하였다. 1980년대 이후 수도권 외곽 지역에 새로운 공업 지역이 조성되면서 제조업 이전 현상이 심화되었다.

5 강원 지방의 특징

중부 지방 동부에 위치한 강원 지방은 남북 방향으로 발달한 태백산맥을 경계로 영동 지방과 영서 지방으로 구분된다.

6 강원도 홍천과 강릉의 기후 비교

(가)는 홍천, (나)는 강릉의 기후 그래프이다. 갑. 영서 지방에 속하는 홍천은 내륙에 위치하고, 영동 지방에 속하는 강릉은 해안에 위치한다. 을. 내륙에 위치한 홍천은 해안에 위치한 강릉보다 기온의 연교차가 크다.

오답 피하기

병. 북동 기류의 영향으로 강릉은 홍천보다 겨울 강수량이 많다. 정. 여름철 남서 기류의 영향으로 홍천은 강릉보다 여름철 강수 집중률이 높다.

자료 분석 + 홍천과 강릉의 기후 그래프 비교

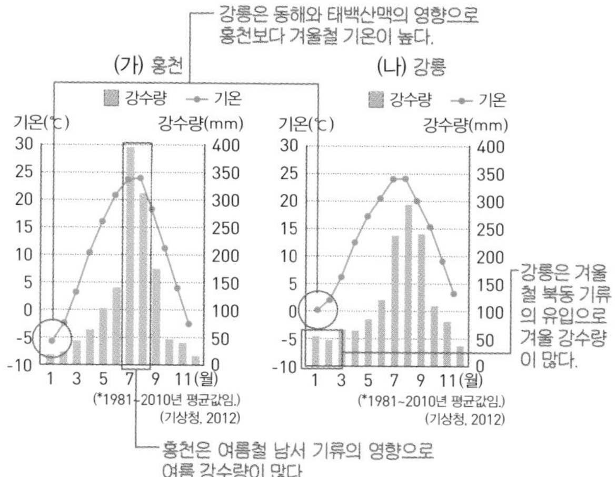

7 충청 지방의 변화

충청 지방은 2000년대 이후 수도권 전철이 연장되고 고속 철도가 대전, 아산, 청주, 공주에 정차하면서 수도권과 밀접한 생활권을 이루게 되었다. 이에 따라 수도권의 공업, 교육 등 각종 기능이 충청 지방으로 분산되면서 충청 지방의 발달이 가속화되고 있다.

정답

선택지 바로 보기

① 충청 지방 내 지역 격차가 완화되었다. (×)
→ 충청 지방 내 남부 지방보다 수도권과 인접한 북부 지방의 성장이 두드러짐.

② 수도권과 인접한 지역의 인구가 증가하였다. (○)
→ 충청 지방은 수도권의 다양한 기능이 이전해 오면서 특히 수도권과 인접한 지역들의 인구 증가율이 높음.

③ 수도권으로의 통근·통학 인구가 ~~감소~~하였다. (×)
증가

④ ~~충청 지방~~의 공공 기관이 ~~수도권~~으로 이전하였다. (×)
수도권 충청 지방

⑤ 충청 지방의 제조업체 대부분이 수도권으로 이전하였다. (×)
→ 수도권 과밀화에 따른 분산 정책의 시행으로 수도권의 제조업체들이 수도권과 인접한 충청 지방으로 이전하고 있음.

8 호남 지방의 지역 축제

(가)는 순천, (나)는 보성이다. 지도의 A는 김제, B는 남원, C는 순천, D는 보성이다. 따라서 (가)는 C, (나)는 D이다.

오답 피하기

김제(A)에서는 지평선 축제, 남원(B)에서는 춘향제가 개최되고 있다.

9 영남 지방 주요 지역의 특징

지도의 A는 안동, B는 포항, C는 울산, D는 부산, E는 창원이다. ③ 대구에 대한 설명이다. 울산은 광역시이며, 자동차·조선·석유 화학 공업 등 중화학 공업을 중심으로 성장한 공업 도시이다.

10 제주도의 특징

남해상에 위치한 제주도는 우리나라에서 가장 큰 섬으로, 신생대 화산 활동으로 형성된 화산섬이다.

선택지 바로 보기

① 밭농사보다 논농사의 비율이 높다. (×)
→ 지표수가 부족하여 대부분 밭농사가 이루어짐.

② 강수량이 많아 하천의 유량이 많다. (×)
→ 강수량은 많으나 기반암인 현무암의 특성상 절리가 잘 발달하여 하천 발달이 미약함.

③ 기온의 연교차가 큰 대륙성 기후가 나타난다. (×)
→ 남해상에 위치하여 기온의 연교차가 작고 겨울이 온화한 해양성 기후가 나타남.

④ 관광 산업이 발달하여 3차 산업 종사자 비율이 높다. (○)
→ 제주도는 1차 산업과 관광 산업 위주의 3차 산업을 중심으로 발달함.

⑤ 기반암의 용식 작용으로 형성된 지형이 많이 분포한다. (×)
→ 기반암의 용식 작용으로 형성되는 카르스트 지형은 고생대 조선 누층군의 석회암 지대에 잘 발달함. 제주도는 신생대 화산 활동으로 형성된 화산섬으로 곳곳에 다양한 화산 지형이 분포함.

6일 서술형·사고력 테스트 / 창의·융합·코딩 테스트 50~53쪽

1~8 해설 참조 **9** (1) 당진 (2) ⑤ **10** (1) ② (2) 해설 참조
11 (1) 이촌 향도 현상 (2) ① **12** ②

1 지역 개발 방식

(1) (가) – 성장 거점 개발, (나) – 균형 개발

(2) 모범 답안 성장 거점 개발은 균형 개발 방식에 비해 투자의 효율성이 높고, 지역 주민의 참여도가 낮으며, 지역 간 성장 격차를 심화시킨다.

핵심 단어 성장 거점 개발, 균형 개발, 투자의 효율성, 지역 주민 참여도, 지역 간 성장 격차

채점 기준	구분
(나)와 비교한 (가) 개발 방식의 상대적 특징을 제시된 조건 세 가지를 모두 활용하여 바르게 서술한 경우	상
(나)와 비교한 (가) 개발 방식의 상대적 특징을 제시된 조건 중 두 가지만 활용하여 서술한 경우	중
(나)와 비교한 (가) 개발 방식의 상대적 특징을 제시된 조건 한 가지만 활용하여 서술한 경우	하

2 자원의 특성

모범 답안 자원은 그 가치가 고정된 것이 아니라 자원을 이용하는 기술 및 경제적 수준, 문화적 배경에 따라 변화하는 가변성이 있다.

핵심 단어 가변성

채점 기준	구분
가변성을 쓰고, 그 의미를 모두 바르게 서술한 경우	상
가변성만 쓴 경우	중
자원의 특성을 제대로 파악하지 못한 경우	하

3 우리나라의 경지 면적과 경지 이용률의 변화

모범 답안 경지 면적의 감소 폭보다 농가 인구의 감소 폭이 더 크기 때문에 농가 호당 경지 면적이 증가하고 있다.

핵심 단어 경지 면적, 농가 인구, 농가 호당 경지 면적

채점 기준	구분
경지 면적 감소와 농가 인구 감소를 관련지어 서술한 경우	상
경지 면적 감소와 농가 인구 감소를 관련지어 서술하지 못한 경우	하

4 주요 공업의 지역별 분포

(1) (가) – 섬유 공업, (나) – 자동차 공업

(2) 모범 답안 섬유 공업은 제조 과정에서 노동력이 많이 필요하므로 노동력이 값싸고 풍부한 곳에 입지한다. 자동차 공업은 다양한 부품을 조립하여 제품을 만들기 때문에 관련 업체들이 밀집해 있는 곳에 입지한다.

핵심 단어 섬유 공업, 자동차 공업, 노동력, 부품 조립, 관련 업체 밀집

채점 기준	구분
(가), (나) 공업의 입지 특성을 모두 바르게 서술한 경우	상
(가), (나) 공업 입지 특성 중 한 가지만 바르게 서술한 경우	중
(가), (나) 공업의 명칭만 쓴 경우	하

5 우리나라 산업 구조의 변화

모범 답안 우리나라는 1990년대 이후 2차 산업 비중은 감소하고 3차 산업 비중은 증가하는 탈공업화 현상이 나타났으며, 생산 요소로서 지식과 정보의 중요성이 커지고 있다.

핵심 단어 2차 산업 비중 감소, 3차 산업 비중 증가, 탈공업화, 지식, 정보

채점 기준	구분
제시된 용어를 모두 포함하여 서술한 경우	상
제시된 용어 중 일부만 포함하여 서술한 경우	중
제시된 용어를 활용하지 않고 서술한 경우	하

6 저출산 현상의 대책

(1) 저출산 현상

(2) 모범 답안 저출산 현상을 해결하기 위해서는 출산과 양육에 대한 재정적 지원, 육아 휴직 보장 등의 제도적 지원이 마련되어야 한다.

핵심 단어 저출산 현상, 제도적 지원

채점 기준	구분
저출산 현상을 쓰고, 그 대책을 모두 바르게 서술한 경우	상
저출산 현상을 쓰고, 그 대책을 한 가지만 서술한 경우	중
저출산 현상만 쓴 경우	하

7 수도권 내 지식 기반 산업의 분포 특징

모범 답안 넓은 부지를 필요로 하는 지식 기반 제조업은 경기에, 고급 인력과 최신 정보 확보 및 관련 업체와의 협력을 필요로 하는 지식 기반 서비스업은 서울에 주로 분포한다.

핵심 단어 지식 기반 제조업 – 경기, 지식 기반 서비스업 – 서울

채점 기준	구분
제시된 용어를 모두 포함하여 서술한 경우	상
제시된 용어 중 일부만 포함하여 서술한 경우	중
제시된 용어를 활용하지 않고 서술한 경우	하

8 영남 지방의 공업 지역

(1) (가) – 영남 내륙 공업 지역, (나) – 남동 임해 공업 지역

(2) 모범 답안 남동 임해 공업 지역은 원료의 수입과 제품의 수출에 유리하여 중화학 공업 단지가 조성되었다.

핵심 단어 남동 임해 공업 지역, 원료 수입, 제품 수출, 중화학 공업

채점 기준	구분
(나) 공업 지역의 입지 요인과 특징을 모두 바르게 서술한 경우	상
(나) 공업 지역의 입지 요인과 특징 중 한 가지만 바르게 서술한 경우	중
(나) 공업 지역의 명칭만 쓴 경우	하

9 충청 지방 주요 지역의 특징과 공업 입지 유형

(1) (가)는 아산(B), (나)는 충주(D), (다)는 진천·음성(C), (라)는 대전(E)에 대한 설명이다. 따라서 (가)~(라)를 지우고 남은 지역은 A이며, A의 지역명은 당진이다.

(2) 당진에서 출하액이 가장 높은 공업은 제철(1차 금속) 공업이며, 제철 공업은 적환지 지향형 공업이다.

10 교통수단별 특징

(1) ㉠은 철도(B), ㉡은 도로(A), ㉢은 해운(C)에 해당한다.

(2) 모범 답안 철도는 정시성과 안전성이 우수하고, 레일 위를 운행하므로 지형적 제약이 크다.

핵심 단어 철도, 정시성, 안전성, 지형적 제약

채점 기준	구분
철도를 쓰고, 그 특징을 모두 바르게 서술한 경우	상
철도를 쓰고, 그 특징을 한 가지만 서술한 경우	중
철도만 쓴 경우	하

11 인구 현상

(1) (가)는 급속한 산업화·도시화로 촌락에서 도시로 인구가 이동하는 이촌 향도 현상과 관련 있다.

(2) (나)와 관련된 인구 현상은 고령화 현상이며, 고령화 현상의 주된 원인에는 의학 기술 발달과 생활 수준 향상으로 인한 기대 수명 연장 및 사망률 감소 등이 있다.

12 호남 지방 주요 지역의 특징

1일 차는 전주(B), 2일 차는 김제(A), 3일 차는 보성(D), 4일차는 순천(C)에 해당한다.

정답

7일 학교 시험 기본 테스트 1회 54~57쪽

1 ③ **2** ③ **3** ③ **4** ② **5** (가) - (다) - (나) **6** ③
7 ④ **8** ⑤ **9** ④ **10** (가): 충남 아산시, (나): 경북 의성군
11 ① **12** ④ **13** 점이 지대 **14** ⑤ **15** ① **16** ①
17 ① **18** 새만금 **19** ④ **20** ⑤

1 우리나라의 국토 개발

사회 간접 자본 확충, 국민 생활 환경 개선, 국토 이용 관리 효율화는 1970년대 시행된 제1차 국토 종합 개발 계획의 기본 목표이다.

선택지 바로 보기

① 갑: 혁신 도시와 기업 도시를 육성하였습니다. (×)
→ 제4차 국토 종합 계획에서는 균형 개발을 위해 혁신 도시와 기업 도시를 지정 및 육성함.

② 을: 신산업 지대를 조성하고, 지방 도시를 육성하였습니다. (×)
→ 제3차 국토 종합 개발 계획에서는 산업 지대를 조성하고 지방 도시를 육성하여 지방 분산형 국토 골격을 형성하기 위한 균형 개발을 시행하였음.

③ 병: 남동 임해 지역에 대규모 공업 단지를 조성하였습니다. (○)
→ 제1차 국토 종합 개발 계획에서는 경제 기반 확충을 위해 수도권과 남동 임해 지역을 중심으로 성장 거점 개발을 추진함.

④ 정: 수도권 공장의 신축을 제한하는 제도를 실시하였습니다. (×)
→ 제3차 국토 종합 개발 계획에서는 수도권 집중을 억제하기 위해 수도권 공장의 신·증축을 제한하는 수도권 공장 총량제가 실시됨.

⑤ 무: 지방의 주요 도시와 배후 지역을 포함한 지역 생활권을 조성하였습니다. (×)
→ 제2차 국토 종합 개발 계획에서는 인구의 지방 정착을 유도하기 위해 지방의 주요 도시와 배후 지역을 포함한 지역 생활권을 설정하는 광역 개발이 추진됨.

2 재생 가능성에 따른 자원의 분류

자원은 재생 가능성에 따라 재생 자원과 비재생 자원으로 분류할 수 있다. (가)는 고갈 가능성이 가장 높은 비재생 자원으로 석탄, 석유, 천연가스 등 화석 연료가 대표적이다. (나)는 지속적으로 공급·순환되는 재생 자원으로 태양광, 해양 에너지, 수력, 풍력 등이 있다.

3 신·재생 에너지 분포

A는 풍력, B는 태양광, C는 조력이다. 신·재생 에너지는 자연적 제약이 크고 화석 연료보다 경제적 효율성은 낮지만, 친환경적이면서 화석 연료 에너지가 안고 있는 고갈 문제와 환경 오염 문제에 대한 부담이 적어 그 중요성이 점차 커지고 있다. ③ 바람의 힘으로 큰 날개를 돌려 전력을 생산하는 풍력은 태양광보다 발전 시 소음 발생량이 많다.

자료 분석 + 주요 신·재생 에너지 발전소 분포

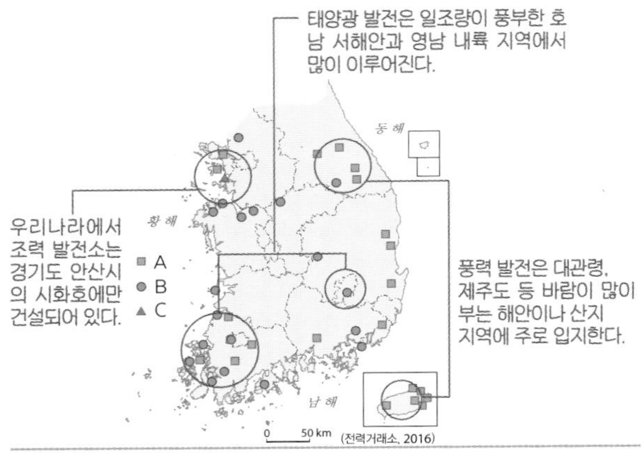

4 주요 곡물의 자급률 변화

1995년에 세계 무역 기구(WTO)가 출범하고, 2000년대에 자유 무역 협정(FTA) 체결이 확대되어 우리나라 농산물 시장이 개방되면서 값싼 외국산 농산물의 수입이 급증하였다. 그 영향으로 영농 규모가 작고 유통 구조가 복잡하여 가격 경쟁력이 낮은 우리나라 농업은 많은 어려움을 겪고 있으며, 쌀을 제외한 주요 식량 작물의 자급률이 빠르게 감소하여 식량의 해외 의존도가 점차 높아지고 있다.

오답 피하기

①, ③, ④, ⑤는 농촌 문제의 해결 방안이다.

5 우리나라 공업의 발달 과정

우리나라의 공업은 1960년대에 대도시를 중심으로 섬유, 신발 등 노동 집약적 경공업이 발달하였다. 1970~1980년대에는 원료의 수입과 제품의 수출에 유리한 남동 임해 지역을 중심으로 제철, 석유 화학 등 자본 집약적 중화학 공업이 크게 성장하였다. 1990년대 이후에는 수도권을 중심으로 부가 가치가 높은 기술 집약적 첨단 산업이 빠르게 성장하였다.

6 1차 금속과 자동차 공업의 특징

(가)는 경기, 울산, 충남 등지에서 종사자 수 비율 및 생산액이 높으므로 자동차 공업이고, (나)는 경북(포항), 전남(광양), 충남(당진) 등지에서 종사자 수 비율 및 생산액이 높으므로 1차 금속 공업이다. ㄴ. 1차 금속 공업(제철 공업)은 무게나 부피가 큰 원료를 해외에서 수입하고 제품을 수출하는 적환지 지향형 공업이다. ㄷ. 1차 금속 공업에서 생산된 철강 제품은 자동차 공업의 주요 원료로 이용된다.

오답 피하기

ㄱ. 1960년대 우리나라 공업화를 주도한 공업은 섬유, 신발과 같은 노동 집약적 경공업이다. ㄹ. 타 산업에 기초 원료를 제공하는 소재 산업은 1차 금속 공업과 화학 물질 및 화학 제품 공업 등이 있다.

7 상거래 유형

(가)는 전자 상거래(온라인 유통 구조), (나)는 도매상과 소매상 등을 거치는 전통적 상거래 방식(오프라인 유통 구조)이다. 전자 상거래는 상점을 직접 방문하지 않고 주로 컴퓨터나 스마트폰을 이용하여 물건을 구매할 수 있다. 따라서 전자 상거래는 전통적 상거래 방식에 비해 상품의 유통 단계가 단순하고, 재화의 도달 범위가 넓으며, 상거래의 시·공간적 제약이 작다.

8 교통수단별 특성

국제 화물 수송량이 가장 많은 (가)는 해운, 국내 여객 수송 분담률이 가장 높은 (나)는 도로, 나머지 (다)는 철도이다. ⑤ 기종점 비용은 해운(가) > 철도(다) > 도로(나) 순으로 비싸다.

9 우리나라의 인구 이동

1980년에는 이촌 향도 현상으로 촌락에서 대도시나 공업 도시로의 인구 이동이 뚜렷하고, 2000년에는 교외화 현상이 활발하게 나타나 대도시와 주변 지역 간의 인구 이동이 많았다.

오답 피하기

ㄴ. 수도권 내 인구 이동은 2000년이 1980년보다 활발하다.

자료 분석 + 우리나라의 시기별 인구 이동

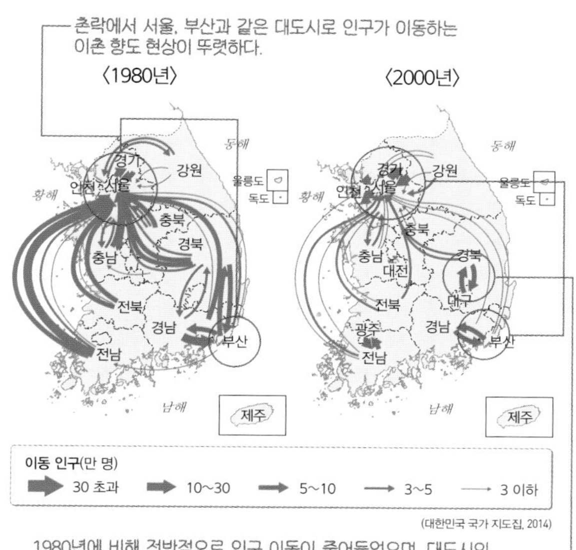

(대한민국 국가 지도집, 2014)

10 우리나라의 지역별 인구 구조 변화

(가)는 청장년층 인구 비율이 증가한 것으로 보아 인구가 유입되는 도시 지역인 충남 아산시이고, (나)는 청장년층 인구 비율이 감소하고 상대적으로 노년층 인구 비율이 크게 증가한 것으로 보아 인구가 유출되는 촌락 지역인 경북 의성군이다.

11 우리나라의 지역별 인구 구조 변화

경북 의성군(촌락 지역)은 충남 아산시(도시 지역)보다 유소년층과 청장년층 인구 비율이 낮고 노년층 인구 비율이 높다. ㄱ. 총 부양비는 유소년층 인구와 노년층 인구의 합을 청장년층 인구로 나눈 후 100을 곱한 값으로 청장년층 인구 비율에 반비례한다. 따라서 총 부양비는 충남 아산시보다 경북 의성군에서 높게 나타난다. ㄴ. 노령화 지수는 노년층 인구를 유소년층 인구로 나눈 후 100을 곱하여 구한다. 따라서 노령화 지수는 충남 아산시보다 경북 의성군에서 높게 나타난다.

오답 피하기

ㄷ, ㄹ. 유소년층 인구 비중과 2·3차 산업 종사자 비중은 촌락 지역인 경북 의성군보다 도시 지역인 충남 아산시에서 높게 나타난다.

12 지속 가능한 다문화 사회를 위한 노력

우리나라가 다문화 사회로 변화하고 있으므로 지속 가능한 다문화 사회 및 공간을 만들기 위한 노력이 필요하다. 외국인 이주자들을 위한 제도적 지원을 확대하고, 문화적 다양성을 존중하고 배려와 이해를 통해 공존하려는 세계 시민으로서의 자세를 가지려는 노력이 필요하다.

13 점이 지대

지역은 행정 구역의 경계와 같이 명확하게 선으로 구분되기도 하지만 그 경계가 불분명하며 인접한 두 지역의 특성이 뒤섞여 있는 경우가 많다. 예를 들어 주택 지역과 상업 지역 사이의 경계에는 주택과 상점이 혼재하는 지역이 존재한다. 이처럼 인접한 두 지역의 지리적 특성이 혼재되어 나타나는 지역을 점이 지대라고 한다.

14 북한의 기후

북한은 위도가 높고 대륙의 영향을 많이 받아 기온의 연교차가 큰 대륙성 기후가 나타난다. 강수량은 지역에 따라 차이가 있으나 대체로 남한에 비해 적은 편이다. ⑤ 동해와 황해의 수심 차이, 차가운 북서풍을 차단하는 산맥 등 지형의 영향으로 동해안은 비슷한 위도의 서해안 지역보다 연평균 기온이 높다.

정답

자료 분석 + 북한의 연평균 기온과 연 강수량 분포

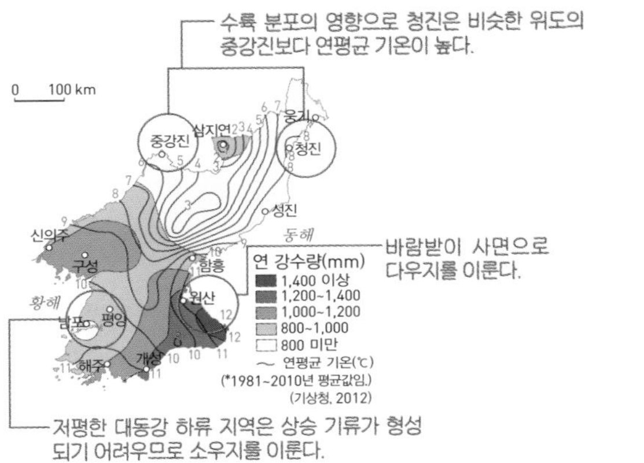

15 수도권의 특징

수도권은 우리나라의 중서부에 위치하며 서울특별시, 인천광역시, 경기도를 포함하는 지역이다. 우리나라 수도인 서울을 중심으로 대도시권을 형성하고 있다. 1960년대 이후 산업화 과정에서 경제 기능과 인구가 더욱 수도권에 집중되었다. 그 결과 수도권은 우리나라 전체 인구의 절반 가까이가 분포하고 정치·경제·문화 기능이 집중된 중심지 역할을 하고 있다. ① 수도권은 2차 산업 비중이 감소하고, 3차 산업 비중이 증가하는 탈공업화 현상이 나타나고 있다.

16 강원 지방 주요 지역의 특징

(가)는 춘천, (나)는 평창이다. 지도의 A는 춘천, B는 양양, C는 원주, D는 평창, E는 태백이다. 따라서 (가)는 A, (나)는 D이다.

오답 피하기

원주(C)는 수도권과의 접근성이 높아 제조업 발달에 유리한 조건을 갖추고 있으며, 기업 도시 및 혁신 도시로서 의료 기기 산업을 지역 특화 산업으로 발전시켜 나가고 있다. 태백(E)은 과거 주요 석탄 생산지였던 곳으로 석탄 산업 합리화 정책으로 인구가 감소하고 지역 경제가 침체되었으나, 최근 폐광 지역의 산업 유산을 관광 자원으로 활용하는 등 관광 산업 중심의 산업 구조로 변화하고 있다.

17 충청 지방 주요 지역의 특징

지도의 A는 충주, B는 천안, C는 청주, D는 세종, E는 대전이다. ① 서산에 대한 설명이다. 충주는 민간 투자를 촉진하고 지역 경제에 이바지하려는 목적으로 지식 기반형 기업 도시가 건설되고 있다.

18 새만금 지구

새만금 간척 사업은 우리나라 최대의 간척 사업으로 1991년에 공사를 시작한 후 두 차례 중단을 거쳐 여전히 진행 중이다. 새만금 간척지는 농업 용지, 생태 환경, 공업, 관광, 과학 연구, 신·재생 에너지 개발 등 다양하게 활용될 계획이다.

더 알아보기 + 호남 지방의 주요 간척 사업

호남 지방은 범람원과 갯벌이 넓게 분포하여 오래전부터 농지 개간 및 간척 사업이 이루어졌다. 대규모 간척 사업은 1970년대 이후 영산강, 해남, 고흥, 새만금 일대에서 진행되었거나 진행 중이며, 간척지는 농업 용지 이외에도 산업 용지, 관광 단지 및 신도시 건설 등 다양하게 활용되고 있다.

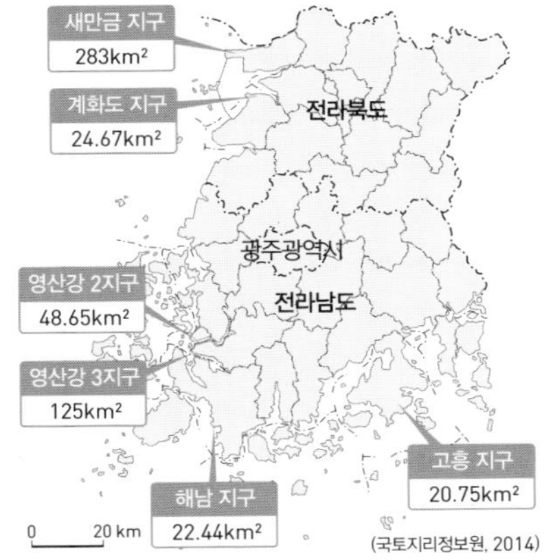

19 영남 지방 주요 도시의 제조업

울산에서 출하액 비율이 높은 A는 화학 물질 및 화학제품, 거제에서 출하액 비율이 매우 높은 B는 기타 운송 장비, 포항에서 출하액 비율이 매우 높은 C는 1차 금속 공업이다.

선택지 바로 보기

① A는 노동 집약적인 경공업이다. (×)
→ 섬유, 신발 공업 등이 해당됨.

② A는 많은 부품을 조립하여 완제품을 생산하는 조립형 공업이다. (×)
→ 기타 운송 장비 공업(조선 공업)에 대한 설명임.

③ B는 1960년대 우리나라 공업화를 주도하였다. (×)
→ 섬유, 신발 공업과 같은 노동 집약적인 경공업에 해당됨.

④ C는 대량의 원료를 수입하는 적환지 지향형 공업이다. (○)
→ 제철, 정유 공업과 같이 무게가 많이 나가는 원료를 해외에서 대량으로 수입하거나 제품 대부분을 수출하는 공업은 적환지인 항구 주변에 입지함.

⑤ C는 한 가지 원료에서 다양한 제품을 생산하는 계열화된 공업이다. (×)
→ 화학 물질 및 화학제품 공업(석유 화학 공업)에 대한 설명임.

20 제주특별자치도의 발전 전략

⑤ 외부 자본을 끌어들여 대단위 관광객을 유치하는 것은 무분별한 개발과 환경 훼손, 수익의 도외 유출, 과잉 투자로 인한 부작용 등의 문제를 더욱 심화시킬 것이다.

7일 학교 시험 기본 테스트 2회 58~61쪽

1 ② 2 ④ 3 ⑤ 4 지리적 표시제 5 ① 6 ③
7 ① 8 ④ 9 A: 출생률, B: 사망률 10 ③ 11 ⑤
12 ⑤ 13 ③ 14 철도 15 ④ 16 ④ 17 ④
18 ④ 19 ⑤ 20 제주특별자치도

1 도시 재개발 방식

철거 재개발은 기존 시설을 완전히 철거하고 대규모 아파트 단지나 상업 시설을 건설하기 때문에 기존 시설물을 최대한 보존하는 수복 재개발에 비해 기존 건물 활용도는 낮고 건물 고층화 정도는 높다. 한편, 철거 재개발의 경우 원거주민들에게 철거에 따른 보상비가 주어지기는 하지만, 기존 시설물의 소유 형태에 따라 받을 수 있는 보상비 차이가 크고 개발이 끝난 후에 재입주를 하려면 상승된 가치만큼 추가 분담금을 내야하기 때문에 수복 재개발에 비해 원거주민의 이주율이 높다. (가)는 철거 재개발이 수복 재개발보다 높게 나타나는 지표이므로 건물 고층화 정도와 원주민의 이주율이 해당된다. (나)는 수복 재개발이 철거 재개발보다 높게 나타나는 지표이므로 기존 건물 활용도가 해당된다.

2 환경 불평등

환경 불평등은 환경을 매개로 하여 특정 지역, 혹은 사회 계층이 겪는 불평등이다.

더 알아보기 + 지역 개발 관련 개념

젠트리피케이션	도시 환경이 변하면서 중·상류층이 낙후됐던 구도심의 주거지로 유입되고 이로 인해 주거비가 상승하면서 비싼 월세 등을 감당할 수 없는 원주민들이 다른 곳으로 밀려나는 현상으로, 철거 재개발 후 발생하는 경우가 많음.
파급 효과	거점 지역의 집중 개발에 따른 효과가 주변 지역의 산업을 발전시켜 중심지와 주변 지역이 동반 성장하는 것
역류 효과	개발에 따른 이익이 주변으로 파급되지 못하고 오히려 주변 지역에서 거점 지역으로 인구 및 자본이 집중되는 것

3 우리나라의 에너지 자원

우리나라의 1차 에너지원별 소비량은 석유 > 석탄 > 천연가스 > 원자력 > 신·재생 및 기타 > 수력 순으로 많다. A는 석탄, B는 석유, C는 천연가스, D는 수력, E는 원자력이다. ⑤ 화력 발전은 석탄, 석유, 천연가스 등의 화석 연료를 연소시켜 전기를 생산한다.

4 지리적 표시제

지리적 표시제는 농산물 및 그 가공품의 특징이 지역과 큰 관련이 있을 경우 그 지역에서 생산 제조 및 가공되었음을 표시하는 제도이다. 지리적 표시제는 우리나라의 지역 경제 활성화에 이바지할 뿐만 아니라 우리 고유의 농식품을 세계화하는 데에도 큰 역할을 할 것이다.

더 알아보기 + 지리적 표시 농산물 분포

(국립농산물품질관리원, 2016)
(*지리적 표시 등록 1호부터 30호까지 표시한 것임.)

5 우리나라의 공업 지역

충청 공업 지역은 수도권과 인접해 있고 육상 교통이 편리하여 수도권에서 분산되는 공업이 입지하면서 산업 구조가 고도화되고 있다. 그중 서해안 지역은 서산, 당진, 아산 일원에 석유 화학, 제철, 자동차 등 중화학 공업 중심의 산업 단지가 건설됨에 따라 많은 인구가 유입되어 도시화가 빠르게 진행되었다. 내륙에는 청주에 오송 생명 과학 단지, 오창 과학 산업 단지가 조성되고 있다. 이들 지역은 충청 지방의 연구 개발 중심지인 대덕 연구 개발 특구와 더불어 충청 지방의 지식 첨단 산업의 발전을 이끌 것으로 기대된다.

6 우리나라 공업의 특징

우리나라 공업은 정부 주도의 수출 지향 정책으로 성장 잠재력이 큰 수도권과 영남권에 산업 시설이 집중되어 공업이 지역적으로 편재되었다. 그 결과 수도권 및 영남권과 다른 지역 간에 성장 격차가 크게 벌어져 국토 성장의 불균형 문제가 나타났다. 최근에는 과도한 집중에 따른 집적 불이익이 나타나 정부 주도의 공업 분산 정책이 시행되고 있다. (가)는 수도권, (나)는 영남권이다. ③ 사업체당 종사자 수는 종사자 수를 사업체 수로 나누어 계산할 수 있다. 영남권은 수도권보다 사업체당 종사자 수가 많다.

7 소매 업태별 특징

(가)는 사업체 수와 종사자 수가 가장 적으나 매출액은 상대적으로 많으므로 백화점이다. (나)는 사업체 수 대비 종사자 수가 가장 적으므로 편의점이고, (다)는 최근 매출액이 크게 증가한 무점포 상점이다. ㄱ. 백화점은 편의점보다 사업체 규모가 크므로

정답

사업체당 종사자 수가 많다. ㄴ. 편의점은 무점포 상점보다 소비자와의 대면 접촉 빈도가 높다.

오답 피하기

ㄷ. 무점포 상점은 상거래의 시공간 제약이 적다. ㄹ. 재화의 도달 범위는 무점포 상점 > 백화점 > 편의점 순으로 넓다.

8 소비자 서비스업과 생산자 서비스업

소비자 서비스업은 일반 소비자에게 서비스를 제공하는 서비스업으로, 소비자의 이동 거리를 최소화하고 업체 간 일정 거리를 유지하기 위해 인구 분포에 따라 분산 입지하는 경향이 있다. 생산자 서비스업은 기업을 대상으로 제공하는 서비스업으로, 기업 본사가 집중된 대도시를 중심으로 집중 분포한다.

선택지 바로 보기

① (가)는 ~~생산자~~ 서비스업, (나)는 ~~소비자~~ 서비스업이다. (×)
소비자 생산자

② (가)는 (나)보다 지역적 편재성이 ~~높다~~. (×)
낮다

③ (가)는 (나)보다 사업체의 평균 규모가 ~~크다~~. (×)
작다

④ (나)는 (가)보다 기업과의 거래 비중이 높다. (○)
→ 생산자 서비스업은 기업을 대상으로 제공하는 서비스업으로, 소비자 서비스업보다 기업과의 거래 비중이 높음.

⑤ 소비자 서비스업 종사자 수는 영남권이 수도권보다 많다. (×)
→ 영남권은 수도권보다 소비자 서비스업 종사자 비율이 높지만 전체 서비스업 종사자 수가 훨씬 적으므로 소비자 서비스업 종사자 수는 영남권이 수도권보다 적음.

9 인구 변천 모형

인구 변천 모형은 사회·경제의 발전 과정에서 나타나는 인구의 자연적 증감(출생, 사망)에 의한 인구 변화를 나타낸 것이다. 따라서 A는 출생률, B는 사망률이다.

10 인구 변천 모형의 단계별 특징

제1단계에서는 출생률과 사망률이 모두 높아 피라미드형 인구 구조가 나타나며, 제2단계에서는 의학 발달과 경제 발전 등으로 사망률이 급감하여 인구가 급증한다. 제4단계는 출생률과 사망률이 낮은 수준으로 안정되는 단계로, 노년 인구 비율이 증가한다. ③ 제3단계에서는 자녀에 대한 가치관 변화, 가족계획 등으로 출생률이 낮아져 인구 증가율이 둔화되지만 여전히 인구의 자연적 증가가 나타난다.

11 저출산·고령화 현상에 따른 대책

제시된 그래프를 보면 유소년 인구 부양비는 감소하고 노년 인구 부양비는 증가하고 있다. 이를 통해 우리나라는 저출산·고령화 현상이 점차 심화되고 있음을 알 수 있다. 저출산 현상을 극복하기 위해서는 출산 휴가 및 육아 휴직 제도 개선, 직장 내 보육 시설 확대, 양성평등 문화 확산 등이 필요하다. 고령화 현상을 극복하기 위해서는 경제적 안정 및 재취업 기회 확대, 정년 연장, 실버산업 육성 등이 필요하다.

오답 피하기

갑. 산아 제한 정책은 저출산 현상을 더욱 심화시킨다. 을. 저출산·고령화 현상을 극복하기 위해서는 사회 복지 비용을 확대해야 한다.

더 알아보기 + 브릿지 플랜 2020

'브릿지 플랜 2020'은 저출산·고령화 현상에 대응하기 위한 정책으로 모든 세대가 함께 행복한 지속 발전 사회 구현을 비전으로 제시하고 있다.

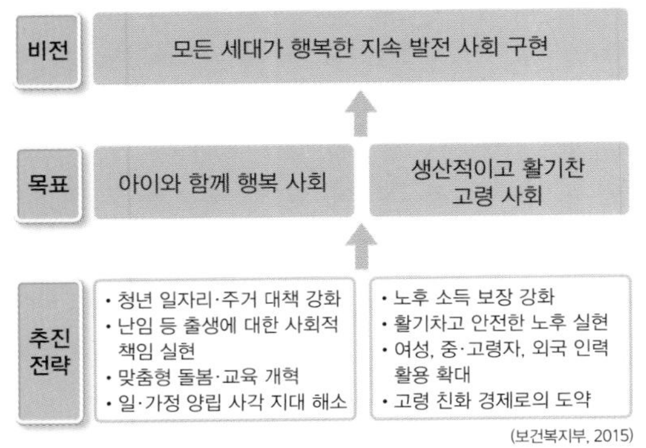

(보건복지부, 2015)

12 국내 체류 외국인 현황

국내 체류 외국인의 약 35%는 우리나라에 취직한 외국인 근로자이며, 다음으로 결혼 이민자, 유학생 등의 순으로 나타난다. 따라서 (가)는 외국인 근로자, (나)는 결혼 이민자이다.

선택지 바로 보기

① (가)는 ~~남성~~보다 ~~여성~~이 많다. (×)
여성 남성

② (가)는 ~~단순 기능 인력~~보다 ~~전문 기술 인력~~의 비율이 높다. (×)
전문 기술 인력 단순 기능 인력

③ (나)는 도시보다 촌락에 거주하는 경우가 많다. (×)
→ 국내 체류 외국인의 대다수는 서울을 포함한 수도권과 도시 지역에 거주하고 있음.

④ (나)는 ~~개발 도상국~~보다 ~~선진국~~ 출신이 많다. (×)
선진국 개발 도상국

⑤ (가), (나)의 유입으로 다문화 사회가 형성되고 있다. (○)
→ 우리나라는 외국인 근로자의 국내 정착과 국제결혼 등 외국인 이주자들이 많아지면서 다문화 사회로 변화하고 있음.

13 전통적인 지역 구분

우리나라는 전통적으로 고개, 산줄기, 대하천 등의 지형지물을 이용하여 지역을 구분하였다. ③ 관동 지방은 강원도를 중심으로 하는 지역으로, 태백산맥의 대관령을 기준으로 영서 지방과 영동 지방으로 구분된다.

14 북한의 교통 체계

북한의 교통망은 평양을 중심으로 서부 평야 지역에 주로 발달해 있으며, 동부는 해안 지역을 따라 교통로가 분포한다. 북한의 교통 체계는 철도가 육상 수송의 중심이며 여객 수송의 약 60%, 화물 수송의 약 90%를 담당하고 있다.

15 수도권의 문제점과 해결 방안

수도권은 한정된 공간에 인구와 산업 등 각종 기능이 과도하게 집중되면서 주거 환경 악화, 교통 혼잡, 지가 상승, 환경 오염 심화 등의 문제가 발생하였다. 또한 수도권과 비수도권 간의 격차가 심화되면서 지역 간 갈등이 발생하는 등 사회적 비용이 증가하는 문제가 나타나기도 하였다. 이에 따라 수도권의 인구 및 기능의 집중 억제를 위해 과밀 부담금 제도와 수도권 공장 총량 제도 등이 추진되고 있다. 또한 수도권의 인구와 각종 기능을 분산하기 위해 비수도권 지역에 기업 도시나 혁신 도시를 조성하는 등 다핵 연계형 공간 구조로 전환하기 위한 지방 도시 육성 정책을 추진하고 있다. ④ 서울 중심의 방사형 교통 체계는 수도권의 인구 및 기능 집중을 더욱 심화시킨다.

16 강원 지방의 산업 구조 변화

1980년대부터 석탄의 경제성 악화와 석유 사용의 증가 등으로 석탄 수요가 크게 감소하여 1989년에 정부가 석탄 산업 합리화 정책을 추진하면서 주요 석탄 생산지였던 태백시는 인구가 감소하고 지역 경제가 침체되었다. 이를 극복하기 위해 태백시는 관광 상품을 개발하고 신사업을 유치하는 등 지역 경제 활성화를 위해 노력하고 있으며, 관광 산업 중심의 산업 구조로 변화하고 있다.

오답 피하기

ㄱ. 광업이 쇠퇴하면서 인구가 감소하고 지역 경제가 침체되었다. ㄷ. 2014년은 1986년보다 총 종사자 수가 적다.

17 충청 지방의 제조업 발달 특징

충청 지방의 제조업 출하액은 수도권과 인접한 서산, 당진, 아산, 천안 등에서 높게 나타난다. ④ 제조업 출하액이 20조 원 이상인 도시는 충청북도에는 청주, 충청남도에는 서산, 아산, 천안이 있다.

18 호남 지방 주요 도시의 공업 구조

(가)는 자동차 공업의 출하액 비율이 높으므로 광주이고, (나)는 화학 물질 및 화학제품(석유 화학) 공업의 출하액 비율이 높으므로 여수이다. (다)는 1차 금속(제철) 공업의 출하액 비율이 매우 높으므로 광양이다.

자료 분석 + 광주, 여수, 광양의 제조업 업종별 출하액 비중

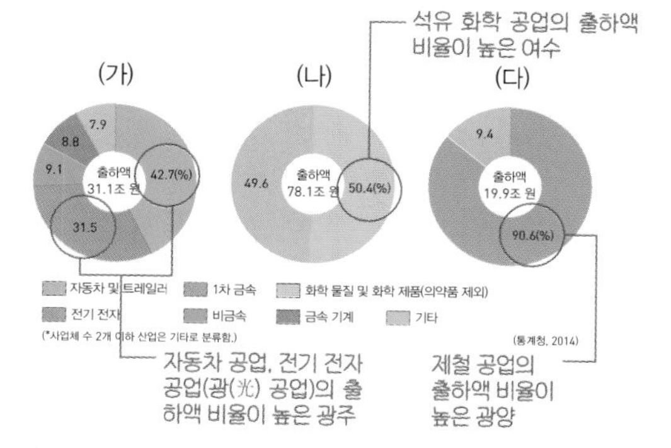

19 영남 지방의 공업 지역

대구와 구미를 중심으로 한 영남 내륙 공업 지역은 풍부한 노동력과 편리한 교통을 바탕으로 섬유 및 전자 공업이 발달하였다. 포항에서 호남 지방의 광양, 여수에 이르는 남동 임해 공업 지역은 항만 건설에 유리한 입지 조건, 정부의 중화학 공업 육성 정책에 따른 각종 지원 등을 바탕으로 우리나라 최대의 중화학 공업 지역으로 성장하였다.

오답 피하기

갑, 을. 영남 내륙 공업 지역에 대한 설명이다.

20 제주특별자치도의 특징

제주특별자치도는 신생대 화산 활동으로 형성된 화산섬으로, 한라산을 비롯하여 360여 개의 오름(기생 화산), 용암 동굴, 주상 절리 등 다양한 화산 지형이 분포한다. 제주도는 바람에 의한 피해를 막기 위해 집과 밭에 돌담을 높게 쌓았는데, 이를 따라 조성된 올레길을 걷는 여행이 오늘날 제주도의 중요한 관광 상품 중 하나이다.제주도의 해녀 문화는 생계유지를 위해 거친 환경에 적응해 온 제주도 여성들의 강한 생활력을 보여주는 소중한 문화유산이다. 해녀 문화는 제주도의 문화 정체성을 상징한다는 점을 높이 평가받아 유네스코 인류 무형 문화유산(2016년)에 등재되었다.

정답

핵심 용어 풀이

01 도시 재개발 | 도읍 都, 저자 市, 두 再, 열 開, 필 發

노후화된 지역의 건물을 철거·수리·개조하고 공공시설을 정비하는 등의 과정을 거쳐 ❶ (   )을 개선하는 사업

재개발 전의 난곡동(1996년)

재개발 후의 난곡동(2010년)

답 ❶ 도시 환경

예 1 도시 재개발은 시행 방법에 따라 철거 재개발, 보존 재개발, 수복 재개발로 구분된다.

예 2 도시 재개발이 이루어지면 지역의 경제적 가치가 상승하고, 주민 생활 여건이 개선된다.

02 자원 | 재물 資, 근원 源

자연물 가운데 일상생활과 경제 활동에 쓸모가 있으며, ❶ (   )으로 개발이 가능한 것

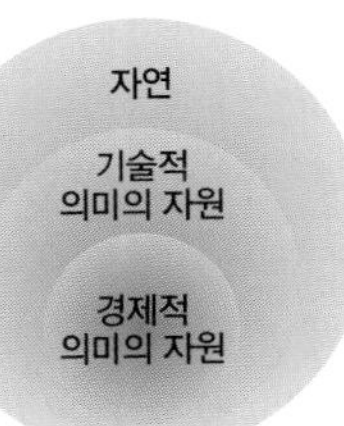

답 ❶ 기술·경제적

예 1 좁은 의미의 자원은 천연자원을 의미하고, 넓은 의미의 자원은 인적·사회적·문화적 자원도 포함한다.

예 2 자원은 재생 가능성에 따라 재생 자원과 비재생 자원으로 분류할 수 있다.

예 3 자원은 가변성, 유한성, 편재성을 가지고 있다.

03 광물 자원 | 쇳돌 鑛, 물건 物, 재물 資, 근원 源

땅속에서 채굴 가능한 경제적·잠재적 가치가 있는 ❶ (   ) 또는 ❷ (   ) 광물

(한국광물자원공사, 2015) 주요 광물 자원의 분포

답 ❶ 금속 ❷ 비금속

예 1 광물 자원은 일반적으로 철광석, 구리 등의 금속 광물과 고령토, 석회석 등의 비금속 광물로 구분한다.

04 신·재생 에너지 | 새 新, 두 再, 날 生, energy

기존의 화석 연료를 재활용하거나 ❶ (   ) 가능한 에너지를 변환시켜 이용하는 에너지

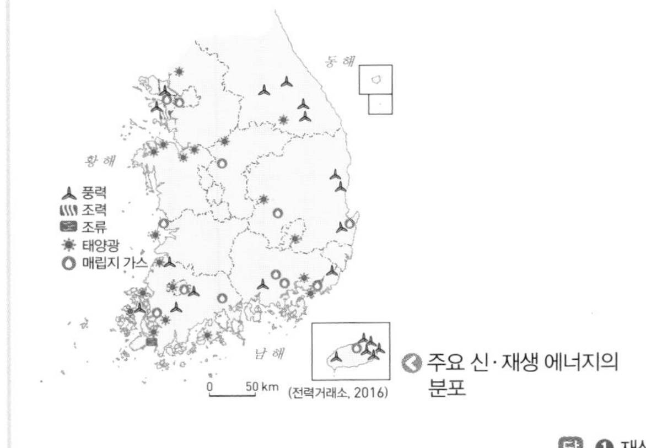

주요 신·재생 에너지의 분포

답 ❶ 재생

예 1 신·재생 에너지 개발을 통해 환경에 부담을 줄이는 지속 가능한 방법으로 자원을 이용해야 한다.

05 지리적 표시제 | 땅 地, 다스릴 理, 과녁 的, 겉 表, 보일 示, 법도 制

농산물 및 그 가공품의 특징이 본질적으로 특정 지역의 지리적 특성에서 기인하는 경우 그 지역에서 생산된 ❶ [ ] 임을 표시하는 제도

지리적 표시제 인증 마크

답 ❶ 특산품

예 1 농업의 부가 가치를 높이고 상품의 차별화를 통해 경쟁의 우위를 확보하기 위해 농산물 브랜드화와 지리적 표시제가 활발하게 추진되고 있다.

06 경공업 | 가벼울 輕, 장인 工, 업 業

부피에 비해 무게가 ❶ [ ] 물건을 만드는 공업

답 ❶ 가벼운

예 1 우리나라는 1960년대에 풍부한 저임금 노동력을 바탕으로 섬유, 의복, 신발 등의 노동 집약적 경공업을 육성하였다.

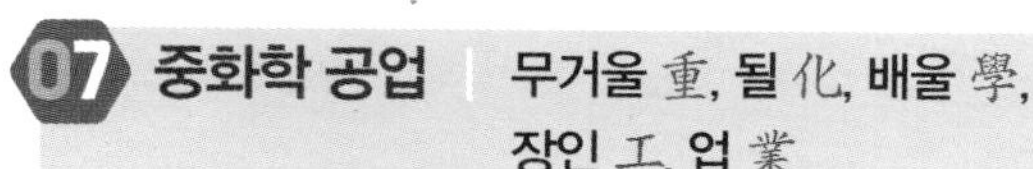

07 중화학 공업 | 무거울 重, 될 化, 배울 學, 장인 工, 업 業

부피에 비해 무게가 ❶ [ ] 물건을 만드는 중공업과 제조 과정에서 화학적 원리를 이용하여 새로운 물질을 만들어 내는 화학 공업을 함께 일컫는 말

답 ❶ 무거운

예 1 우리나라는 1970~1980년대에 항구 도시를 중심으로 제철, 석유 화학 등 자본 집약적 중화학 공업이 발달하였다.

08 첨단 산업 | 뾰족할 尖, 끝 端, 낳을 産, 업 業

❶ [ ] 집약도가 높고, 관련 산업에 미치는 파급 효과가 큰 산업

답 ❶ 기술

예 1 우리나라는 1990년대 이후 부가 가치가 높은 반도체, 컴퓨터, 신소재, 생명 공학 등 기술 및 지식 집약적 첨단 산업이 빠르게 성장하였다.

핵심 용어 풀이

09 공업 구조 | 장인 工, 업 業, 얽을 構, 지을 造

한 국가 안에서 어떤 종류의 공업이 전체 공업에서 차지하는 ❶ [   ]

연도	식품	섬유	목재·종이	화학	비금속·1차 금속	기계·조립 금속	기타	종사자 수
1970년	13.6	31.1	11	11.8	9.5	17.4	5.6	86만 명
1980년	9	30.9	7.8	13.2	9.2	26.5	3.4	201만 명
1990년	7.1	22.1	7.4	14.4	8.3	37.7	3	302만 명
2000년	6.8	16.5	6.4	11.6	7.1	48.2	3.4	265만 명
2010년	6.6	7.3	3.8	12.7	8	59.4	2.2	264만 명
2014년	6.8	6.3	3.5	13.2	7.9	60.1	2.2	290만 명

(단위: %) (통계청, 각 연도)

우리나라 공업 구조와 종사자 수의 변화

답 ❶ 비율

예 1 우리나라는 정부 주도의 수출 지향 정책을 추진하여 짧은 기간 동안 경공업에서 중화학 공업, 첨단 산업으로 공업 구조가 고도화되었다.

10 상업 | 장사 商, 업 業

상품을 ❶ [   ] 행위를 통하여 이익을 얻는 일. 상업 활동을 유지하기 위해서는 재화의 도달 범위가 최소 요구치보다 넓거나 같아야 함.

〈상업 활동 유지 불가능〉 〈상업 활동 유지 가능〉

재화의 도달 범위
최소 요구치
최소 요구치
재화의 도달 범위

답 ❶ 사고파는

예 1 좁은 의미의 상업은 상품의 매매만을 의미하지만, 넓은 의미로는 운송업, 보관업, 금융업, 보험업, 정보 통신업, 무역업 등도 상업에 해당한다.

11 탈공업화 | 벗을 脫, 장인 工, 업 業, 될 化

산업 구조가 2차 산업에서 ❶ [   ] 산업 중심으로 바뀌어 가는 현상

1차 산업 / 2차 산업 / 3차 산업
(%) 0, 20, 40, 60, 80
1970 1980 1990 2000 2010 2015(년)
(통계청, 각 연도)

우리나라 산업별 종사자 비중 변화

답 ❶ 3차

예 1 우리나라는 1980년대 후반부터 탈공업화가 나타나면서 서비스 산업 중심의 산업 구조로 변화하였다.

예 2 탈공업화 사회일수록 생산자 서비스업 부문의 성장이 두드러지게 나타난다.

12 서비스업 | service industry

기업이나 소비자에게 재화와 ❶ [   ]를 제공하는 활동

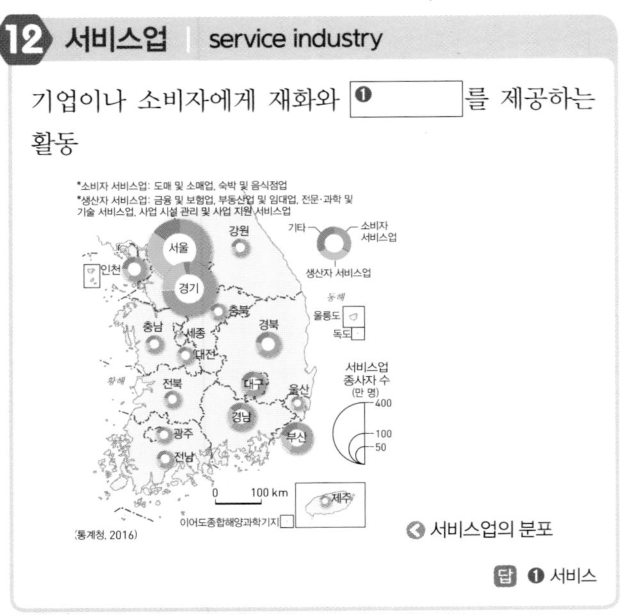

서비스업의 분포

답 ❶ 서비스

예 1 서비스업은 수요자 유형에 따라 소비자 서비스업과 생산자 서비스업으로 구분된다.

13 운송비 | 옮길 運, 보낼 送, 쓸 費

여객이나 화물 수송에 드는 비용으로, ❶ [ ] 비용과 주행 비용으로 구성됨.

총운송비
항공
도로
철도
해운
주행 비용
기종점 비용
→ 거리

교통수단별 운송비 구조

답 ❶ 기종점

예 1 운송비는 거리에 따라 증가하는 주행 비용과 창고비, 하역비, 보험료 등 운송 업무에 관련된 비용인 기종점 비용의 합으로 구할 수 있다.

14 인구 밀도 | 사람 人, 입 口, 빽빽할 密, 법도 度

일정한 지역의 단위 면적(km^2)당 ❶ [ ]

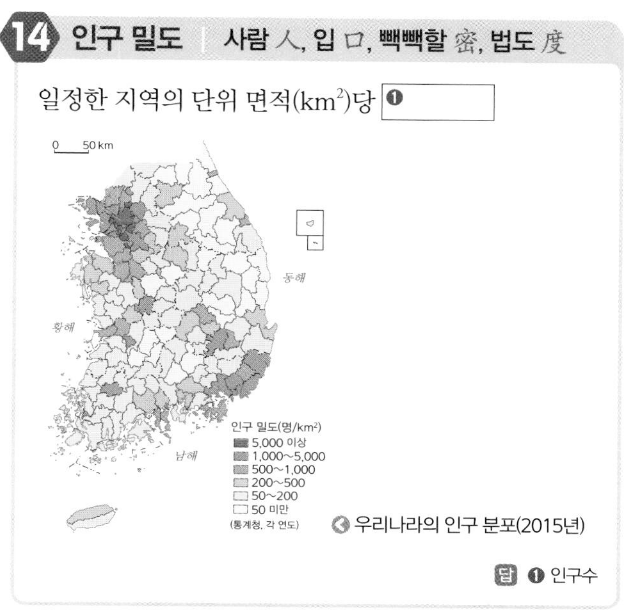

우리나라의 인구 분포(2015년)

답 ❶ 인구수

예 1 한 국가나 지역의 인구 분포는 인구 밀도를 통해 파악할 수 있다.

15 인구 성장 | 사람 人, 입 口, 이룰 成, 길 長

한 지역이나 국가에서 일정한 기간에 발생한 인구의 ❶ [ ] 증감과 ❷ [ ] 증감을 합한 것

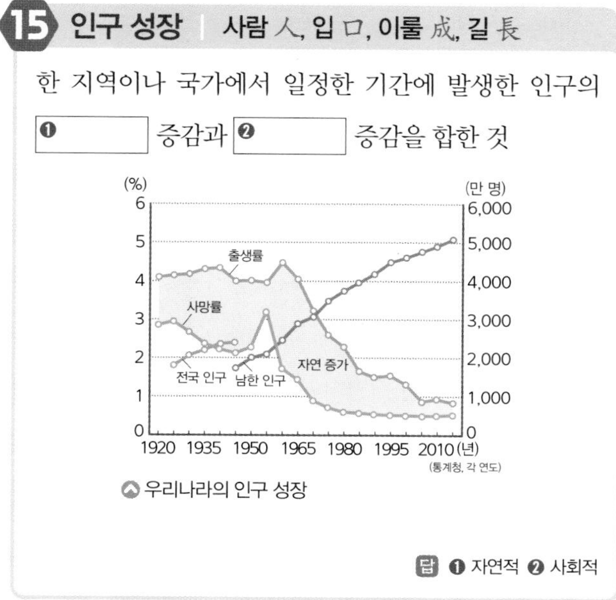

우리나라의 인구 성장

답 ❶ 자연적 ❷ 사회적

예 1 인구 성장은 사회적·경제적 조건을 반영하기 때문에 지역이나 국가에 따라 다르게 나타난다.

16 성비 | 성품 性, 견줄 比

여성 인구 100명에 대한 ❶ [ ] 인구수

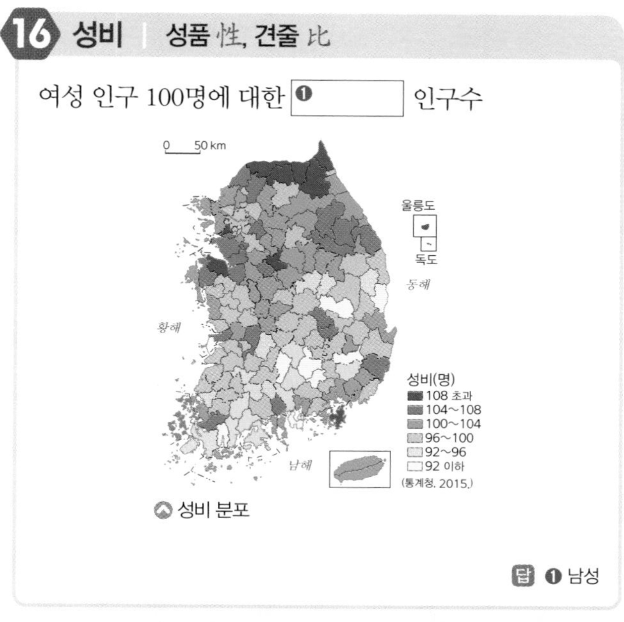

성비 분포

답 ❶ 남성

예 1 과거에는 남아 선호 사상으로 성비 불균형이 나타났으나 점차 완화되는 추세를 보이고 있다.

핵심 용어 풀이

17 합계 출산율 | 합할 合, 셀 計, 날 出, 낳을 産, 비율 率

여성 한 명이 가임 기간(15~49세)에 낳을 것으로 예상되는 평균 ❶ ( ) 수

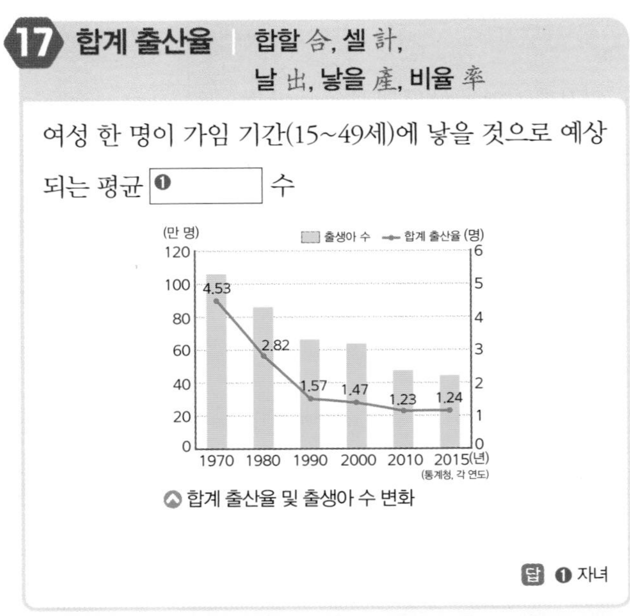

합계 출산율 및 출생아 수 변화

답 ❶ 자녀

예 1 우리나라는 2015년 기준 합계 출산율 1.24명으로 초저출산 현상이 나타나고 있다.

18 고령화 현상 | 높을 高, 나이 齡, 될 化, 나타날 現, 형상 狀

총인구에서 65세 이상의 ❶ ( ) 인구가 차지하는 비율이 높아지는 현상

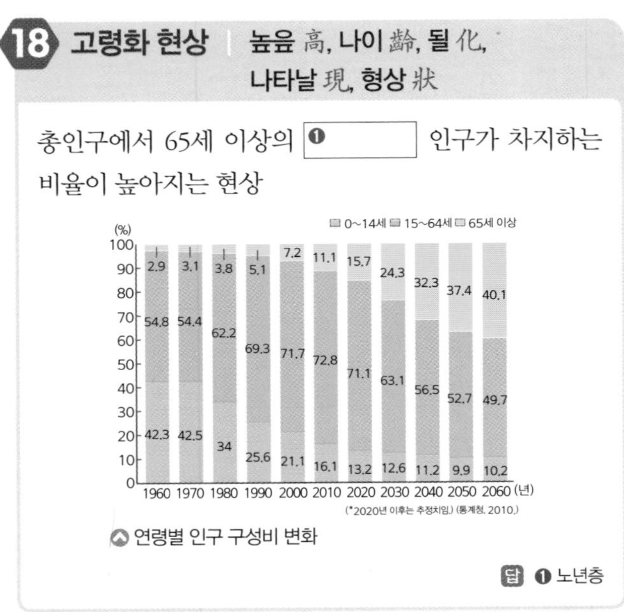

연령별 인구 구성비 변화

답 ❶ 노년층

예 1 우리나라는 기대 수명 연장과 출산율 저하 현상이 맞물리면서 고령화 현상이 급격히 진행되고 있다.

19 동질 지역 | 한가지 同, 바탕 質, 땅 地, 구역 域

특정한 지리적 현상이 ❶ ( ) 하게 나타나는 공간 범위

서울의 토지 이용

답 ❶ 동일

예 1 동질 지역의 사례로는 기후 지역, 농업 지역, 문화 지역 등을 들 수 있다.

20 기능 지역 | 틀 機, 능할 能, 땅 地, 구역 域

하나의 ❶ ( ) 와 그 중심 기능이 영향을 미치는 공간 범위

서울로의 통근·통학자 수

답 ❶ 중심지

예 1 기능 지역의 사례로는 상권과 통근권, 통학권, 도시 세력권 등을 들 수 있다.

21 점이 지대 | 점점 漸, 옮길 移, 땅 地, 띠 帶

서로 인접한 두 지역의 ❶ ______ 에서 지리적 특성이 함께 섞여 나타나는 지역

농촌과 도시 경관이 함께 나타나는 점이 지대 (경기도 김포시)

답 ❶ 경계

예 1 지역은 명확하게 선으로 구분되기도 하지만 그 경계가 불분명하여 인접한 두 지역의 특성이 뒤섞여 있는 점이 지대가 나타나는 경우가 많다.

22 수도권 | 머리 首, 도읍 都, 우리 圈

우리나라의 중서부에 위치하며 수도인 ❶ ______ 와 인천광역시, 경기도를 포함하는 지역

답 ❶ 서울특별시

예 1 수도권의 면적은 우리나라 전체의 약 12%에 불과하지만 인구를 비롯해 각종 기능이 집중되어 있다.

23 강원 지방 | 강 江, 언덕 原, 땅 地, 모 方

우리나라 중부 지방의 동부에 위치한 지역으로, '강원'이라는 지명은 ❶ ______ 과 ❷ ______ 에서 유래됨.

답 ❶ 강릉 ❷ 원주

예 1 강원 지방은 남북 방향으로 발달한 태백산맥을 경계로 영동 지방과 영서 지방으로 구분된다.

24 충청 지방 | 충성 忠, 맑을 淸, 땅 地, 모 方

대전광역시, 세종특별자치시, 충청북도, 충청남도를 포함하는 지역으로, '충청'이라는 지명은 ❶ ______ 와 ❷ ______ 에서 유래됨.

답 ❶ 충주 ❷ 청주

예 1 충청 지방은 최근 수도권의 다양한 기능이 이전하면서 빠르게 성장하는 지역이다.

핵심 용어 풀이

25 호남 지방 | 호수 湖, 남녘 南, 땅 地, 모 方

우리나라의 서남부에 위치하며 ❶ ______ 와 전라북도, 전라남도를 포함하는 지역

답 ❶ 광주광역시

예1 호남 지방은 자연환경과 전통문화를 활용한 관광 자원을 바탕으로 지역 경쟁력을 확보하고 있다.

26 영남 지방 | 고개 嶺, 남녘 南, 땅 地, 모 方

우리나라의 남동부에 위치하며 ❶ ______ , 대구광역시, 울산광역시, 경상북도와 경상남도를 포함하는 지역

답 ❶ 부산광역시

예1 영남 지방은 수도권과 함께 우리나라의 산업화를 주도해 온 주요 공업 지역이다.

27 제주도 | 건널 濟, 고을 州, 섬 島

감귤 나무

돌담과 올레

답 ❶ 화산섬

예1 신생대 화산 활동으로 형성된 화산섬인 제주도는 곳곳에 다양한 화산 지형이 분포한다.

28 용천 | 물 솟을 湧, 샘 泉

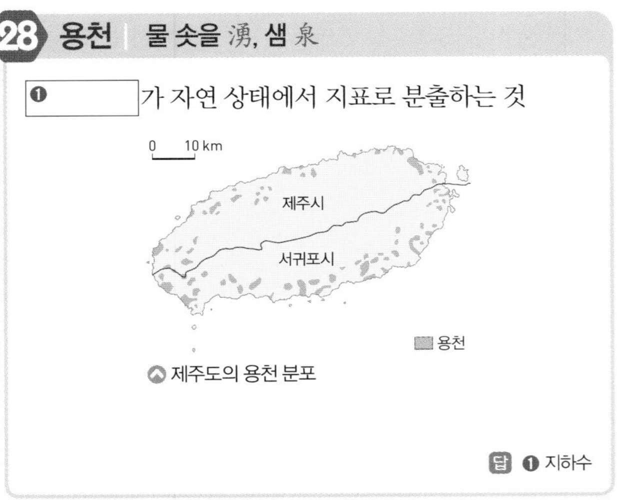

제주도의 용천 분포

답 ❶ 지하수

예1 지표수가 부족한 제주도의 전통 취락은 지하수가 용천하는 해안가를 중심으로 형성되었다.

핵심 개념 01 도시 재개발과 지역 개발

1. 도시 재개발 방식

❶	기존 건물과 시설을 완전히 철거하고 새로운 시설물로 대체하는 방식
보존 재개발	역사·문화적으로 보존할 가치가 있는 지역의 환경을 유지·관리하는 방식
수복 재개발	기존 골격을 유지하면서 필요한 부분만 수리·개조하여 보완하는 방식

2. 지역 개발 방식

구분	성장 거점 개발 방식	❷ 방식
추진 방식	하향식 개발	상향식 개발
개발 방법	성장 가능성이 큰 지역에 집중 투자	낙후된 지역에 우선적으로 투자
개발 목표	경제적 효율성 추구	경제적 형평성 추구
장점	단기간 높은 성장	지역 간 균형 성장
단점	역류 효과 발생 우려	투자의 효율성이 낮음.

답 ❶ 철거 재개발 ❷ 균형 개발

핵심 개념 02 자원의 분포와 이용

1. 에너지 자원의 분포와 이용

석탄	무연탄	주로 고생대 평안 누층군에 매장
	역청탄	제철 공업 및 화력 발전의 원료, 전량 수입
석유	화학 공업의 원료 및 ❶ 연료	
천연가스	주로 가정용 연료, 울산 앞바다에서 소량 생산	

2. 전력 자원의 입지와 특징

화력	연료 수입에 유리하고 대소비지와 가까운 지역에 입지, 대기 오염 물질 배출량이 많음.
❷	지반이 견고하고 냉각수 공급에 유리한 해안 지역에 입지, 방사능 유출의 위험이 있음.
수력	유량이 풍부하고 낙차가 큰 하천 중·상류 지역에 입지, 안정적 전력 생산이 어려움.

답 ❶ 수송용 ❷ 원자력

핵심 개념 03 농업의 변화와 농촌 문제

1. 농촌 및 농업 구조의 변화
(1) 농촌 인구의 변화: 이촌 향도로 인한 청장년층 중심의 인구 유출 → 인구의 고령화, 노동력 부족
(2) 경지 변화: 경지 면적 감소, 경지 이용률 감소, 농가당 경지 면적 ❶
(3) 영농 방식의 변화: 시설 재배 증가, 상업적 농업 발달, 영농의 기계화, 영농의 기업화

2. 주요 작물의 생산과 소비 변화

쌀(벼)	식생활 변화, 농산물 시장 개방 → 소비량과 재배 면적 ❷
보리(맥류)	수익성 감소, 외국 농산물 수입 확대 → 소비량과 재배 면적 감소
원예 작물	식생활 변화, 소득 증대, 교통 발달 → 소비량과 재배 면적 증가

3. 농업 경쟁력 강화를 위한 노력: 농산물 고급화, 농업 경영의 다각화, 농산물 유통 구조 개선

답 ❶ 증가 ❷ 감소

핵심 개념 04 우리나라의 주요 공업 지역

1. 우리나라 공업의 특징: 공업 구조의 고도화, 공업의 지역적 편재, 공업의 이중 구조, 원료의 높은 해외 의존도
2. 우리나라의 주요 공업 지역

수도권 공업 지역	· 우리나라 최대의 종합 공업 지역 · 집적 불이익으로 공업 분산이 추진됨.
태백산 공업 지역	풍부한 지하자원을 바탕으로 시멘트 공업 등 원료 지향형 공업 발달
❶ 공업 지역	수도권과 인접하고 교통이 편리하여 수도권에서 분산되는 공업이 입지하고 있음.
호남 공업 지역	· 공업의 지역적 불균형 해소를 위해 조성됨. · 제2의 임해 공업 지역으로 성장 가능
영남 내륙 공업 지역	과거 풍부한 노동력과 편리한 육상 교통을 바탕으로 노동 집약적 경공업 발달
❷ 공업 지역	· 우리나라 최대의 중화학 공업 지역 · 항만을 중심으로 적환지 지향형 공업 발달

답 ❶ 충청 ❷ 남동 임해

자르는 선

02

예제 (가), (나)에 해당하는 자원을 그래프의 A~C에서 고른 것은?

> • (가) 은/는 화학 공업의 원료 및 수송용 연료로 이용되며, 수요량의 대부분을 수입에 의존하고 있다.
> • (나) 은/는 가정용 및 발전용 연료로 이용되며, 다른 화석 연료보다 대기 오염 물질 배출량이 적다.

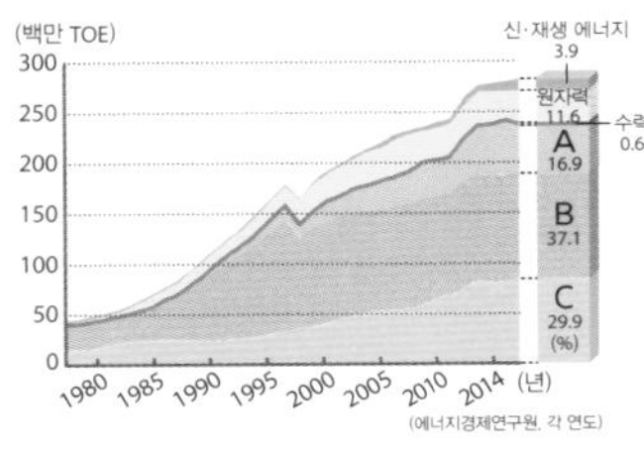

	(가)	(나)
①	A	B
②	B	A
③	B	C
④	C	A
⑤	C	B

답 ②

★기억해요!

우리나라의 1차 에너지 소비 비율은 [　　　] > 석탄 > 천연가스 > 원자력 > 신·재생 에너지 및 기타 > 수력 순으로 높다.

답 석유

01

예제 (가)와 비교한 (나) 재개발 방식의 상대적 특징을 그림의 A~E에서 고른 것은?

(가)	기존 건물과 시설을 완전히 철거하고 새로운 시설물로 대체하는 방식
(나)	기존 골격을 유지하면서 필요한 부분만 수리·개조하여 보완하는 방식

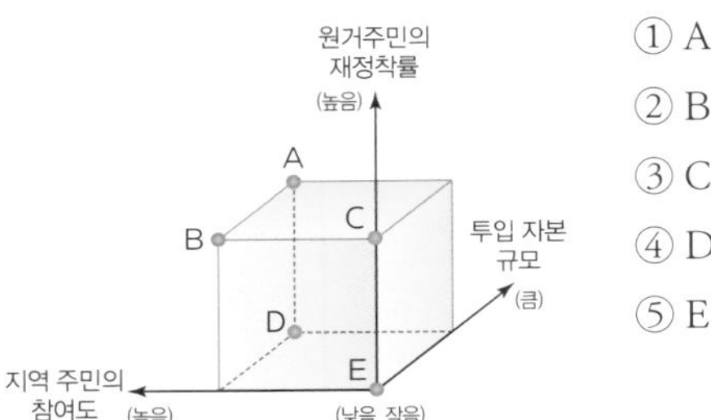

① A
② B
③ C
④ D
⑤ E

답 ②

★기억해요!

도시 재개발은 시행 방법에 따라 [　　　], 보존 재개발, 수복 재개발로 구분한다.

답 철거 재개발

04

예제 다음 설명에 해당하는 공업 지역을 지도의 A~E에서 고른 것은?

> 수도권과 인접하며 도로 및 철도 교통이 발달하여 수도권 공장의 이전이 활발하다.

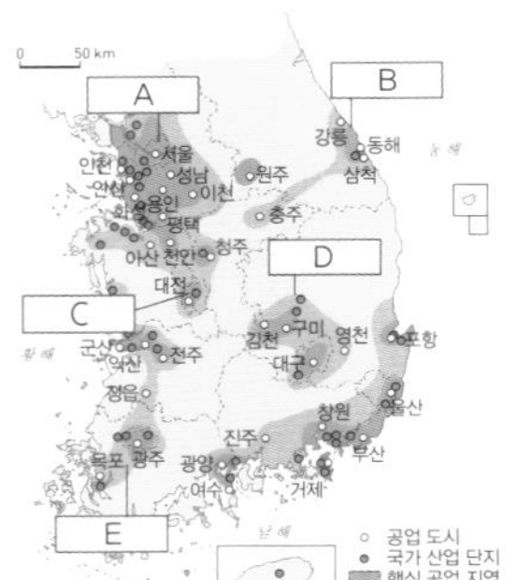

① A
② B
③ C
④ D
⑤ E

답 ③

★기억해요!

공업이 수도권과 남동 임해 지역에 과도하게 집중하면서 집적 불이익이 발생하여 [　　　]과 호남 지역으로의 공업 분산 정책이 추진되고 있다.

답 충청 지역

03

예제 그래프는 경지 면적과 경지 이용률의 변화를 나타낸 것이다. 이를 분석한 내용으로 옳지 않은 것은?

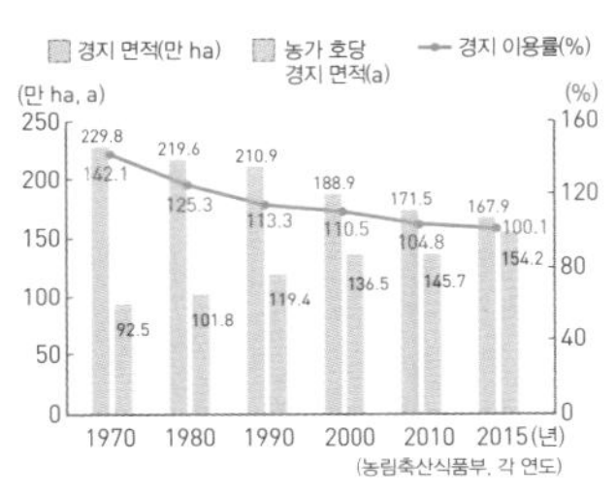

① 농가 인구가 감소하였다.
② 토지 이용이 집약적으로 변화하였다.
③ 농가 수 감소율이 경지 면적 감소율보다 낮다.
④ 산업화·도시화의 영향으로 경지 면적이 감소하였다.
⑤ 휴경지 증가 및 그루갈이 감소로 경지 이용률이 감소하였다.

답 ③

★기억해요!

우리나라는 경지 면적과 경지 이용률은 감소하였으며, 농가 호당 경지 면적은 [　　　]하였다.

답 증가

자르는 선

핵심 개념 05 상업 및 소비 공간의 변화

1. 상업의 입지
(1) 상점의 유지 조건: ❶ ≤ 재화의 도달 범위
(2) 상업 입지 요인의 변화: 인구 증가, 교통·통신의 발달, 생활 수준 향상으로 소비 행태 다양화 → 상설 시장 발달, 상권 확대, 상품의 유통 구조 단순화, 다양한 소비 공간(예 편의점, 대형 복합 쇼핑몰, 무점포 상점, 직거래 장터 등)의 등장
2. 주요 소매 업태별 특징

백화점	주로 고급 상품 판매, 접근성이 높은 도심이나 부도심에 입지
대형 마트	생활용품을 저렴한 가격으로 대량 판매, 도시 내 주거 지역을 중심으로 입지
편의점	일상생활에 필요한 기본 상품을 24시간 판매, 도시 곳곳에 분포
❷	TV 홈쇼핑, 인터넷 쇼핑, 소셜 커머스 등을 통한 거래 → 택배 및 물류 산업 성장

답 ❶ 최소 요구치 ❷ 무점포 상점

핵심 개념 06 서비스 산업과 교통·통신의 발달

1. 서비스 산업의 고도화
(1) 서비스 산업의 유형

소비자 서비스업	개인 소비자가 이용하는 서비스업 → 소비자 분포에 따라 분산 입지
❶ 서비스업	기업의 생산 활동을 지원하는 서비스업 → 대도시의 도심이나 부도심에 집적 입지

(2) 서비스 산업의 고도화: 서비스업 외부화 경향의 강화로 세분화·전문화됨. → 생산자 서비스업의 비중 증가
2. 교통수단별 특징

도로	단거리 수송에 유리, 문전 연결성과 기동성이 우수
철도	정시성과 안전성이 우수, 지형적 제약이 큼.
해운	대량 화물의 ❷ 수송에 유리, 기상 조건의 제약이 큼.
항공	장거리 여객 수송과 고부가 가치 화물 수송에 적합

답 ❶ 생산자 ❷ 장거리

핵심 개념 07 인구 분포와 인구 구조의 변화

1. 우리나라의 인구 분포
(1) 인구 조밀 지역

1960~1980년대	산업화·도시화에 따른 이촌 향도 현상 → 수도권과 영남권에 인구 집중
1990년대 이후	대도시의 과밀화에 따른 ❶ 현상 → 수도권과 영남권의 대도시 주변 지역의 인구 증가

(2) 인구 희박 지역: 태백·소백산맥의 산간 지역, 농어촌 지역
2. 우리나라의 인구 구조 변화

연령별 인구 구조	· 1960년대 이전: 높은 출생률과 사망률 → ❷ 인구 구조 · 1990년대 후반 이후: 출생률과 사망률 감소 → 종형 인구 구조
성별 인구 구조	과거 남아 선호 사상으로 성비 불균형이 나타났으나 점차 완화되고 있음.

답 ❶ 교외화 ❷ 피라미드형

핵심 개념 08 인구 문제와 공간 변화

1. 저출산 현상

현황	2015년 ❶ 1.24명으로 세계 최저 수준
원인	결혼 및 자녀에 대한 가치관 변화, 여성의 사회 진출 확대, 자녀 양육비 부담 증가
영향	생산 가능 인구와 총인구 감소, 소비와 투자 위축
대책	출산 휴가 및 육아 휴직 제도 개선, 양육비 지원

2. 고령화 현상

현황	2000년 고령화 사회, 2017년 고령 사회 진입
원인	출산율 감소, 기대 수명 연장 및 사망률 감소
영향	사회 복지 비용 증가, 노동력 부족 및 생산성 저하
대책	정년 연장, 연금 제도 개선, ❷ 육성

답 ❶ 합계 출산율 ❷ 실버산업

자르는 선

05

예제 (가)와 비교한 (나) 소매 업태의 상대적 특징으로 옳은 것은? (단, (가), (나)는 백화점, 편의점 중 하나임.)

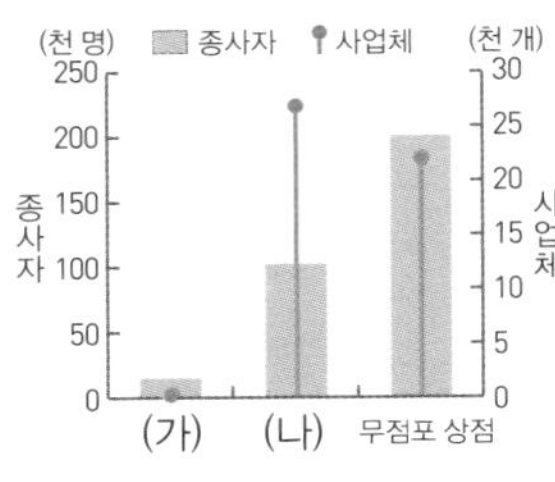

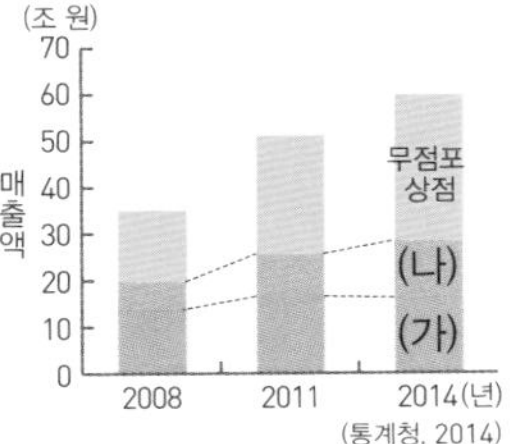

① 재화의 도달 범위가 넓다.
② 업체당 평균 매출액이 많다.
③ 소비자의 이용 빈도가 높다.
④ 사업체 간 평균 거리가 멀다.
⑤ 고가 제품의 판매 비중이 높다.

답 ③

★기억해요!

[   ]은 유동 인구가 많고 접근성이 높은 도심이나 부도심에 주로 입지하며, [   ]은 소비자의 분포에 따라 곳곳에 분산되어 입지한다.

답 백화점, 편의점

06

예제 지도는 수요 주체에 따라 분류한 서비스업의 분포를 나타낸 것이다. (가), (나)에 대한 설명으로 옳지 않은 것은?

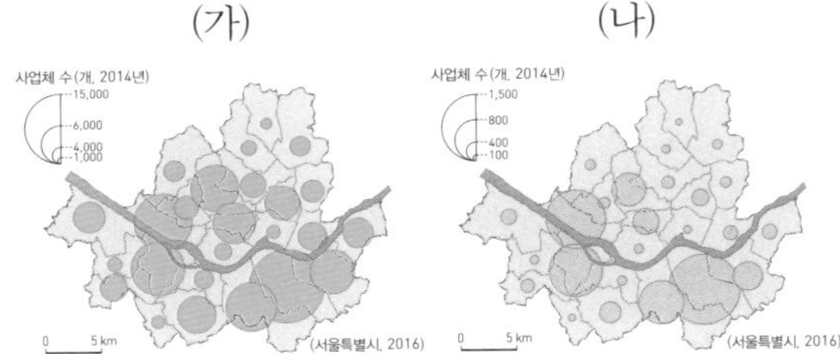

① (가)의 사례로는 도·소매업, 음식업 등이 있다.
② (나)의 사례로는 금융업, 보험업 등이 있다.
③ (가)는 (나)보다 사업체의 평균 규모가 크다.
④ (나)는 (가)보다 노동 생산성이 높은 편이다.
⑤ 탈공업화 사회에서는 (가)보다 (나)의 비중이 높아진다.

답 ③

★기억해요!

서비스업은 수요 주체에 따라 [   ] 서비스업과 [   ] 서비스업으로 구분된다.

답 소비자, 생산자

07

예제 그래프는 우리나라의 시기별 인구 구조를 나타낸 것이다. (가)보다 (나) 시기에 높게 나타나는 항목으로 옳은 것은?

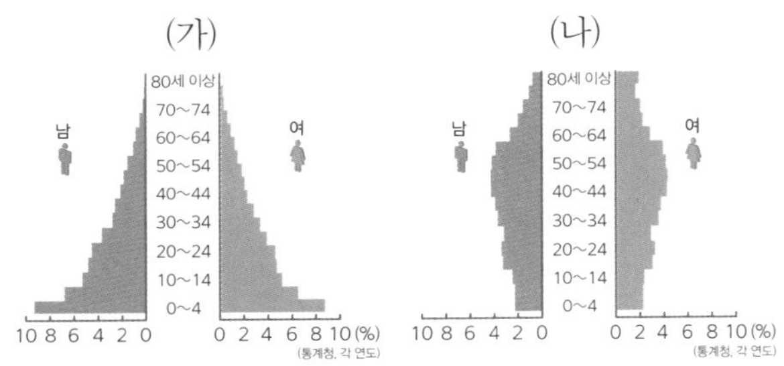

① 출생률
② 사망률
③ 합계 출산율
④ 노령화 지수
⑤ 유소년 부양비

답 ④

★기억해요!

우리나라는 1960년대 이전까지 높은 출생률과 사망률로 인하여 [   ] 인구 구조가 나타났으며, 1960년대 이후에는 출생률과 사망률이 감소하여 종형 인구 구조로 변화되었다.

답 피라미드형

08

예제 다음은 학생이 수업 시간에 학습한 내용을 정리한 것이다. 밑줄 친 ㉠~㉤ 중 옳지 않은 것은?

〈인구 문제와 공간 변화〉

1. 저출산 현상
   - 원인: 결혼 및 자녀에 대한 가치관 변화, ㉠ 초혼 연령 상승, ㉡ 자녀 양육비 부담 증가 등
   - 대책: 양육비 지원, ㉢ 양성평등 문화 확산 등
2. 고령화 현상
   - 원인: ㉣ 출산율 증가, 기대 수명 연장 등
   - 대책: 정년 연장, ㉤ 실버산업 육성 등

① ㉠ ② ㉡ ③ ㉢ ④ ㉣ ⑤ ㉤

답 ④

★기억해요!

우리나라는 유소년층 인구 비율은 [   ]하고 노년층 인구 비율은 [   ]하여 저출산·고령화 현상이 나타나고 있다.

답 감소, 증가

자르는 선

부록 핵심 개념 총집합

핵심 개념 09 우리나라의 지역 구분

1. 지역 구분의 유형

동질 지역	특정한 지리적 현상이 동일하게 나타나는 공간 범위 예 기후 지역, 문화 지역 등
기능 지역	하나의 중심지와 그 중심 기능이 영향을 미치는 공간 범위 예 통근·통학권, 상권 등
❶	서로 인접한 두 지역의 특성이 함께 섞여 나타나는 지역 → 지역 간 경계에서 나타남.

2. 우리나라의 지역 구분

(1) 전통적 지역 구분: 관북, 관서, 관동(영동, 영서), 해서, 경기, 호서, 호남, 영남 지방

(2) 위치에 따른 일반적 구분: 북부 지방(휴전선 북쪽), 중부 지방(수도권, 강원권, 충청권), 남부 지방(호남권, 영남권, 제주권)

(3) 행정 구역에 따른 구분: 1개 특별시(서울), 6개 광역시(부산, 대구, 인천, 광주, 대전, 울산), 1개 특별자치시(❷), 8개 도(경기, 강원, 충북, 충남, 전북, 전남, 경북, 경남), 1개 특별자치도(제주)

답 ❶ 점이 지대 ❷ 세종

핵심 개념 10 북한 지역의 특성

1. 북한의 자연환경

지형	산지와 고원의 비중이 높음, 서해안에 큰 평야 발달
기후	대륙성 기후, 대체로 남한보다 연 강수량이 적음.

2. 북한의 인문 환경

인구	남한 인구의 절반 수준, 서부 평야 지역에 집중
도시	❶ 지대와 동해 연안에 주로 분포
교통	철도 교통 중심, 동서 간 연계 미약(지형의 영향)
산업	군수 공업 중심의 중공업 우선 정책 추진

3. 북한의 주요 개방 지역

나선 경제특구	북한 최초의 개방 지역
신의주 특별 행정구	홍콩식 경제 개발을 위해 지정
금강산 관광 지구	관광객 유치 목적으로 조성
❷	남한의 자본·기술 + 북한의 노동력

답 ❶ 서부 평야 ❷ 개성 공업 지구

핵심 개념 11 인구와 기능이 집중된 수도권

1. 지역 특성

(1) 공간 범위: 서울특별시, 인천광역시, 경기도

(2) 인구와 기능의 집중: 인구와 국내 총생산의 절반가량 차지함.

2. 산업 공간 구조의 변화

제조업 발달	1960년대 서울을 중심으로 경공업 발달 → 1980년대 이후 인천, 경기로 제조업 분산
❶	1990년대 이후 2차 산업 비율은 감소하고, 3차 산업 비율은 증가함.
지식 기반 산업 성장	2000년대 이후 지식 기반 산업 성장 → 지식 기반 서비스업은 서울, 지식 기반 제조업은 경기에 입지

3. 문제점과 해결 방안

(1) 문제점: ❷ 발생, 수도권과 비수도권 간 격차 심화

(2) 해결 방안: 과밀 부담금 제도, 수도권 공장 총량제, 수도권 정비 계획, 비수도권에 혁신 도시·기업 도시 조성 등

답 ❶ 탈공업화 ❷ 집적 불이익

핵심 개념 12 태백산맥으로 나뉘는 강원 지방

1. 영서 지방과 영동 지방의 특성

구분	영서 지방	영동 지방
지형	산지의 경사가 완만한 편, 고위 평탄면과 침식 분지 발달	급경사의 산지, 좁은 해안 평야 발달, 하천의 유로가 짧고 경사가 급함.
기후	영동 지방보다 기온의 연교차가 큼, 다우지	영서 지방보다 겨울철 기온이 온화함, 다설지
주민 생활	산지가 많아 밭농사 비율이 높음, 고랭지 농업	동해와 접해 있어 해산물을 이용한 음식 발달

2. 산업 구조 변화

(1) 1차 산업: ❶ ·목축업 발달, 풍부한 임산 및 수산 자원

(2) 광업의 발달과 쇠퇴: 풍부한 지하자원을 토대로 광업 발달 → 1980년대 이후 ❷ (1989년) 등으로 쇠퇴

(3) 새로운 성장 방향: 자연환경과 폐광 지역을 관광 자원으로 활용, 춘천·강릉·원주를 중심으로 바이오·신소재 산업 육성

답 ❶ 고랭지 농업 ❷ 석탄 산업 합리화 정책

자르는 선

10

예제 (가), (나)에 해당하는 북한의 개방 지역을 지도의 A~D에서 고른 것은?

> • (가) 은/는 중국과의 무역 통로로, 2002년 특별 행정구로 지정되었다.
> • (나) 은/는 남한의 자본 및 기술과 북한의 노동력이 결합한 공업 지구이다.

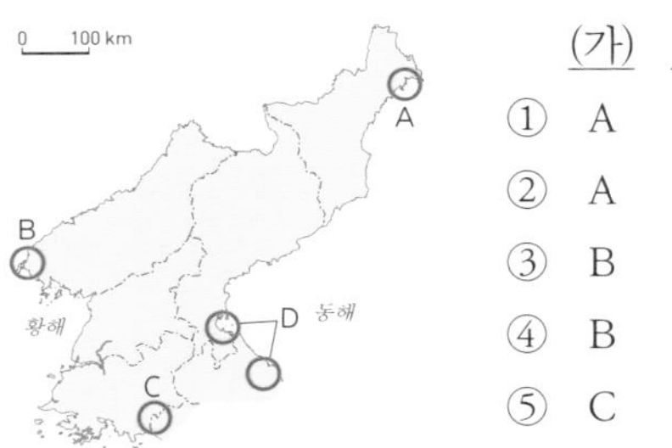

	(가)	(나)
①	A	C
②	A	D
③	B	C
④	B	D
⑤	C	A

답 ③

★기억해요!

북한의 주요 개방 지역에는 나선 경제특구, [　　], 금강산 관광 지구, [　　]가 있다. 답 신의주 특별 행정구, 개성 공업 지구

09

예제 표는 지역 구분의 유형을 정리한 것이다. (가), (나)에 대한 설명으로 옳은 것은?

(가)	특정한 지리적 현상이 동일하게 분포하는 범위 예 기후 지역, 문화 지역 등
(나)	하나의 중심지와 그 중심 기능이 영향을 미치는 범위 예 통근·통학권, 상권 등

① (가)는 기능 지역, (나)는 동질 지역이다.
② (가)는 (나)보다 지역 간 상호 작용을 파악하기에 유리하다.
③ (가)는 (나)보다 지역 간 기능적 관계가 중요하다.
④ (나)는 (가)보다 교통 발달의 영향을 크게 받는다.
⑤ (가), (나) 모두 지역의 범위는 변하지 않는다.

답 ④

★기억해요!

[　　]은 특정한 지리적 현상이 동일하게 나타나는 공간 범위이고, [　　]은 중심지와 주변 지역이 기능적으로 결합한 공간 범위이다. 답 동질 지역, 기능 지역

12

예제 강원 지방 두 지역의 기후 그래프에 대한 설명으로 옳은 것은? (단, (가), (나)는 강릉, 홍천 중 하나임.)

(가) (나)

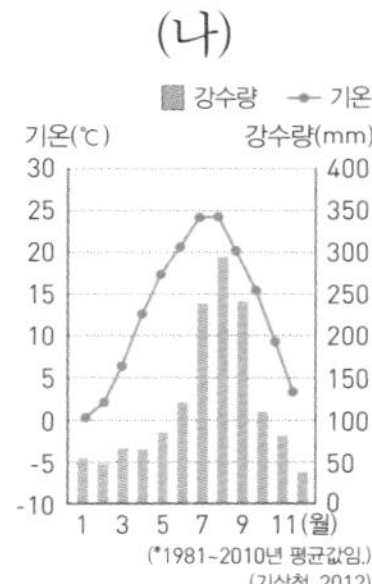

① (가)는 영서 지방, (나)는 영동 지방에 속한다.
② (가)는 (나)보다 겨울철 기온이 높다.
③ (가)는 (나)보다 겨울철 강수량이 많다.
④ (나)는 (가)보다 여름철 강수 집중률이 높다.
⑤ (나)는 (가)보다 기온의 연교차가 크다.

답 ①

★기억해요!

강원 지방은 남북 방향으로 발달한 [　　]을 경계로 영동 지방과 영서 지방으로 구분된다.

답 태백산맥

11

예제 그래프는 수도권 및 서울의 집중도를 나타낸 것이다. 이에 대한 설명으로 옳지 않은 것은?

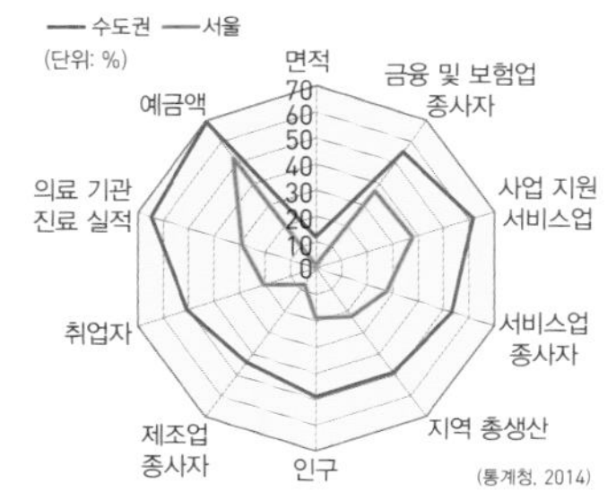

① 수도권은 비수도권보다 인구 밀도가 높다.
② 수도권의 면적은 전국의 20%를 넘지 않는다.
③ 1인당 지역 총생산은 서울이 인천·경기보다 많다.
④ 서울 인구는 수도권 인구의 절반에 미치지 못한다.
⑤ 서울은 제조업 종사자 집중도가 서비스업 종사자 집중도보다 높다.

답 ⑤

★기억해요!

[　　]은 서울특별시, 인천광역시, 경기도를 포함하는 지역으로 인구와 각종 기능이 집중되어 있다.

답 수도권

자르는 선

부록 핵심 개념 총집합

핵심 개념 13 빠르게 성장하는 충청 지방

1. 지역 특성
(1) 공간 범위: 대전광역시, 세종특별자치시, 충청북도, 충청남도
(2) 발달된 교통망을 바탕으로 교통과 물류의 중심지로 성장
(3) 최근 교통 발달과 수도권 과밀화에 따른 분산 정책 시행으로 ❶ [ ]의 다양한 기능 이전

2. 공업 발달

중화학 공업	서산(석유 화학), 당진(제철), 아산(자동차)
첨단 산업	청주(오송 생명 과학 단지), 대전(대덕 연구 개발 특구)

3. 도시 성장

❷ [ ]	중앙 행정 기능 분담, 행정 중심 복합 도시
내포 신도시	충청남도의 지방 행정 기능 이전
기업 도시	충주(지식 기반형), 태안(관광 레저형)
혁신 도시	충북 진천·음성(정부 기관 이전, 산·학·연·관의 협력)

답 ❶ 수도권 ❷ 세종특별자치시

핵심 개념 14 다양한 산업이 발전하는 호남 지방

1. 공간 범위: 광주광역시, 전라북도, 전라남도
2. 농지 개간과 간척 사업

일제 강점기	수탈을 위한 간척 사업 → 농경지 확장
1960년대 이후	정부와 민간 주도의 대규모 간척 사업 추진 예 부안군 계화도, 새만금 등

3. 산업 구조

농업	1차 산업 비율이 높음, 국내 쌀 생산량의 약 1/3
공업	· 1970년대: 여수 국가 산업 단지(석유 화학) · 1980년대: ❶ [ ] 제철소 건설 · 1990년대: 군산 산업 단지, 대불 산업 단지 조성
관광 산업	자연환경과 전통문화를 활용한 관광 자원을 바탕으로 지역 경쟁력 확보 예 지역 축제, 슬로 시티

4. 발전 방향
(1) 신산업 육성: ❷ [ ](광 산업), 전주(첨단 부품 소재 산업)
(2) 경제 자유 구역(새만금, 광양만), 혁신 도시(전주·완주, 나주)

답 ❶ 광양 ❷ 광주

핵심 개념 15 공업과 함께 발달한 영남 지방

1. 공간 범위: 부산광역시, 대구광역시, 울산광역시, 경상북도, 경상남도
2. 공업 지역

❶ [ ] 공업 지역	풍부한 노동력, 편리한 교통 → 경공업 발달 예 대구(섬유), 구미(전자)
❷ [ ] 공업 지역	항만 발달, 정부의 중화학 공업 육성 정책 → 우리나라 최대의 중화학 공업 지역 예 울산(자동차, 조선, 석유 화학), 포항(제철), 창원(기계), 거제(조선)

3. 주요 도시

부산	국제 물류 도시, 영상·국제 물류·금융 산업 중심
대구	섬유 산업의 첨단화 도모, 고부가 가치 산업 육성
울산	자동차, 조선, 석유 화학 공업의 첨단화 도모
창원	2010년 마산·진해와 통합, 기계 공업 단지
안동	세계 문화유산(하회 마을)
경주	세계 문화유산(석굴암과 불국사, 양동 마을 등)

답 ❶ 영남 내륙 ❷ 남동 임해

핵심 개념 16 세계적인 관광지로 발전하는 제주도

1. 자연환경

기후	기온의 연교차가 작고 겨울이 온화한 해양성 기후
지형	신생대 ❶ [ ] 활동으로 형성된 화산섬

2. 독특한 문화

전통 취락	해안가 용천대를 따라 취락 발달
농업	지표수 부족으로 밭농사·과수 농업 발달
전통 가옥	강한 바람에 대비하기 위한 그물 지붕과 돌담

3. 산업 발달: 1차 산업과 ❷ [ ] 산업 위주의 3차 산업 발달
4. 발전 방향
(1) 국제 자유 도시(2002년) 및 제주특별자치도(2006년) 지정 → 산업·행정 등 광범위한 분야에 걸쳐 자치권 확보, 경제 활동의 자유를 최대한 보장
(2) 자연환경과 지역성을 고려한 개발, 개발 이익이 지역 경제 성장에 이바지할 수 있는 개발 추구

답 ❶ 화산 ❷ 관광

자르는 선 ✂

14

예제 지도의 A~E 지역에 대한 탐구 학습 주제로 적절하지 않은 것은?

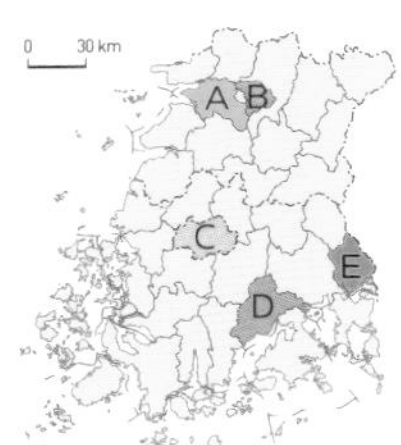

① A – 전통 농경 문화 축제 개최가 지역 경제에 미치는 영향
② B – 세계 문화유산 등재에 따른 외국인 관광객 유치 실태
③ C – 자동차, 광(光) 산업 중심의 산업 구조 고도화 전략
④ D – 녹차의 지리적 표시제 등록을 통한 브랜드 가치 창출
⑤ E – 대규모 제철소 입지에 따른 토지 이용 변화

답 ②

★기억해요!

______ 지평선 축제, ______ 다향 대축제, 순창 장류 축제 등은 호남 지방의 자연환경과 전통문화를 활용한 지역 축제들이다.

답 김제, 보성

13

예제 (가), (나) 지역을 지도의 A~E에서 고른 것은?

(가) 수도권의 과밀화를 해결하고 국토의 균형 발전을 위해 조성한 행정 중심 복합 도시이다.
(나) 기업 도시로 선정되어 국가 균형 발전에 중요한 역할을 담당한다.

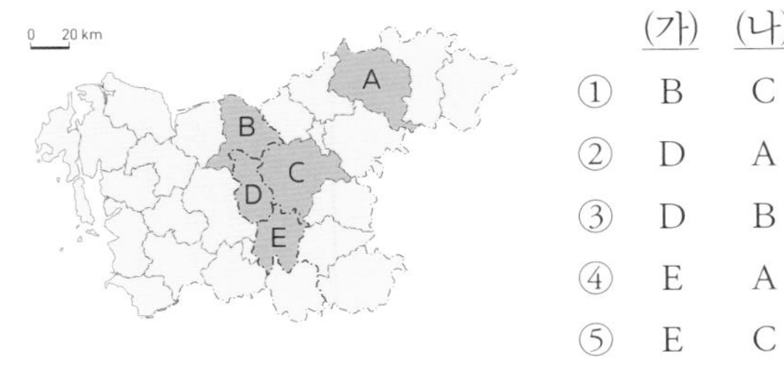

	(가)	(나)
①	B	C
②	D	A
③	D	B
④	E	A
⑤	E	C

답 ②

★기억해요!

______은 최근 수도권 분산 정책의 시행으로 수도권의 다양한 기능이 이전하면서 빠르게 성장하는 지역이다.

답 충청 지방

16

예제 다음 지도에 표시된 지역에 대한 설명으로 옳지 않은 것은?

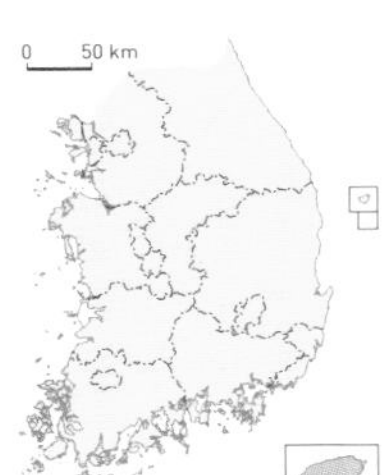

① 신생대 화산 활동으로 형성된 화산섬이다.
② 연 강수량이 많으나 하천의 발달이 미약하다.
③ 3차 산업보다 2차 산업 종사자 비율이 높다.
④ 지표수가 부족하여 대부분 밭농사가 이루어진다.
⑤ 겨울철 기온이 온화하여 동백나무, 감귤나무 등 난대성 식물이 자란다.

답 ③

★기억해요!

제주도는 신생대 화산 활동으로 형성된 ______으로, 다양한 화산 지형과 독특한 문화를 바탕으로 세계적인 관광지로 발전하고 있다.

답 화산섬

15

예제 (가), (나) 지역을 지도의 A~E에서 고른 것은?

(가) 자동차·조선·석유 화학 공업의 비중이 높다.
(나) 2010년에 마산·진해와 통합되었으며, 기계 공업 단지가 조성되어 있다.

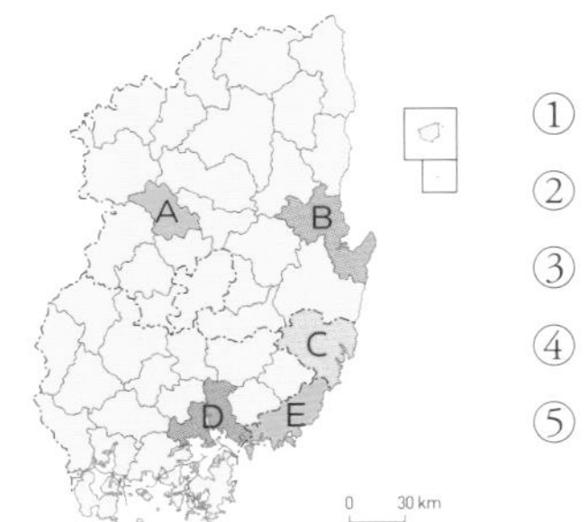

	(가)	(나)
①	A	B
②	C	A
③	C	D
④	E	B
⑤	E	D

답 ③

★기억해요!

포항은 제철 공업, ______은 자동차·조선·석유 화학 공업, 거제는 조선 공업, ______은 기계 공업 등이 대표적으로 발달하였다.

답 울산, 창원

자르는 선